GARDEZ-VOUS D'AIMER UN
PERVERS

Catalogage avant publication
de la Bibliothèque nationale du Canada

Moraldi, Véronique

  Gardez-vous d'aimer un pervers

  1. Manipulation (Psychologie). 2. Perversion.
  3. Relations entre hommes et femmes.
  4. Violence psychologique. I. Titre.

BF632.5.M67 2004   153.8'52   C2003-942148-1

Pour en savoir davantage sur nos publications,
visitez notre site: **www.edhomme.com**
Autres sites à visiter: www.edjour.com •
www.edtypo.com www.edvlb.com •
www.edhexagone.com • www.edutilis.com

Dépôt légal: 1er trimestre 2004
Bibliothèque nationale du Québec

ISBN 2-7619-1888-6

DISTRIBUTEURS EXCLUSIFS:

• Pour le Canada
et les États-Unis:
MESSAGERIES ADP*
955, rue Amherst
Montréal, Québec
H2L 3K4
Tél.: (514) 523-1182
Télécopieur: (514) 939-0406
* Filiale de Sogides ltée

• Pour la France et les autres pays:
INTERFORUM
Immeuble Paryseine, 3, Allée de la Seine
94854 Ivry Cedex
Tél.: 01 49 59 11 89/91
Télécopieur: 01 49 59 11 96
Commandes:Tél.: 02 38 32 71 00
                 Télécopieur: 02 38 32 71 28

• Pour la Suisse:
INTERFORUM SUISSE
Case postale 69 - 1701 Fribourg - Suisse
Tél.: (41-26) 460-80-60
Télécopieur: (41-26) 460-80-68
Internet: www.havas.ch
Email: office@havas.ch
DISTRIBUTION: OLF SA
Z.I. 3, Corminbœuf
Case postale 1061
CH-1701 FRIBOURG
Commandes:Tél.: (41-26) 467-53-33
                 Télécopieur: (41-26) 467-54-66
                 Email: commande@ofl.ch

• Pour la Belgique et le Luxembourg:
INTERFORUM BENELUX
Boulevard de l'Europe 117
B-1301 Wavre
Tél.: (010) 42-03-20
Télécopieur: (010) 41-20-24
http://www.vups.be
Email: info@vups.be

Gouvernement du Québec – Programme de
crédit d'impôt pour l'édition de livres –
Gestion SODEC – www.sodec.gouv.qc.ca

L'Éditeur bénéficie du soutien de la Société de
développement des entreprises culturelles du
Québec pour son programme d'édition.

Nous reconnaissons l'aide financière du gouvernement du Canada par l'entremise du
Programme d'aide au développement de l'industrie de l'édition (PADIÉ) pour nos activités
d'édition.

VÉRONIQUE MORALDI

Préface de Jacques Salomé

GARDEZ-VOUS
D'AIMER UN
PERVERS

LES ÉDITIONS DE
L'HOMME

Toute ressemblance avec des personnes existant
ou ayant existé est parfaitement involontaire...
bien sûr!

Préface

Y aurait-il plus de pervers en ce début du XXIᵉ siècle qu'à la fin du siècle dernier ? Je serais tenté de le croire, car les bonnes pathologies individuelles ou sociales qui sévissaient au début du siècle dernier ne sont plus les mêmes. En quelques décennies, leur évolution est frappante (dans tous les sens du terme). Si, au temps de Sigmund Freud, les pathologies banales étaient plutôt tournées contre la personne elle-même, contre celui qui les produisait (automutilations, phobies, délires...), il semble qu'aujourd'hui elles sont plus tournées vers l'extérieur, contre autrui (agressivité, violences destructrices, perversités et autres malfaisances...).

Le livre de Véronique Moraldi n'est pas un traité de psychologie, encore moins un de ces livres-recettes dans lesquels vous serait indiquée la recette de la courageuse-victime-qui-échapperait-au-méchant-pervers-et-serait-même-capable-de-le-transformer-en-gentil-partenaire-tout-attendri-et-conscient.

C'est un récit plein de verve et d'humour, une succession de portraits, une anthologie de situations vécues au quotidien, d'exemples étonnants et... vrais. Si vrais qu'on se reconnaît parfois au détour d'une phrase, au profond d'une description. La lucidité et l'acuité du regard de Véronique Moraldi n'excluent pas la tendresse de son écoute et de ses commentaires, ne masquent pas non plus la désespérance et le pathétique de certaines situations, de certaines vies de couple qui semblent sans issue.

Combien y a-t-il de femmes qui subissent la cohabitation avec un pervers (il existe aussi des hommes qui vivent avec des perverses, mais cela semble plus rare !), qui sont noyées ou en état de survie, qui tiennent pathétiquement la tête hors de l'eau conjugale, dans les tempêtes et les sévices au quotidien ? La perversité d'un partenaire conjugal ne blesse pas ou ne tue pas avec des gestes, mais avec des mots, avec des messages à double sens, avec des conduites subtiles ou violentes, paradoxales ou ambiguës, qui déstabilisent, déstructurent lentement une personnalité, qui ne laissent aucune place à l'amour, à la réalisation d'un épanouissement personnel, à une vie de couple normale inscrite dans un quotidien où il est possible de se réveiller chaque matin avec l'espoir d'une journée bienveillante, de s'endormir le soir libéré des soucis d'une journée, apaisé par un plaisir partagé.

L'auteur semble avoir une connaissance intime de ce dont elle nous parle, qu'elle décrit parfois avec une ironie douloureuse mais qui résonne juste.

Nous faisons avec elle le parcours d'une femme qui a su traduire les différents états d'âme de quelqu'un qui a vécu proche d'un pervers (si ce n'est pas lui, c'est son frère). Allant de la stupéfaction, de l'étonnement des premières découvertes, lorsqu'on s'aperçoit que le partenaire aimé, avec une habileté étonnante, trouve beaucoup de plaisir à vous humilier, à vous bafouer, à vous réduire à rien, à vous renvoyer au néant, à vous placer sans arrêt en position d'infériorité, jusqu'à l'incrédulité que cela ne soit pas provisoire, circonstanciel mais volontairement organisé, prévu, anticipé avec une intelligence qui va déjouer toutes les prévisions et réduire à l'échec tous les ajustements possibles. De la soumission à la compréhension compassionnelle, de la tentative de prise en charge des « problèmes » du pervers au rêve de son changement possible, de la révolte à la guerre et pour finir à la fuite quand celle-ci est encore possible ou vers un effondrement psychologique lourd de conséquences.

Nous sommes dans certaines pages aux limites du croyable : « Comment cela est-il possible aujourd'hui ? dans un pays policé, cultivé… » Oui, cela est possible et plus fréquent qu'on ne l'imagine avec les modalités et les virtuosités que nous découvrons en avançant dans ce livre. L'approche de Véronique Moraldi dénote beaucoup *de finesse dans l'observation des comportements autant du pervers décrit dans ses multiples variantes que de sa victime. Son livre est un ouvrage décapant et paradoxalement vivifiant, porteur d'une vitalité tonique qui donnera aux lectrices — et aussi, pourquoi pas, aux lecteurs — l'envie, du moins je le souhaite, de renoncer à des relations dans lesquelles il paraît impossible non seulement de se respecter, mais simplement d'exister à part entière, à pleine vie, en ayant le sentiment d'être coauteur de sa vie.*

JACQUES SALOMÉ

Prologue

Bien des années après avoir rencontré cet homme, j'ai consulté le dictionnaire. Naïvement, j'ai commencé par: «masochiste». Quelques jours plus tard, j'ai découvert «pervers».

> *Pervertere:* mettre sens dessus dessous, bouleverser, renverser de fond en comble; *alicujus leges:* bouleverser les lois de quelqu'un; *perverso numine:* en détournant la volonté des dieux; au figuré: renverser, abattre, ruiner, anéantir.

Brrr! Cela fait froid dans le dos et ailleurs… Depuis, j'ai peur. C'est la définition de mon vieux dictionnaire de latin, le Gaffiot, vieux compagnon de l'âge paradisiaque des humanités classiques. Je ne pensais pas y revenir un jour, ni m'intéresser à ce mot pour les raisons qui aujourd'hui m'animent. Non, pas plus que je n'y aurais jamais pensé, si…

Lui est vautré sur le divan, à sa place habituelle qui, à la longue, est complètement défoncée. Il ne bouge pas d'un poil, regard vague, perdu dans les nouvelles ou les pubs. Il attend le film. Vous, vous venez tout juste de finir le bouquin de Marie-France Hirigoyen, qui vous a tout révélé sur le harcèlement moral. Vous avez décidé d'attaquer après le dîner.

Vous êtes en retard: le film va commencer. Mais il fallait bien coucher les enfants, et lui garnir l'estomac. Il vous l'a souvent dit, nez dans l'assiette, sur ce ton enfantin plein de reconnaissance qui, au début, vous émouvait: «Avec toi, je mangerai toujours.» Aujourd'hui, vous saisissez pleinement le sens de cette affirmation. Mais revenons à la première attaque au fleuret moucheté.

«Le pervers, tu vois, c'est comme ça qu'il procède: il cherche une victime pleine de vie, avec une propension à la culpabilité et au manque de confiance en soi due à une histoire familiale traumatisante. Mais ce n'est pas une vraie dépressive, tu comprends, sauf qu'elle va le devenir à force de…»

Il vous regarde derrière ses lunettes demi-lune en plastique rouge. Son air dubitatif semble dire: «Où veut-elle donc en venir?» Puis, comme vous continuez sur le même thème, il vous coupe net:

«Ça ne m'intéresse pas, je ne veux pas entendre ces histoires! Ça n'intéresse que des gens comme toi qui aiment se lancer dans toutes ces divagations. C'est une lecture professionnelle, ce bouquin, non? Alors moi, ça ne m'intéresse pas. D'accord? Ta psy et toutes ces conneries…! C'est pas à moi que tu vas faire ton numéro de femme incomprise! D'ailleurs, tu m'empêches de voir le film. Je suis crevé, moi, j'ai besoin de me vider le cerveau!»

Mais vous avez décidé de ne pas vous laisser abattre, pas cette fois.

«Non, non, c'est pas une lecture professionnelle: c'est la vie! Des pervers, il y en a partout, où qu'on aille, de tous les modèles: petits, grands, gros, maigres, comptables, marchands de pizza… (Vous n'osez pas ajouter agents commerciaux, ce qu'il est.) Regarde ta mère et ton père! Et toi avec moi! Je trouve que tu as très souvent des modes de fonctionnement pervers… et avec les enfants aussi…»

Il a l'air de planer à mille lieues, mais il sait déjà comment il va vous faire payer cette première mise en cause de sa personne. Mise en cause qu'il ressent comme injuste, outrancière… Plus vous y pensez, plus vous êtes convaincue que c'est cette lecture et celles qui ont suivi qui ont sonné la fin de son règne. Oui, ce livre de Marie-France Hirigoyen… Un bouquin qui fait la synthèse de tout ce que vous avez vécu depuis des années.

Revenons un peu en arrière. Quelques souvenirs nous permettront de répondre à la question fondamentale: comment tombe-t-on dans les pattes d'un pervers? Bref, comment peut-on tomber aussi bas?

Avant toute chose, une petite précision s'impose, car vous risquez de trouver un peu excessif ce qualificatif de «pervers». Si vous pensez au pervers pathologique, celui que la psychiatrie prend en charge et qui trouve son plaisir à faire souffrir les autres, vous vous direz qu'il ne faut tout de même pas voir ce genre de pervers partout!

Ce n'est pas de ce pervers-là dont il est question ici. Celui dont je parle n'est pas le D' Lecter qui nous a fait frémir dans *Le silence des agneaux,* et qui persiste en dégustant la cervelle d'un monsieur qu'il n'apprécie pas (et la lui fait déguster par la même occasion) dans *Hannibal.* Non, ici, c'est Bernard, Ludovic, Francis, Pierre, Philippe… Tiens, justement, ce Philippe que vous avez connu en vacances : le *Pervertus Vulgaris,* espèce courante qu'on peut rencontrer partout, mais vraiment partout, surtout là où l'on se trouve… Car peut-être, même si la chose est difficile à accepter, avez-vous une propension innée à mettre des pervers en travers de votre route et dans votre lit!

Moi qui ai vécu avec un pervers ordinaire, quasi inodore et insipide mais d'une habileté redoutable dès qu'il était question de démolir, de plonger dans le doute, d'humilier, de disqualifier, je déclarerais tout net à celui ou celle qui me demanderait de résumer nos années de vie commune :

Il m'a empoisonné la vie !

Au début, avec mon consentement et ma collaboration.

Ensuite, avec mes réticences et mes récidives.

Jusqu'à ce que je prenne mes distances.

Tout cela pour dire que cette espèce mérite qu'on lui prête attention, qu'on se penche sur sa spécificité et ses ressources. Et que, dans une vie de femme, on essaie au moins de l'éviter ou de la fuir.

Même si mon pervers à moi a fait du dégât, il est certain qu'il y en a des pires que lui. Bien que j'aie de plus en plus de mal à y croire depuis que, l'ayant quitté, j'ai fait le bilan de tout ce qu'il m'a pompé : ma beauté (je ne m'aime plus) ; mon énergie (je suis à plat) ; ma substance (je me sens inconsistante) ; et mon argent (mes économies et l'héritage de ma tante Adèle !).

Il existe beaucoup de variantes, de déclinaisons pour ce type de pervers. Vous avez sûrement votre pervers à vous – uniquement reconnaissable par vous-même. D'autres ont le leur… Mais une chose est sûre, les traits psychologiques et les comportements fondamentaux de tous ces messieurs sont identiques, récurrents, plus ou moins cachés sous de saines apparences. Celle du «bon gars», par exemple. Vous allez pouvoir les repérer. Mesdames, mesdemoiselles, en action! Vous avez le décodeur en main!

Si j'avais lu mon livre avant même de l'écrire, ou, plus exactement, si j'avais eu connaissance de tout ce qui va suivre, je crois que je me serais évité bien des déboires et, surtout, j'aurais fait l'économie de beaucoup de souffrances!

Eh oui, si je m'étais livrée à une fine analyse psychologique de mon ex lorsque je l'ai rencontré, je ne l'aurais sûrement pas épousé. J'aurais pris du bon temps avec lui, mais je n'aurais pas lié mon sort au sien. Je dis cela, mais je n'en suis pas vraiment sûre, aveugle que j'étais. Je ne crois pas que ce genre de recul soit possible. S'il l'était, on ne serait pas disponible à ce sentiment fait d'aveuglements, de surdité, de sacrifices, de sublimations – qui se nourrit d'une propension permanente à se tromper et à se leurrer sur l'autre.

Quand vous avez envie de tomber amoureuse et que l'objet de vos désirs se présente à vos yeux, comment faire pour ne pas succomber? Et ensuite, n'est-on pas toujours piégée par ce qui a séduit?

Cela signifie-t-il que, lorsqu'on rencontre un pervers, il est impossible de ne pas tomber dans son piège, au moins la première fois? Je vous pose la question, tout simplement, sans demander de réponse immédiate. Vous répondrez peut-être lorsque vous tournerez la dernière page de ce livre!

Au fait, vous êtes peut-être entre les mains d'un pervers et vous ne le savez pas encore. Patience! Vous le découvrirez bientôt!

Autre précision préliminaire: le sujet sera désigné indifféremment sous le vocable de *prince charmant* ou de *pervers*. L'amalgame risque de surprendre dans un premier temps, mais quelques pages vous convaincront que le prince charmant et le pervers ne font souvent qu'une seule et même personne. *Vous l'allez voir tout à l'heure…*

Quant au terme générique de *pervers*, par souci de varier les plaisirs, il pourra être avantageusement remplacé de temps à autre par quelques abréviations dont je vous livre d'ores et déjà la signification :

PV : *Pervertus Vulgaris*

PB : *Pervertus Banalus*

PO : *Pervertus Ordinarius*

PE : *Pervertus Extraordinarius*

Ces deux précisions apportées, revenons à notre problématique : faut-il des prédispositions particulières pour tomber dans les pattes d'un pervers ? Existe-t-il un profil particulier chez ces pauvres biches, gazelles et agnelles que nous sommes ? La réponse est oui. Au départ, il faut un déséquilibre, un état qui vous mette dans une situation de fragilité, de faiblesse, de vulnérabilité. C'est cela qui fait le lit du pervers. Un peu comme un déséquilibre de flore intestinale qui vous mène droit à toutes les gastros qui passent… mais je m'égare.

Prenez une fille comme moi, comme vous :

Âge : 23 ans

Poids : 52 kilos

Taille : 1,68 mètre

Fonctionnaire mutée très *très* loin de chez vous, vous arrivez dans une espèce de village, un trou normand où il y a plus de vaches que d'habitants, où des vieilles filles atteintes de bovarysme s'empiffrent de crème fraîche et rêvent de la mer, celle des Antilles de préférence. Vous descendez l'unique rue, la grand-rue, sur vos talons aiguilles. Vous flottez, enveloppée de Chanel, le regard tourné vers l'intérieur…

Mais la réalité vous rattrape. Sur les présentoirs du marché public, les torchons à vaisselle à carreaux bleus et verts sont là… Ce sont les mêmes sous toutes les latitudes. Et s'ils contribuent à éviter le dépaysement, ils n'empêchent pas le bourdon !

C'est lui, le prince charmant qui, plus tard, en achètera, de ces vilains torchons inusables. Ces torchons qui vous rappelleront toujours le fameux marché public.

C'est fou le rôle que joue le torchon dans votre vie! Chaque fois que vous entamez ou mettez le point final à une affaire de cœur, que vous redémarrez dans l'existence, vous achetez des torchons neufs! Le torchon a été une de vos premières acquisitions quand il vous a plaquée, il y a quelques années, et c'est pareil aujourd'hui, alors que c'est vous, cette fois, qui l'avez répudié. Mais ne dévoilons pas toute l'histoire, pas tout de suite...

L'avis du psy: Le torchon, symbole du nettoyage; « le coup de torchon » destiné à évacuer les résidus.

Revenons à nos vaches: en l'occurrence la fonctionnaire mutée très loin de chez elle... Le week-end, vous vous rabattez sur les sorties en ville avec les anciens de l'école. C'est très sympa, pendant un an, la cure de boîtes de nuit. Mais à dose non homéopathique, il paraît que ça rend sourd.

Et puis un jour, brutalement, vous en avez soupé des gentils copains incapables de dégoter un resto convenable, qui amènent les filles chez MacDo – sol jonché de frites et murs tapissés de ketchup – et qui « bouffent » en faisant des plaisanteries sur les femmes qui passent en feignant d'oublier que vous en êtes une. Vous en avez ras-le-bol de poser toujours les sempiternelles questions : « Qu'est-ce qu'on fait? Où est-ce qu'on va, les mecs? Vous nous pondez une idée, ou quoi? »

Réponse : ils ne savent pas où becqueter, comme ils disent. Ils ne savent pas où aller pour tuer leur ennui. Alors ce sont les filles qui décident, qui doivent penser à tout.

Bref, la semaine, vous retrouvez votre petit deux-pièces, les bouses de vaches et, le vendredi suivant, c'est reparti pour un nouveau week-end sinistre!

Il y a un tas de types de votre âge qui vous draguent mais bon... pas assez séduisants pour que vous basculiez. Vous rêvez d'un prince qui vous enlèverait, vous ravirait, vous emmènerait sur son fier destrier pour aller festoyer chez... Bocuse. Un homme avec du style, mûr, pas un gamin ni un *adultolescent* semblable à vous. Un homme qui ne se cherche pas, qui s'est trouvé, qui vous rassure... Ouais!

L'avis du psy: Le fameux décalage bien connu et mal compris de maturité entre filles et garçons.

1
Le pervers et sa stratégie :
la mise en place de l'emprise

PREMIER MENSONGE, OU LA GRANDE ILLUSION : LA RENCONTRE

Tout à coup, le voilà, le prince charmant, qui débouche au détour d'une rue, messianique, mâchoire carrée, bedaine masquée par un grand imperméable. Il vous la «joue» direct. Le mot est d'importance, car au fil du temps vous vous rendrez compte que c'est un acteur né. C'est une des premières conditions: créer une illusion de connaissance complice, charmer.

D'abord, il tend ses rets, et tout commence comme un conte de fées. C'est normal, c'est le prince charmant, le PC, comme nous le désignerons désormais, pour plus de facilité. Vous croyez à une rencontre de hasard… Eh bien non, il vous suit depuis une bonne heure.

Il vous a repérée il y a plusieurs jours. Il s'est attaché (enfin, il vous le laisse croire) à quelque chose dans votre démarche… une nonchalance, une disponibilité. Cela se voit donc tant que ça que vous sortez d'une rupture, que vous vous sentez seule ? que vous avez fui des collègues avec qui vous n'avez rien à partager, même pas le déjeuner ? Cela se voit tant que ça, votre solitude dissidente ?

Vous, d'emblée, vous êtes impressionnée par cette tour humaine. Il est tellement grand et fort, si sûr de lui, si présent, un homme comme on en rêve toutes. Il va vous protéger, effacer vos doutes, faire briller vos qualités, faire vibrer votre corps… vous le sentez, c'est sûr !

En plus, il est plein de fantaisie, du moins vous le croyez, car il vous fait rire. Il vous fera rire souvent, d'ailleurs, des autres d'abord, puis de vous ensuite. Un rire jaune amer…

L'ENTREPRISE DE SÉDUCTION, OU L'«ANSCHLUSS»

Ah, le ravissement des débuts… qui peut durer assez longtemps, d'ailleurs. Il est l'homme idéal. Vous vivez un rêve. Il vous envahit, s'installe très vite dans votre vie. Chez vous en premier. C'est un ravisseur. Il vous ravit. Vous êtes ravie! En fait, c'est un envahisseur.

Vous ne verrez plus que rarement la lumière du soleil et la couleur du ciel. Vous allez être prise dans un tourbillon de petites attentions, de sollicitations. Fleurs, cadeaux… C'est un magicien, c'est le père Noël. En un clin d'œil, votre maison se remplit de meubles, d'appareils électroménagers, de gadgets dernier cri. Que ce soit vous qui ayez contracté le prêt pour toutes ces acquisitions n'est qu'un détail tout à fait secondaire.

Comme un raz-de-marée, il a débarqué dans votre existence et grâce à lui vous n'aurez plus jamais un moment de solitude pour penser, voire pour vous réveiller. Comme il vous aime! Vous n'en revenez pas, vous devez être une reine pour inspirer un sentiment aussi puissant! C'est unique, exceptionnel!

Qui plus est, quelle belle marque de confiance que de vous confier, un week-end sur deux, un mois à peine après votre rencontre, les prunelles de ses yeux : ses deux enfants en bas âge, fruits d'un premier amour? Quand on aime, on n'attend pas! Et puis, ne vous a-t-il pas affirmé que vous feriez une bonne petite maman malgré votre jeune âge? Comment ne pas être flattée? Ce que vous n'avez pas compris, c'est qu'il n'a pas choisi une femme, mais la mère idéale qu'il a toujours convoitée (pour ses enfants comme pour lui!).

Le PV (*Pervertus Vulgaris*) a besoin de se scotcher. C'est un scotch double-face, mais la jeune fille que vous êtes ne le sait pas encore! Double-face, pour se dé-scotcher et se re-scotcher ailleurs s'il le juge nécessaire.

C'est vrai qu'il n'est que gentillesse à votre égard. Pourtant, il faut que vous sachiez :

• Au début, il vous ouvre la porte et s'incline. Mais un jour, il vous la flanquera au nez et vous écrasera de sa suffisance.

• Au début, il vous envoie des fleurs. Mais un jour, il vous réclamera la moitié de la note d'essence. Et lorsqu'il ne la réclamera plus, c'est parce qu'il aura réussi à vous faire ouvrir un compte joint. Dans ces conditions, il aura toujours l'air de tout payer, y compris le restaurant qu'il adore. Mais c'est vous qui réglez. Sans le savoir, ou plutôt sans vouloir le savoir.

Oui, il faut bien le dire, le raffinement exquis des débuts va se transformer très vite, en deux ou trois ans de vie commune, en trivialité sordide puis en vulgarité effarante. Et le processus ne prendra pas des chemins de traverse. Oh non!

TROUVER LA FAILLE : LE TRAVAIL DE SAPE

La force du sujet (en qui vous n'avez pas encore découvert le pervers, car vous ne voyez en lui qu'un mari qui sait ce qu'il veut, quand il le veut) est de s'appuyer toujours sur une de vos failles ou, ce qui n'est pas contradictoire, sur quelque défaut tangible pour entreprendre son petit travail de sape. Car vous n'êtes pas un être irréprochable, loin s'en faut.

Cela, il ne manquera pas de vous le faire remarquer régulièrement. Comment le nier, d'ailleurs, vous qui doutez, qui vivez dans le besoin d'être aimée, confirmée, soutenue. À tous les coups, ça marche! À tous les coups, il vous cloue le bec! Sans trop de mal du reste, car vous êtes encore habitée par la reconnaissance, la gratitude d'avoir été reconnue, choisie, privilégiée parmi tant d'autres!
De sorte que, chaque fois, une petite voix jaillit de votre for intérieur, là où votre culpabilité constitutionnelle se cache, et elle vous dit: «Dans le fond, il n'a pas tort. Tu exagères, quand même! Tu devrais lui être encore plus reconnaissante!»

Après quelques années de ce petit traitement quotidien, la petite voix finit par vous hurler aux oreilles: «Dans le fond, il n'a pas tort, tu es nulle!» Et vous oubliez tout ce que vous avez fait avant lui et qui prouve le contraire.

Voici une stratégie que le pervers peut utiliser très tôt, dès les débuts de la relation.

RÈGLE N° 1 :
Les signes avant-coureurs. Lorsqu'ils se présentent, ne jamais fermer les yeux.

Oui, très vite, il y a des signes précurseurs. Ils vous sautent aux yeux, mais vous ne voulez pas les voir, ces signaux d'alarme, ces petits événements apparemment sans gravité et qui vont pourtant rester gravés dans votre mémoire avec une précision presque malsaine. Vous serez surprise quand ils ressurgiront. À ce moment précis, vous n'en avez pas encore saisi la portée.

Simplement, vous sentez bien que quelque chose ne va pas, mais la machine à analyser ne s'est pas encore mise en route. N'est en marche que la machine à imprimer, la presse à émotions, la presse à sensations. Et la sensation, l'émotion que vous ressentez en cet instant présent est négative.

Qu'à cela ne tienne, vous vous dites : «Si j'avais été plus attentive, plus ouverte, je n'aurais pas provoqué tout ça chez lui!»

Alors, vous redressez la tête, vous balayez, ou plutôt vous rejetez vos doutes. Il y a encore des compensations intéressantes (pas pour longtemps!), et l'homme a un rare pouvoir de séduction.

Tiens, on dirait que c'est arrivé hier, ces petits… riens! Vous le connaissez depuis quelques semaines, vous faites du shopping, vous sortez d'une boutique où vous venez d'acheter un tailleur… et il s'exclame : «Eh bien, maintenant que j'ai une jolie femme, ça va me coûter cher!» Ce n'est ni une marque d'amour, ni un compliment pour votre bon goût, c'est un avertissement!

Il y a plus alarmant, enfin… vous auriez dû vous alarmer. Vous vous arrêtez pour, en guise de repas – on baisse déjà dans la gamme –, acheter un coke, une orangeade et des viennoiseries à la boulangerie. Vous lui tendez amoureusement un pain au chocolat, puis une tartelette. Vous dégustez votre brioche, mais comme vous n'avez que deux bras et deux mains (déjà, à l'époque, vous n'étiez pas la déesse Kali), vous posez les cannettes sur le toit de votre voiture bleu nuit. Votre coca-cola étant bu, vous démarrez. Bruit de casserole dans le caniveau. Il réclame son orangeade. Il vous faut bien alors vous rendre à l'évidence, vous l'avez très étourdiment et bien malencontreusement oubliée sur le toit du véhicule !

Est-ce à cause de la boisson à bulles dont il est privé, ou de ce qu'elle représente en espèces sonnantes et trébuchantes, vous vous faites traiter de demeurée, ou d'une épithète du même cru, violemment ? La colère est si intense, si puissante que vous en tremblez. Bref, vous êtes en état de choc.

Ce n'est que quelques années plus tard, grâce à une thérapie ou à une lecture appropriée, que vous apprendrez que c'est vous qui, par l'intermédiaire de cet acte manqué, aviez quelque chose à dire, à dénoncer, à mettre au jour. Là, pour l'instant, il est trop tôt pour apprendre que les actes manqués sont des alliés qui tentent de vous prévenir !

Cette colère ne tardera pas à devenir familière, mais pour l'instant, elle vous surprend encore par sa démesure. Vous êtes encore saine, ou novice, en tout cas peu habituée à ce genre d'injure masquée par un mouvement d'humeur. C'est la première humiliation.

Vous passez apparemment le cap de cette épreuve initiatique avec succès puisque, mortifiée, ne sachant pas ce qui vous arrive, vous ne bronchez pas. Vous êtes bonne pour le service ! C'est vrai, quand même, quand on aime on n'oublie pas la boisson salvatrice de son aimé sur le toit d'une voiture !

RÈGLE N° 2 :
Ne jamais se boucher les oreilles.

Un PB (*Pervertus Banalus*) déguisé en prince charmant dit tout et très vite, dès les premiers moments. Alors, donnez-vous la peine de l'écouter et de bien saisir la portée de ce que vous entendez.

Attention, si vous refusez d'en croire vos oreilles, comme on dit, vous irez droit dans le mur !

Donc, vous l'aurez compris, jeunes filles, voyez plus loin que le bout de votre joli nez. Dès la première semonce de ce type, ne faites pas comme moi. Descendez de la voiture… (Non, c'est la vôtre.) Dites-lui de descendre de votre voiture et que vous passerez chercher vos affaires dans la soirée.

Sinon, chaque fois que vous casserez une assiette ou un verre, vous vous ferez traiter de « conne », comme si vous aviez cassé le vase de Soissons, et votre culpabilité ne fera que croître jusqu'au jour où vous le lui casserez sur la tête, le vase, ou, pire encore, vous serez vraiment convaincue d'être une conne. Je dis cela, mais je sais que rares sont celles qui entendent les premiers signaux, et encore plus rares celles qui se définissent comme quelqu'un refusant d'être le réceptacle d'un malotru !

LE PERVERS À VOTRE SERVICE

Très vite, il va se rendre indispensable. Par exemple, il vous dira que votre sac est un vrai souk arabe et il le dira bien fort et bien haut devant tout le monde, pour que le fait soit de notoriété publique, puis il entreprendra gentiment de le ranger chaque soir, parce que sans lui… Sans compter qu'il vous décharge tout aussi gentiment de la corvée des comptes bancaires. La soustraction sans fin, c'est lui qui s'y colle…

Ainsi, dans ces conditions, rangement du sac et comptes bancaires, rien de votre intimité et de votre petit intérieur ne lui échappe, du Tampax périodique au film que vous avez vu seule, du string que vous avez acheté sans lui à la cadence de repousse de vos poils pubiens.

Il ne vous vient même pas à l'idée qu'il contrôle ainsi tout ce qu'il y a dans votre sac et dans votre vie. Sait-on jamais ? Vous pourriez avoir un amant clandestin, un rival potentiel ou une amie plus marrante que lui.

De toute façon, cette réflexion, que vous pourriez vous faire et que vous ne vous faites pas, est sans intérêt puisque vous êtes fidèle, inconditionnellement. C'est acquis, cela ne se discute pas. Il n'y a que lui, et pour longtemps.

D'ailleurs, même quand vous découvrirez que lui ne l'est pas, fidèle, vous le resterez, vous, du moins quelques années encore…

Oh, des tentations… vous en avez bien eu, très rapidement même ! Mais vous vous êtes fait un devoir de ne pas y céder pour ne pas le faire souffrir, pour ne pas lui faire de la peine, le pauvre petit… Pensez donc ! Un homme qui vous aime tant, si dévoué, si occupé à réparer toutes vos gaffes, si attentif à vous rappeler ce que vous avez dit ou pas dit, fait ou pas fait, qui ne correspond jamais à ce qu'il attendait, lui !

Avec tout ce qu'il a déjà subi à cause de ses parents, de son ex-femme, de la vie en général, bref, tout ce qu'il vous a confié, vous n'auriez tout de même pas le cœur d'en rajouter !

Parfois, tout de même, la question vous effleure. Cette façon qu'il a de gagner de jour en jour du terrain, soi-disant pour vous faciliter la vie : « Je t'évite de penser », dit-il souvent. Cette façon d'être est-elle volontaire ou inconsciente ?

Oh, nul doute que cela ne provienne d'un penchant naturel à aider. Il est serviable. Mais, tiens, c'est bizarre quand même, il n'est pas serviable pour faire la vaisselle, ni le ménage. Son altruisme a des limites.

L'avis du psy : On est bien dans une relation de contrôle et non dans une relation d'aide.

Bon, de toute façon, c'est trop tard, vous avez à peine commencé à lui faire son lit que déjà il a filé sous la couette !

N.B. : L'avenir vous l'apprendra, c'est un homme qui vole d'emblée au secours des femmes. Une inconnue a besoin d'une aide quelconque, il est là, il se propose. Il a un côté chevalier servant. Le problème, c'est que, s'il est très servant, il est loin d'être chevalier… Oui, oui, il est toujours prêt à donner un coup de main à une petite femme sans défense, à condition toutefois qu'«elle soit bien roulée» et qu'elle ait des sous! C'est important, les sous.

LES PRIVATIONS

On est loin de la prodigalité des débuts.

Un jour, le pervers moyen, encore mal connu de vous, ira peut-être jusqu'à vous dire: «Avec moi, c'est comme ça, tu n'auras jamais de vacances! Il ne faut pas compter sur moi pour s'amuser à ne rien faire!»

Et pendant des milliers d'années, vous vous demanderez pourquoi vous n'avez pas, ce jour-là, mis ses valises devant la porte!

Peu à peu, d'une manière insidieuse, il arrive à vous convaincre que vous n'avez que des obligations et aucun droit, que vous êtes vraiment la dernière des garces pour avoir certaines exigences, comme celle de partir un week-end à la mer ou d'avoir le toupet de vouloir acquérir le petit tailleur que vous avez vu dans une vitrine à l'heure du lunch. Vous pourrez bien rétorquer bêtement: «Mais je travaille! Et si ça continue, je vais finir par ne plus porter que des vieilleries!»

C'est trop tard, hélas! vous lui avez demandé son autorisation, puisque c'est lui qui fait les comptes. Le système tourne rond. Qu'à cela ne tienne, il se fâche.

Comment avez-vous osé faire une demande à quelqu'un qui vous donne autant de sa propre volonté, de son bon vouloir? Une personne qui vous donne, bien sûr, seulement ce qu'elle veut. Mais c'est déjà beaucoup pour elle!

LA TACTIQUE DU CHIEN QUI ABOIE, OU L'HOMME EN COLÈRE

La dispute, ou l'art de la dissuasion

Colère froide ou colère chaude, de sa part, elle n'a qu'un but: vous rabaisser, vous détruire.

Le pervers froid ne se met pas en colère, il vous conduit à la colère. Il ne vous fait pas de reproches directement, mais vous sentez très fort son hostilité.

Quant à la colère chaude, nous l'avons déjà évoquée, elle est soudaine, imprévisible, torrentielle et constitue une de ses grandes armes. Elle a l'énorme avantage de vous tétaniser dans un premier temps, puis de vous obliger à hurler dans un deuxième afin de faire entendre votre filet de voix – peine perdue – et, pour finir, de faire jaillir vos larmes. Et vous vous tordez les mains d'impuissance.

Quel salut reste-t-il à un pauvre homme harcelé par une telle furie, une hystéro positive au visage convulsé, tout aussi positivement dénuée de charme? Je vous le donne en mille. La fuite. Alors, il se «tire», comme il dit.

Et vous vous retrouvez seule, avec deux enfants vraiment très petits, à qui, malgré la tourmente, vous sentez bien qu'il faut donner, après le bain quotidien, les laitages indispensables à leur croissance. On est samedi, demain on a toutes les chances d'être dimanche, et vous ne savez pas à quelle heure l'homme en colère va rentrer, ni s'il va rentrer, d'ailleurs.

Alors, à bord de votre minuscule voiture, vous vous acheminez vers le supermarché le plus proche. Pour défaire la ceinture du siège auto de la petite dernière, vous devez entrer tout entière dans le microscopique habitacle. Pour ce faire, vous vous délestez de votre énorme sac à main, que vous posez sur le toit du véhicule, avec une curieuse impression: celle de commettre une folie. Une fois l'enfant détachée de son siège, vous tendez le bras pour récupérer votre besace.

Trop tard, un individu, surgi on ne sait d'où, a fait main basse sur l'objet en question. Il saute sur le porte-bagages d'une mobylette conduite par un complice. Vous criez, hurlez, jurez. En vain. Ils sont déjà loin.

Personne, en cet instant, n'est plus démuni que vous lorsque, dans votre poche, votre poing serré entre en contact avec votre trousseau de clefs. Miracle ! Vous en tirez la leçon, qui vaut bien un laitage : ne jamais mettre tous ses œufs dans le même panier, à savoir les clefs dans son sac, si on veut éviter de devoir faire du stop avec deux enfants en bas âge.

Avant de courir à la gendarmerie la plus proche, il vous vient à l'esprit de passer chez vous – au cas où il serait rentré. Las, l'oiseau n'a pas regagné le nid. Vous décidez de lui laisser un message pictural pour lui faire part de votre détresse. Et vous lui donnez rendez-vous au poste, histoire de lui laisser la chance de jouer les sauveurs et de montrer aux pandores que, dans l'adversité, vous pouvez compter sur l'homme aimé – à défaut d'être aimant. Car vous n'avez pas encore démissionné de vos sentiments, vous l'aimez toujours, malgré tous les risques qu'il prend pour assassiner votre amour à bout portant !

Épuisée et hagarde, vous ne le retrouverez qu'à la maison, plus tard, après la déclaration de vol. Il est installé devant son ordinateur. Il a des choses importantes à faire, lui, plutôt que de perdre son temps à se faire voler un sac. Cela ne fait rien, sa seule présence suffit à vous rassurer, et vous tirez une autre et grandiose leçon de cette journée difficile, la première d'une longue liste : ne jamais mettre en colère un mari PO (*Pervertus Ordinarius*) en lui demandant des choses aussi futiles que des vêtements, par exemple. Vous vous exposez ainsi à toutes sortes de mésaventures qui ne sont que le juste châtiment du Ciel (et de sa toute-puissance à lui) pour avoir été insupportable et capricieuse. À l'avenir, abstenez-vous.

L'avis du psy: Il doit garder le contrôle sur tout, même sur vos velléités d'affirmation, et surtout quand vous avez échoué à vous définir. Tout cela pour bien vous montrer que vous n'êtes pas capable.

Mon (humble) avis : Votre inconscient n'arrête pas de vous fourrer dans des situations invraisemblables quand il n'est pas là. C'est ainsi que vous vous prouvez à vous-même que vous avez besoin de lui... Sinon, vous auriez fichu le camp depuis longtemps !

Cette colère, d'une rare violence chez certains, signifie toujours que vous avez « mis le doigt dessus », sur la vérité. Le pervers est piégé.

Il faut bien le reconnaître, le PO n'est pas toujours mauvais « diable », il peut même être amène quand tout va bien, tant qu'il ne perd pas du terrain, c'est-à-dire tant que la victime ne fait pas acte de rébellion, ne se révolte pas. Ce n'est que lorsque rien ne va plus comme il veut, qu'il perd le contrôle de la situation, qu'il se fâche et menace.

« Les planteurs »

Cette grande menace masculine : « Si tu m'emmerdes, je me tire ! » représente l'arme absolue, et elle est d'une efficacité redoutable. Cela mérite qu'on s'interroge un peu, non ?

Enfin, que signifie « emmerder » un homme ? Je vous le demande. N'y a-t-il pas, dans le fond, autant d'hommes qui « emmerdent » les femmes que l'inverse ? Donc, tout devrait s'équilibrer.

Alors, si l'un d'entre eux, un jour, vous menace de partir, prenez les devants et ouvrez-lui la porte, mais il y a de fortes chances que ce soit partie remise.

Un vieux proverbe dit : « Si ta femme s'en va, ne cherche pas à la rattraper, c'est qu'elle est mauvaise ! » Eh bien, il y a lieu de se demander pourquoi c'est la femme qui a été prise en exemple, car, statistiquement, c'est bien plus souvent les hommes qui « foutent le camp », non ? Pas toujours définitivement, il est vrai, mais surtout sans explication.

Ce sont les femmes qui rompent en expliquant, en justifiant, et souvent pour toujours.

Si les hommes, dans leur grande majorité, ne savent pas rompre, certains savent «foutre le camp» et surtout menacer de le faire. On jurerait que c'est une propension naturelle ancrée profondément dans leur nature, de brandir la menace du manque… que leur départ serait censé nous infliger.

L'avis du psy à la rescousse: Help!
… Pas de psy? Tant pis!

Continuons. Tentez l'expérience, allez au cinéma toute seule, faites-vous ce petit plaisir en solitaire. Observez, écoutez autour de vous. Une fois sur deux, vous assisterez, si vous êtes assise à côté d'un binôme, à une querelle en bonne et due forme.

Un jour, j'ai entendu un homme excédé lancer, entre la pub et le film: «Si tu continues à m'emmerder, je fous le camp!» Du coup, la bourgeoise s'arrête net, elle ne bronche plus jusqu'à la fin du film. Lorsque les lumières se rallument, elle est toujours silencieuse. Vous essayez d'imaginer ce qu'elle avait à dire, cette femme. Beaucoup de choses, sans aucun doute. Des choses qu'elle essayait maladroitement d'exprimer sur un mode peut-être hystérique, faute d'avoir su le faire autrement. Que revendiquait la pauvre créature?

À quel rêve avait-elle dû renoncer? Quelles frustrations l'avaient rendue aussi empoisonnante?

En tout cas, lui a trouvé le point faible pour qu'elle se taise: la peur d'être quittée, abandonnée, laissée, rejetée comme pas bonne…

Ce n'est pas comme cet autre qui est passé à l'acte, lui, au supermarché. Il a planté sa femme et ses deux mômes en tête de caisse, la traitant de tous les noms. On ne sait même pas s'il les a attendus au terrain de stationnement, bras croisés devant la voiture, ou s'il est parti sur les chapeaux de roue, la laissant rentrer par ses propres moyens!

À vous, il vous en a joué tant de fois, de ces microdisparitions, simplement parce que quelque chose ne lui convenait pas, ou que vous aviez exprimé un avis différent du sien.

Il y a des hommes qui menacent de partir et qui, un jour, mettront peut-être leur dessein à exécution. Ils jouent sur notre peur archaïque de l'abandon.

Même lorsque tout a marché comme sur des roulettes, vous devez toujours le chercher au sortir d'un magasin, car il a levé le camp bien avant vous et se trouve déjà dans la rue, éloigné de plusieurs centaines de mètres, pratiquant ainsi un jeu vieux comme le monde, celui du : « Cours après moi que je t'attrape ». À moins qu'il ne s'agisse du : « Rompez là, mon amie, il suffit ! », une manière de prendre congé, façon Molière, que vous ne goûtez pas. Dans les deux cas, le chercher vous agace suprêmement.

La vision pessimiste de l'affaire

Même s'il n'y a pas de passage à l'acte, ce fugueur en puissance vous fait vivre, vous (et vos enfants), dans une insécurité affective qui vous empêche de vous projeter réellement dans l'avenir, de construire ; il vous ôte vos espérances, vous oblige à vous résigner par avance et, dans le pire des cas, vous mène lentement au désespoir et à la dépression.

La vision optimiste de la même affaire

La conséquence d'un tel comportement ? C'est qu'il vous a tellement conditionnée par avance que votre inconscient a intégré totalement l'éventualité de la disparition. Déjà faite à cette idée depuis des années, vous accepterez plus facilement la rupture le jour où le caractère odieux de cette menace vous sera devenu insupportable. Vous pourrez même lui dire merci !

À une certaine époque, quand les enfants étaient tout petits, mon pervers à moi avait toujours sur lui une espèce de sacoche qui contenait, selon lui, tout ce dont il avait besoin en permanence (il l'appelait son « studio »). Tout, y compris son passeport. Il pouvait ainsi, à tout moment, prendre un avion au pied levé. Il avait prévenu tout le monde, y compris ma famille.

N.B. : Il existe aussi un pervers doux, caressant, qui cherche à vous amadouer pour mieux vous prendre dans ses filets et, mieux encore, pour vous y garder ligotée. Vous ne pouvez pas vous révolter, il est si gentil, si câlin ! Avec lui, vous n'avez jamais l'occasion d'élever la voix. Sûr qu'il est tout aussi redoutable que les autres, et aussi manipulateur ; il vous englue pareillement. Mais celui-là, je ne l'ai pas aussi bien connu que celui que je peux décrire pour l'avoir subi en personne…

Ah si, quand même, j'en ai approché un, de ces PO doux : le mari d'une copine, qui ne criait jamais après sa progéniture, qui n'était jamais contrarié, ni contrariant. Cet homme savait vivre à son rythme. Il faisait la grasse matinée, tandis que sa femme et ses trois enfants se levaient pour aller, qui au travail, qui à l'école. Il ne sortait de chez lui que le soir, quand tout le petit monde rentrait au bercail, pour s'occuper des commerces qu'il montait et qui régulièrement s'écroulaient. Mais ce n'était pas grave, puisque la femme fonctionnaire se portait garante de lui et épongeait les dettes.

On comprend qu'il n'avait pas le temps, cet homme, de réparer les fuites d'eau de la maison familiale, cette maison qui menaçait de s'écrouler, elle aussi, après avoir échappé de justesse à trois saisies d'huissier.

C'est vrai que l'épouse exprimait souvent sa colère ; on se demande bien pourquoi !

Aujourd'hui d'ailleurs, ses enfants, qui ont tous bien réussi dans la vie, ne lui parlent plus guère. Ils ont gardé le souvenir de son mauvais caractère, et celui du côté *cool* de papa. La plus jeune a même rompu toute communication avec sa mère. En revanche, le père ne manque pas d'informer régulièrement sa femme des coups de fil réguliers de leur fille. Puis il lui dit d'un ton détaché : « Ta fille attend tes excuses… »

La mère ne sait pas de quoi il faut qu'elle s'excuse. Peut-être d'avoir été trop courageuse. En tout cas, depuis peu, une boule lui a poussé dans le cou. Si elle ne disparaît pas, elle devra se faire opérer.

L'ÉTIQUETAGE

Aux autres et en votre présence, il parle toujours de vous à la troisième personne. Il dit : « Elle est comme ci… elle est comme ça… », quand il ne rajoute pas : « la p'tite ».

Vous êtes étiquetée, cataloguée. Vous faites partie de son magasin d'objets, mais vous n'êtes pas un bibelot fragile qu'il s'emploie à ménager.

Il a étiqueté aussi méticuleusement tout votre entourage, vos parents, vos frères, vos sœurs, vos amis. Et il faut reconnaître que, vous, au fond, vous trouvez plutôt confortable de savoir où vous vous situez dans cette forêt de personnages étiquetés, même si la paranoïa vous guette. Voilà de quoi fouetter votre petite tendance maso, en même temps que votre vie se trouve simplifiée. Inutile de vous poser des questions, il fournit d'avance les réponses :

« Untel est con, l'autre a un ego plus gros que sa bite (ou sa chatte – suivant que le susdit est mâle ou femelle). Ton frère, ton père, ta mère… ne te donneront rien… ne t'aident pas… ne garderont pas les enfants… *ne servent à rien*[1] ».

« Oh là là ! » vous dites-vous à la description de ce monde cruel. Heureusement qu'il est là, qu'il n'est pas comme les autres, qu'il est lucide, lui ! Et de vous apitoyer ensemble sur votre malheur d'être entourés de tels monstres, de devoir louvoyer dans cet océan d'incompréhension et d'indifférence.

Il y en a qui, pour moins que ça, tireraient la chasse ! Mais vous, c'est mal vous connaître, vous faites front contre l'adversité.

Enfin… tout de même, tout cela, à la longue, finirait par vous miner. Alors, il ne vous reste plus qu'à vous raccrocher à lui comme à un canot de sauvetage, sauf que c'est plutôt le radeau de la méduse, façon Jéricho !

---

1. Notez bien le verbe servir, mot récurrent dans le langage du pervers.

Il a un œil redoutable pour voir les défauts des autres, mais pour les siens… il a les yeux bandés.

LE ROND DE SORCIÈRE

Et ce n'est pas tout.

Peut-être avez-vous déjà entendu parler du rond de sorcière, cette zone complètement désertifiée où rien ne pousse, même pas un brin d'herbe. On la trouve autour du chêne truffier. Elle annonce que le champignon ne va pas tarder à sortir.

Laissons la poésie pour la triste réalité : votre vie ressemble à cet espace déserté. Il y a vous et lui… et rien autour. Il a consciencieusement fait le vide autour de lui et, par la même occasion, autour de vous. Cela afin d'éviter que les autres, et vous, à terme, ne vous rendiez compte de la vacuité de son être. Ou que, par comparaison, vous réalisiez qu'il y a d'autres façons de vivre le couple.

Après les avoir étiquetés, il tue tous ceux que vous aimez. Parfois c'est l'exécution sommaire, d'autres fois cela prend un peu plus de temps, mais le résultat est identique.

Le jour même de votre mariage, il a commencé par exécuter votre meilleure amie, du moins celle qui vous restait. Vous en aviez deux ; la première n'y était pas, à votre mariage, parce qu'il l'avait tuée depuis longtemps. Tout cela, bien sûr, sans effusion de sang. Juste avec des mots. Oh, il trouve toujours un prétexte pour se débarrasser de vos amis, anodin mais suffisamment efficace pour que vous ne les revoyiez jamais.

Il ne se limite pas aux amis. Il fait feu de tout bois, exécutant aussi des inconnus à la pelle : serveuses, chauffeurs de taxi, voisins, concierges, et j'en passe…

Par une curieuse inversion (c'est un spécialiste de l'inversion, du retournement de situation), il dit que ce sont les autres qui sont des malotrus, des «malotrous», expression raffinée qu'il énonce en pinçant la bouche.

Le pervers et vos copines

Le PC aime les femmes douces, comme vous.

Il n'aime pas vos copines, celles qui sont sans complexe devant les hommes. Il trouve qu'elles parlent trop fort, «comme des garçons», qu'elles «la ramènent» un peu trop, qu'elles sont castratrices, qu'elles dépensent trop de fric, qu'elles sont trop autoritaires, qu'elles ne sont pas bonnes cuisinières, qu'elles prennent trop de place, qu'elles font tout pour qu'on s'intéresse à elles.

Le pervers et vos copains

Le PC n'aime pas vos copains, qui sont souvent les maris ou les amants de vos copines.

Il faut dire qu'à côté d'eux il ne tiendrait pas longtemps la route. Alors, il vous dit: «Celui-là, je ne l'aime pas, il est lourd. C'est un type qui ne pense qu'à travailler!»

Le type en question est-il vraiment ennuyeux? Non, il est seulement ambitieux. Mais lui n'aime pas les ambitieux. Car il n'en a pas, d'ambition. Il se plaît du reste à le répéter. Alors, comment pourrait-il supporter ceux qui en ont?

Sa seule ambition, c'est vous! C'est à la fois beaucoup et peu, non?

Il se peut aussi que le gars en question, qui n'a pas l'heur de lui plaire, soit bricoleur, jardinier de talent, artiste peintre à ses heures, ou sportif accompli. Il dira: «Ces types qui ont des passions, ils sont à éviter, leur femme ne les voit jamais. Toi, tu as de la chance, je n'ai aucune passion. C'est toi, ma passion!»

Il justifie ainsi son inactivité et le contrôle permanent qu'il exerce sur votre personne.

Lorsque vous manifestez une velléité d'aller voir des copains, de recevoir des amis, il s'étonne: «Comment? Je ne te suffis pas? Pourtant, toi, tu me suffis!»

Au début de la relation, vous vous sentiez flattée de voir à quel point vous étiez son unique univers, avec toutes ses galaxies! Être aimée à ce point, vous en rêviez, et cela justifiait tout : de renoncer à vos centres d'intérêt, de lui permettre de vous marcher sur le ventre, et même de renoncer à tenter de *vous* respecter.

Aussi, lorsque vous vous apercevez que, dès sept heures du soir, il débranche le téléphone « pour qu'on ne soit pas dérangés pendant le film par des importuns », vous croyez dur comme fer ce qu'il vous dit. Vous y voyez même une marque d'amour. Que cela ait pour effet de vous isoler de vos amis et de votre famille, de vous placer entièrement sous son emprise pour toute la soirée, ce n'est pas grave.

Quand il a envie de faire l'amour et pas vous, vous ne vous sentez pas le courage de le priver pour autant. Vous acceptez sans passion aucune, parfois avec un peu de plaisir quand même, quand le corps se réveille. Et le vôtre se réveille souvent, car vous avez le défaut majeur d'être très vivante, sensuelle même !

De toute façon, vous ne vous sentez pas en contradiction avec vous-même, car vous justifiez toutes vos soumissions par votre amour inconditionnel pour lui.

Une fois le voile déchiré, il ne vous restera que les lendemains cuisants. Vous allez le constater grâce aux pages qui vont suivre, disons après un certain nombre de pages.

Faisons un peu de projection dans le temps : quand, après avoir épuisé vos économies, il part sans donner de nouvelles, vous vous dites que vous n'avez pas su lui donner tout ce qu'il attendait de vous, que cela l'a sans doute déprimé.

Vous allez même jusqu'à lui écrire : « Si je n'ai pas su te garder, laisse-moi une chance de te reconquérir… » (Pouah !!! la honte rétrospective !)

Pensez, cela faisait des années qu'il était au chômage, sans avoir suffisamment d'énergie pour chercher un nouvel emploi. Et vous, vous osiez lui faire des demandes, l'interpeller, le dynamiser (dans votre esprit seulement) ? Quelle cruauté ! Il a pris le large. Normal. Il vous dira au retour qu'il avait besoin de se retrouver, de se ressourcer, de réfléchir, de faire le vide.

Peut-être apprendrez-vous, quelques années plus tard, par votre meilleur ami, qu'il a filé le parfait amour durant trois mois dans les bras d'une autre. Une solitude habitée, très habitée.

Toute son habileté consiste à ne pas vous laisser voir cette évidence : vous vous comportez comme une débile, ou une demeurée. Même si vous avez, au contraire, conscience d'être normale, vous doutez, vous vous interrogez, vous essayez parfois d'épouser son point de vue. Car vous voyez en lui non pas un pervers, mais quelqu'un qui a besoin de vous, qui vous aime, et qui quitte la maison pour ne pas être une charge, pour ne pas ajouter à vos difficultés, à vos problèmes.

D'ailleurs, quand il revient après sa liaison avec une femme de quinze ans plus âgée que vous, vous êtes rassurée, sans trop comprendre pourquoi... Rassurée de savoir, après coup, qu'il l'a finalement quittée parce qu'elle est, selon ses propres dires, trop vieille et trop pauvre ! Vous, vous êtes jeune, vigoureuse. Et vous gagnez votre vie ! C'est le moteur de l'amour qu'il vous porte !

N'empêche qu'à cause de ce rond de sorcière, quand le monsieur se fait la malle, vous vous retrouvez étrangement seule, c'est le désert !

Le pervers et ses amis

Cet homme n'aime rien moins qu'être mis à nu. À partir du moment où quelqu'un a réussi à le cerner, quand l'illusion s'efface, il évite soigneusement la personne en question. Il prend la tangente.

C'est pourquoi ses amitiés ne durent que le temps nécessaire à la prise de conscience de l'entourage. Il faut vraiment être encordé pour résister !

De toute façon, au bout d'un moment, il en a assez, le charme de la nouveauté est rompu. C'est à ce moment-là qu'il colle une étiquette.

Quand il change de vie, il change d'amis.

Vous n'avez jamais rencontré ses amis les plus chers. Il les a «jetés» quand il vous a rencontrée. Il n'a jamais répondu à leurs tentatives de reprise de contact. Il vous dit : « Ce sont des gens qui ont connu ma première femme, je ne veux pas t'imposer ça ! »

Au début, vous le croyez, puis vous comprenez qu'il doit y avoir une version différente de celle qu'il vous a racontée, et qu'il n'a sûrement pas intérêt à ce qu'elle arrive à vos oreilles encore vierges.

Bref, quand vous l'aurez quitté (très longtemps après, à condition que vous y arriviez), le monde reprendra ses proportions ; il se repeuplera. Vous redécouvrirez « les autres », ceux qu'il n'aimait pas et qui sont légions… avec leurs marques d'attention, leur amitié, et vous fondrez en larmes de voir les mains qui se tendent, les bras qui vous serrent, les oreilles qui s'ouvrent pour vous écouter. Non, le monde ne compte pas que des salopards ! Vous n'avez plus besoin de lui ! Mais là, j'anticipe…

Eh oui, quand on vit avec un PO (*Pervertus Ordinarius*), on croit que ce sont les autres les ennemis, alors que l'ennemi est dans la place !

PAUVRE HOMME !

Parce qu'il faut bien le dire, le PO ne cesse de vous refaire le même coup ! Celui de vous apitoyer sur tous les tournants difficiles de sa vie, vous qui êtes une mère Teresa (tiens ! c'est votre deuxième prénom), une colombe qui n'a cessé de voler à son secours, ce qu'il nie absolument aujourd'hui.

Combien de fois l'avez-vous tiré d'affaire, le voyant démuni comme un petit garçon ?

Le PO sait toujours jouer de votre instinct maternel. Avec vous, il a été « élevé sous la mère » ! Il sait comment procéder, d'instinct !

Que dit le psy ? Vous aviez tellement besoin d'être réparatrice, car c'est ce rôle qu'on vous a donné à jouer très tôt, déjà tout enfant, dans votre famille d'origine !

Oui, c'est bien connu, du côté des psy, vous êtes labellisée à partir de votre famille d'origine, celle qui vous a conçue, élevée, marquée au fer rouge d'une éducation normale, c'est-à-dire névrotique + +.

Peut-être, mais voilà, maintenant c'est à vous d'avoir besoin d'être réparée parce que vous êtes cassée moralement et physiquement!

« CAUSE TOUJOURS, TU M'INTÉRESSES ! »

Si vous parlez de vos projets, il vous écoute d'une oreille distraite. Le PB (*Pervertus Banalus*) ne s'intéresse pas à ce qui vous passionne. Ce qui vous passionne l'agace plutôt qu'autre chose. Il vous interrompt, ramenant la conversation sur des détails matériels, des problèmes anodins.

Si vous êtes à table, et que vous êtes lancée dans un monologue passionné, il vous interrompt, par exemple, avec la remarque suivante: «Les verres sont sales, il faut remettre du sel dans le lave-vaisselle...»

Ou alors il s'adresse à votre fils: «Loïc, tiens ta fourchette correctement!»

Pire, vous restez en suspens au beau milieu de votre discours, car il est maintenant carrément sorti de la pièce. Tout en vous criant quand même: «Continue, continue... je t'écoute...»

Nul doute qu'il vous fait franchir chaque fois un pas supplémentaire dans la dégringolade avec ces petites phrases assassines.

Vous voulez reprendre des études? Réponse: «Ils sont loin, tes vingt ans!»

Ou encore: «Je n'ai pas envie de vivre avec une étudiante!»

Vous voulez changer de boulot? Réponse: «À mon âge, je n'ai pas envie de recommencer la galère, je veux une maison et des vacances au soleil!» À noter que lorsqu'il avait la maison, elle l'encombrait, et que les vacances au soleil, ça coûtait tellement cher que ça le rendait malade!

Vous voulez vous lancer dans une carrière artistique? Réponse : « Tu es une fille à sauter ! » Là, je laisse à votre appréciation…

Plus généralement, vous foisonnez de projets ? Réponse : « Tu me fatigues, je peux pas te suivre ! »

Bref, le pervers veut toujours le contraire de ce que vous voulez.

Il est toujours jamais-d'accord-sur-rien.

Quand vous voulez poser vos valises, devenir propriétaire, par exemple, lui veut partir, quitter la région.

Quand vous voulez bouger, il veut pantoufler.

Quand vous souhaitez sortir, ce n'est pas le moment.

Quand vous manifestez un élan, c'est trop tôt.

Il faut dire que le PV (*Pervertus Vulgaris*) a surtout une trouille bleue du changement, car il craint de perdre les rênes, de ne plus vous contrôler et que ses intérêts en pâtissent.

Alors, il prend soin de garder le contrôle sur tous vos désirs et velléités d'innovations !

DÉCOURAGER : TOUT UN ART !

Le pervers moyen ne vous encouragera jamais à faire quelque chose qui pourrait *vous* libérer et *lui* coûter. Bien au contraire, en position d'attente, il ne se mouille pas, parce que ça pourrait tourner à son avantage.

Imaginez, en effet, que devant ce manque de soutien de sa part, vous abandonniez votre projet sans qu'il ait eu même besoin de formuler son opposition ! Quelle aubaine !

Car il sait très bien attendre que l'orage passe sans céder de terrain. Et si vous maintenez votre décision malgré tout, vous aurez droit à un merveilleux : « Je ne vois pas pourquoi tu ne l'as pas fait avant ! »

Supposons que vous lui fassiez part de votre intention de vous absenter quelques jours pour un projet qui vous tient à cœur. Il fait mine d'acquiescer, note les dates fatidiques sur son calepin alibi, qu'il a toujours sur lui, car « faut tout prévoir, faut tout budgéter». (Nous verrons plus loin que c'est un des credos du pervers.)

Quelques semaines plus tard, vous lui rappelez l'imminence de ce voyage, pour vous, affaire entendue, et lui de vous répondre: « Ah bon… Parce que c'était sérieux, cette histoire? Je pensais que tu plaisantais!»

Vous vous demandez qui vous êtes pour être aussi peu prise au sérieux. Comme une plaisanterie sans conséquence, c'est-à-dire inconséquente.

Le *Pervertus Banalus* (espèce courante, rappelons-le une fois de plus, mais assez recherchée) applaudit toujours à une bonne nouvelle qui vous concerne. Mais cet enthousiasme est de courte durée. Très vite, il égrène minutieusement toutes les raisons que vous avez de ne pas vous réjouir trop vite, car de toute façon, humainement parlant, il est impossible que vous parveniez à réaliser ce que vous souhaitez.

« Formidable nouvelle! Ça s'arrose! Champagne ce soir!»

Combien de fois l'avez-vous entendue, cette phrase annonciatrice de votre propre échec? Et, presque dans la foulée:

«Non, mais, faut pas que tu rêves, tu es mère de famille et tu travailles. Où vas-tu trouver le temps?»

« Mais, mon chéri, je pensais que si tu m'aidais… je pourrais peut-être…»

Le PV ne vous offre pas son aide pour surmonter les obstacles. Au contraire, il les monte en épingle, en rajoute même, au besoin.

Aussi, après qu'il a brandi devant vos yeux écarquillés tous les épouvantails du pire, au point que vos jambes tremblent sous la table, vous remerciez le ciel de vous avoir donné un homme aussi avisé, un homme qui vous signale la présence du précipice avant que vous n'y tombiez… Précipice (mais vous ne le savez pas encore) qu'il a conçu de toutes pièces et dont il tient en réserve plusieurs exemplaires pour les bonnes occasions.

À une heure de votre départ, il vous tient des propos rassurants: «Je viens d'ouvrir le journal… J'ai lu qu'il y avait trois femmes qui s'étaient fait violer sur une aire d'autoroute. Tu ne peux pas partir dans ces conditions!»

Là où sa stratégie touche à ses limites, c'est lorsqu'un désir plus fort que la peur vous pousse à enfreindre ses consignes de sécurité et que, tout étonnée, vous constatez qu'il ne vous arrive rien… ou alors que du très bon ou du très agréable.

Le plus terrible, c'est que vous ne pourrez même pas partager tout cela après coup avec lui, et que vous en serez réduite à étouffer dans l'œuf tout ce bon, à le banaliser, à le minimiser : «Ouais, tu avais raison, c'était pas terrible ce voyage, j'ai un peu perdu mon temps, il faudra que je réfléchisse, la prochaine fois…»

De telles expériences vont cependant vous enhardir, vous forger, et le désespérer, lui… un tout petit peu. Vous vous faites l'effet d'une petite fille qui a fait le mur, sans se fouler la cheville ni se faire mordre par un molosse… Alors vous en déduisez que, quand la cause est bonne, il n'arrive rien à la petite effrontée, et qu'elle n'a qu'à continuer comme ça, à oser, oser dépasser ses peurs, oser transgresser les interdits et les mises en garde.

Mon avis : Le pervers veut guider et mener votre vie. C'est un véritable «caudillo» ! Il fait semblant de se réjouir de vos succès, mais en réalité, cela le projette dans une angoisse folle, celle qui le renvoie à son propre vide, à ses complexes, à son manque d'estime de soi, à la terreur de vous voir lui échapper et de ne plus vous dominer.

Par exemple, si vous n'avez plus que quinze jours pour mettre la dernière main à un projet qui vous tient à cœur, il fait tout pour vous rendre la vie impossible et vous mettre à bout de nerfs pour que vous échouiez.

C'est un véritable artiste dans l'art d'empêcher !

DÉSTRUCTURER, OU LA GRANDE FORCE DU PERVERS

Sa grande force est d'arriver à vous convaincre que tout ce en quoi vous croyez, que toutes ces connaissances et savoirs intimes que vous possédez et partagez avec beaucoup d'autres, que tout cela «c'est des conneries». Pourquoi ? Parce qu'il n'a rien de tout cela.

Il vous traite de «bon petit soldat», toujours en première ligne pour défendre les bons sentiments. En fait, ce qu'il veut dire, c'est que vous êtes une bonne «conne».

Mais le jour où vous cesserez de rouler pour lui, il ne manquera pas de vous rappeler tous ces principes soudain devenus essentiels.

Pour le PC, les contraintes n'existent que pour les autres. C'est la condition *sine qua non* de son confort.

Selon lui, les gens qui travaillent ne sont pas marrants. Dilemme! Vous finissez par comprendre que la femme au profil idéal, pour lui, est celle qui ne travaille pas – comme sa mère – afin de n'être disponible que pour lui, pour ses petits bobos à l'âme, pour ses envies de chair à tout moment, et qui en plus «crédite», comme il dit, parce que, outre le fait qu'il est pervers, il est sensible aux revenus. Un vrai maquereau!

Là, vous rendez votre tablier. Trop, c'est trop!

> Le PB (*Pervertus Banalus*) cherche non seulement à s'attaquer à votre image, mais aussi à votre nature profonde, dans un but destructeur. C'est l'abus narcissique.

Si vous êtes de nature rieuse, avec une tendance marquée à trouver l'aspect comique en toutes circonstances, bref, si l'humour et la contrepèterie sont votre marotte, eh bien il n'aura de cesse de s'y attaquer, pour que vous finissiez par perdre le sourire.

> Incompatibilité d'humour, ou le pervers donneur de leçons:
> Lui: «Arrête de te marrer! Tu ris, tu ris de tout! Les gens croient que tu te fous d'eux! Même chez le médecin, tu te marres! Il faut que tu changes!»
> Et chez l'avocat, alors? Il n'a encore rien vu! Mais n'anticipons pas...

Voilà une phrase qui revient souvent dans son discours: «Comment ça se fait que tu es comme ça, toi? Il faut que tu changes, ma vieille!»

Lui ne doit pas changer, bien sûr. Il n'en a pas besoin. Mais vous, en revanche, oh combien!

L'ARSENAL DU PERVERS

Son but est de vous déstabiliser. Pour cela, il dispose d'un arsenal assez simple, mais sans cesse réactualisé, et qui a fait ses preuves :

• Les sous-entendus
• Les allusions malveillantes
• Les mensonges
• Les humiliations

Lui : « C'est pas marrant de faire l'amour avec toi. On dirait que tu attends tout de moi ! »

Il excelle dans l'humour grinçant, les sarcasmes, par la chansonnette parfois. Ainsi, il fait passer indirectement, sans en avoir l'air, un tas de messages qui trahissent un manque de respect évident.

LE PERVERS AU QUOTIDIEN

Le PV (Pervertus Vulgaris) agit, au quotidien, par petites touches – qui peuvent paraître très insignifiantes prises séparément, mais qui ne le sont pas –, un petit mensonge par-ci, une petite manipulation par-là, un petit manque de respect de l'autre côté...

Le tout mis bout à bout travaille très sûrement à votre déstructuration, puis à votre destruction.

C'est vrai que la pire des constatations que vous ferez après coup, quand vous aurez démonté le mécanisme, c'est que, pour vous défendre, vous avez été peu à peu amenée à vous mettre à son diapason, à le combattre sur son propre terrain, à adopter vous aussi des modes de fonctionnement pervers, vous faisant ainsi la complice, bien malgré vous, de façons d'être et d'agir qui vous révulsent.

Sans le vouloir, vous entretenez le système.

Mais n'allez surtout pas penser que vous êtes coupable de tout cela. Au contraire. Vous n'étiez qu'une fraîche jeune fille, un peu naïve, d'accord, mais loin d'imaginer que de tels procédés existaient dans les couples, en dehors du cinéma ou dans les romans qui les caricaturent. La confrontation entre Simone Signoret et Jean Gabin dans *Le chat*, où chacun attendait la mort de l'autre, vous pensiez que c'était du cinéma !

Il est bien possible, si vous êtes de nature combative, que vous luttiez pendant pas mal de temps, que vous vous révoltiez. Il se peut même que le pervers passe de mauvais quarts d'heure avec vous, tant vous allez lui opposer de résistance. Mais à force, votre pugnacité s'émoussera.

Ce combat quotidien vous coûtera cher, à la longue, en énergie. Combat inégal, très énergivore, affreusement dévorant. Vous perdrez votre temps et votre jeunesse, et votre vitalité, que vous auriez pu consacrer à d'autres choses plus jouissives que cette lutte stérile avec l'ennemi quotidien. Tel un picador, il vous perce l'échine jusqu'au sang, vos côtes affleurent. Ou, si vous préférez, vous ressemblez à une poupée vaudou, sauf qu'il n'y a plus de place pour une seule aiguille. Vous affichez complet !

Il se peut que le pervers vous dise : « Tu ne m'aimes pas ! » Ce à quoi vous êtes tentée de répondre : « Tu n'es pas aimable ! » En effet, comment être amoureuse d'un homme qui calcule tout, sans rien oublier, et qui vous « pique » à tout bout de champ ?

Alors, pourquoi persister, me demanderez-vous ? Par absence de goût pour les conflits ? Si ce n'était que cela, ce serait bien peu glorieux, en effet.

J'entends déjà vos détracteurs, ceux qui se moquent de vous et disent que c'est bien fait si vous êtes une cruche qui subissez, et que vous devez sûrement y trouver votre compte, ce n'est pas possible, autrement. Ils n'ont pas idée à quel point il vous serait difficile de vous échapper, tant il vous a rendue dépendante, tant il s'est rendu indispensable. Il a tissé sa toile, vous a prise dedans et vous a injecté un venin à double message, semblable à celui de l'araignée. Pour dérouter d'abord, puis pour paralyser sa proie.

Vous vous débattez un peu, au début, puis de moins en moins au fur et à mesure que le poison fait son travail et gagne tout votre corps.

Et puis, il y a ces attaques imprévues qui fondent sur vous, si violentes, si redoutables. Ce sont des tentatives de mises à mort dont vous ressortez chaque fois pantelante, comme un pantin désarticulé! Non, vous n'êtes pas complice, vous êtes seulement mal barrée! Voilà la vérité!

Vous allez dire que j'exagère, que je vais trop au cinéma... Non, je ne fais que décrire le *Pervertus Vulgaris* dans ses œuvres, une espèce suffisamment répandue pour qu'on s'y colle, je le répète, sans même s'en rendre compte!

LE MYTHOMANE, OU LA TENTATION DU MENSONGE

Le pervers a recours, pour développer sa mythomanie, à son remarquable talent pour l'improvisation.

Il ne s'agit pas du petit mensonge des familles pour sauvegarder une parcelle d'intimité, d'intégrité face à la curiosité et à l'ingérence, ni du mensonge compulsif, mais du mensonge érigé en système dans le but de soutirer un avantage matériel, financier, moral ou affectif. En bref, pour qu'on lui prête de l'argent, par exemple, ou pour qu'on l'héberge.

Quelle est la durée de vie d'un mensonge? Oh, certains ont la vie dure... mais une chose est sûre, ils ne durent pas toute une vie!

Il y a plusieurs sortes de mensonges, mais voici les deux que j'ai dû affronter le plus régulièrement avec lui.

Le mensonge plaintif

Le pervers adore se faire plaindre. Il est toujours victime de tout le monde, et de vous au premier chef. C'est une stratégie qui fonctionne très bien auprès des femmes, et même des hommes.

Il vous l'a fait, le coup du chien perdu sans collier. (Le problème, c'est qu'après, il ne vous reste que les puces!) Il faut dire qu'il colle à sa fiction avec une telle conviction – une famille de Thénardier; une ex-femme sans cœur – qu'il en avait encore les stigmates au moment où vous l'avez rencontré. Et de grands yeux cernés et battus. Si bien qu'il ne peut que finir par y croire lui-même et alors vous…

La fable

Il se présente comme un autre, un prince, un artiste, un poète, un chevalier d'industrie, un magicien… Dans tous les cas, comme un personnage passionnant. Ce mensonge-là, c'est le plus dur à tenir.

À plus ou moins longue échéance, parfois des années plus tard, suivant l'habileté du PO (*Pervertus Ordinarius*), l'ampleur de votre naïveté et le jeu du hasard, ce mensonge fondateur ressort inexorablement du puits, talonné par la vérité! Au moment où vous lui demandez de mettre en pratique ce dont il s'est vanté. Mais la pratique n'est pas son fort! Vous l'acculez, et son invention lui revient en pleine figure comme un boomerang. Il doit faire la preuve que ce qu'il a créé de toutes pièces est vrai. Impossible, évidemment.

Voilà votre pauvre mythomane condamné à avouer la supercherie pour s'en sortir et éviter la confrontation embarrassante entre réalité et personnage. Là, il le sent bien, le mensonge touche au terminus, même s'il a bien duré. Il a fait une révolution, un tour complet. La peur et l'angoisse qui le tenaillent à ce moment précis le conduisent à démentir tout, en bloc (si c'est un pervers courageux), au-delà même de ce qui est nécessaire, pour couper court aux questions et aux mises au point. La fuite est sa seule planche de salut, au propre et au figuré (surtout au propre, si c'est un pervers falot).

Bon, c'est comme ça, tout ça c'était du pipeau, de l'attrape-nigaude, mais c'est à prendre ou à laisser. Vous êtes knock-out, atterrée par la nouvelle. Ainsi, votre relation a grandi sur un terreau de forfaiture!

Et vous restez spectatrice devant le rideau baissé: «Circulez, y a plus rien à voir!»

Car voilà, le pervers relationnel ne joue pas son rôle jusqu'au bout, d'où l'effondrement de sa construction. Trop désordonné, trop inconséquent, et souhaitant jouir immédiatement des fruits de sa supercherie. Une fois la chose faite, celle-ci ne l'intéresse plus et il cesse de l'alimenter, et tout s'effondre. Impossible de nourrir la supercherie, me direz-vous? Non, mais trop fatigant à la longue, vous répondrai-je. Bref, tôt ou tard, il se trouve le dos au mur, sur le point d'être démasqué.

Hormis la fuite, autre réaction possible du pervers, lorsqu'il est découvert (comme on l'a vu dans d'autres situations): la colère. Dans le cas de votre pervers à vous, son ire est tellement énorme qu'elle lui étrangle la voix. C'est une colère sourde.

Il faut dire que vous êtes vraiment une garce de lui mettre le nez dans son mensonge. Faut le comprendre! On s'énerverait à moins que ça.

L'avis du psy: Le pervers redoute au plus haut point la déconsidération de soi.

Ne vous inquiétez pas pour lui, il repartira ailleurs se refaire une virginité.

Ce qui est crucial pour lui, c'est de retrouver quelqu'un qui le cautionnera à nouveau, qui à nouveau croira à sa sincérité, ce qui n'est plus possible avec vous, à qui il a tout montré. Adieu donc!

Malgré tout, le pervers illusionniste essaiera jusqu'au bout de recommencer son numéro avec vous chaque fois qu'il en aura l'occasion.

Le pervers mythomane dispose aussi dans sa réserve personnelle de tout un tas de petits mensonges de moindre envergure, moins «merveilleux», qui ne relèvent pas d'une construction élaborée, qui sont plus naïfs, mais qui lui permettent de se tirer momentanément d'un mauvais pas, ou de parer au plus pressé.

Dans le rôle du malade imaginaire, par exemple. Il vous annonce de but en blanc qu'il a subi des examens, qu'il attend les résultats mais qu'il le sait déjà : il n'a plus que quelques mois à vivre. Il faut le laisser partir, seul, pour aller mourir ailleurs (au cimetière des éléphants). La vérité, c'est qu'il veut juste un peu de champ libre pour aller vivre avec sa maîtresse à qui il a fait un autre bobard : il est en instance de divorce ! C'est le mensonge gigogne, ou les poupées russes de la dérobade.

« Tu vois comme c'est bizarre, les choses, on en arrive à ne plus me croire ! » s'exclame le PE (*Pervertus Extraordinarius*) quand il est confronté à son mensonge et ne veut pas le reconnaître.

Puisque notre propos porte sur le pervers et le mensonge, qu'en est-il du pervers et de la sincérité ?

Le pervers est-il sincère une fraction de seconde par an ? Le pervers sait-il seulement s'il est sincère ? ***Help, le psy !*** Il est sincèrement intéressé à préserver ses intérêts, de cela on en est sûr !

Le pervers et l'oubli

De la même manière que le pervers ment comme il respire (bien qu'il soit parfois sujet à une crise d'asthme, alors il y a des blancs dans le texte, mais c'est rare !), il oublie parfaitement (ou il veut oublier parfaitement) le passé, surtout quand il s'agit de ses entourloupes. Alors, il dit : « Moi, je suis amnésique, j'ai tout oublié, je ne vis pas comme toi dans le passé à ressasser. »

C'est pratique, il est toujours neuf comme un nourrisson. Hâbleur. La culpabilité ? Connais pas.

Rhétorique ou baratin

La mythomanie du PB va de pair avec son aptitude et son goût prononcés pour la rhétorique.

En effet, le pervers a une capacité à argumenter hors du commun. Il a toujours une bonne raison pour justifier ce qu'il vous a fait subir ou a imposé à d'autres.

Ses raisons, ses arguments s'emboîtent parfaitement. Comment se fait-il (êtes-vous bête quand même!) que vous n'y ayez pas pensé plus tôt?

S'il excelle dans l'art de retourner n'importe quelle situation à son profit, c'est parce qu'il a une capacité de réaction hors du commun. Son cerveau fonctionne à la vitesse de la lumière (alors que le vôtre ne marche qu'à celle du son), surtout pour les détails pratiques. Si vous aviez la position d'un observateur extérieur, sûr que vous admireriez ce jeu d'équilibriste, de prestidigitateur. Vous en oublieriez vos références morales. Même l'inspecteur des impôts chargé d'effectuer un contrôle des comptes du PV est comblé d'avoir renoncé à un examen plus approfondi et heureux d'avoir passé un si agréable moment avec cet homme.

Il faut reconnaître que lorsqu'il se lance dans une démonstration ou dans une diatribe, l'homme a du style, du rythme, intonations et attitudes à l'appui, bref, toutes les caractéristiques de la virtuosité technique. Le tout, bien ficelé, offre toutes les apparences de la véracité. Bon Dieu, qu'on adore croire ce qu'il énonce, être sous le charme de cet orateur! Comme cela nous arrange!

On sent bien pourtant que, quelque part, il y a abus. On perçoit bien le glissement, mais ce qu'il propose est si délicieux, si spectaculaire, parfois...

Mais que nous entamions a posteriori une analyse sérieuse de ses propos, et rien ne résiste, et la belle construction s'écroule. Du carton-pâte, comme la matière dont est fait l'homme lui-même. Un décor de théâtre, sans rien derrière. Les phrases sont creuses dès qu'on les décortique. Une espèce de logorrhée sans signification, une fin en soi...

À titre d'exemple, le jour où vous lui avez expliqué qu'avant de dire «je t'aime» il faut bien savoir ce que signifie aimer et ne pas confondre amour et désir, ni simple plaisir d'être ensemble et tout ça, et tout ça... (je reconnais, vous êtes dure, vous parliez de choses qui le dépassent complètement, ce pauvre pervers), il a répliqué: «Il y a des mensonges qui sont de pieux devoirs...»

Voilà la réponse qu'il vous a livrée (sans doute un jour de grande inspiration). Une réponse qui sonnait bien, ronflait bien, mais dont vous vous demandez encore ce qu'elle signifiait.

Ce qui différencie le PV d'un homme en dépendance amoureuse qui s'accroche à vous quand vous envisagez de le quitter, c'est que, lorsque vous lui échappez, il tente de vous «récupérer» au baratin.

Dissimulation ou divulgation

«La parole a été donnée à l'homme pour cacher sa pensée.» Voilà encore une de ces citations qui lui vont comme un gant, à notre pervers! Il sait parfaitement garder le secret sur un tas de choses et sur ses intentions, quand ça l'arrange, ou au contraire les divulguer sans réticence quand ça l'arrange encore plus!

> En résumé, vous l'avez compris, avec un PE, il faut être en permanence sur le qui-vive, pour essayer de repérer où se situe la manipulation ou le travestissement des faits.

Ce n'est pas de tout repos! Pour l'instant, vous n'en êtes pas là et vous lui faites encore une confiance aveugle et naïve... Eh oui!

CHAMPIONNE DE LA TOLÉRANCE

Il faut bien le dire, vous êtes la championne de la tolérance, et avec vous il joue sur du velours.

Manquant structurellement de confiance en vous, vous êtes aussi la reine de la nuance. Cette qualité vous valait de bonnes notes en philo, mais elle vous a coulée, conjugalement!

Ainsi, vous ne portez jamais de jugement à l'emporte-pièce sur aucun de vos congénères, et vous êtes toujours prête à trouver des circonstances atténuantes à tout le monde grâce à une faculté d'hypercompréhension que vous vous êtes forgée très tôt dans vos relations avec vos frères, puis avec les hommes.

Mieux encore, les travers des autres vous touchent, vous attendrissent. Ils vous prouvent que ces gens sont humains et qu'ils méritent votre patience attentive.

Avec le PC, cela va bien plus loin. Pour lui plaire et acheter votre tranquillité, vous épousez ses opinions, gommez vos différences, arrondissez vos aspérités de manière à être telle qu'il vous veut, enfin, telle que vous pensez qu'il vous veut. Ce qu'il ne manquera pas de vous reprocher un jour. Comment avez-vous pu être aussi pâle, aussi inodore pour lui plaire ? Comment avez-vous pu renoncer à tout un tas de choses pour lui ?

Car enfin, à force de sacrifices, vous êtes devenue une vague copie de vous-même, pour ne pas dire l'ombre de celle que vous avez été.

Le PC ne se prive pas de vous faire remarquer combien vous avez changé par rapport à la jeune fille qu'il a rencontrée. C'est ainsi qu'il justifie ses nombreuses absences.

LE PERVERS ET LA VIOLENCE DES MOTS

> Ne pas oublier que l'arme favorite du pervers, ce sont les mots.

Aussi, il faut toujours écouter les mots du pervers, surtout quand il est dans un accès d'excès, de délire. Les mots ne dépassent pas sa pensée, ils sont le reflet de sa réalité intime, surtout lorsqu'ils sont violents, exagérés, hors normes. Du reste, par moments, il y a résurgence de ce qu'il dissimule si bien habituellement. Nul n'est parfait…

Longtemps, vous vous êtes dit : « Il ne commet ses turpitudes qu'en paroles. Au fond, il n'est pas mauvais. Seule la forme est déplorable. » Mais la forme finit par faire fond et un jour elle devient insupportable, surtout lorsque vous avez compris la violence qu'elle représente.

Ces mots turpides ont autant de pouvoir destructeur sur vous que des actes ! Vous le découvrirez trop tard. En tout cas, au minimum, ils tuent vos sentiments à petit feu. Ce sont ces mots-là, les plus durs, les plus violents, qu'il faut croire, surtout s'ils sont adoucis par d'autres, édulcorés, plus doux…

LE PERVERS ET LA VIOLENCE PHYSIQUE : LE PERVERS ET LES DÉLITS

Le PE usant d'abord et avant tout de la violence des mots, la violence physique ne fait pas partie de sa stratégie, de sa panoplie pour asseoir son emprise sur sa «chose», du moins s'il s'agit du type de pervers examiné ici.

Notre propos ne porte pas sur le pervers «grossier», celui qui, par faiblesse, se laisserait aller à frapper, à passer à l'acte. C'est une variété que j'ai peu rencontrée. Je vous renvoie pour cela à la rubrique des faits divers des journaux ou, pour celles et ceux que cela intéresse, aux nombreux ouvrages sur les femmes battues.

Non, celui qui nous occupe, le plus répandu, appartient à une espèce plus sophistiquée.

> Il se sert de son charme et de sa séduction pour gravir les échelons de la société, laissant derrière lui, dans son sillage, des «mortes vivantes» vidées de leur substance, qui auront du mal à s'en remettre.

Là où le pervers est passé, l'herbe de la vie a bigrement du mal à repousser. Mais je déborde…

Donc, la violence physique, ce n'est pas son truc. On pourrait alors lui reprocher une faute tangible, en tirer argument contre lui, et il n'aime pas cela !

En revanche, la victime, poussée à bout par le PO, peut très bien en arriver à l'agresser physiquement. Il peut ainsi accuser l'autre, par un effet de substitution, d'être l'agresseur, lui-même devenant la victime. Toute la culpabilité se retrouve alors du même côté, celui de la victime.

Le PB (*Pervertus Banalus*) a d'autres méthodes que la violence physique et les débordements évidents. Il a plusieurs tours dans son sac. Sa domination, qui s'exerce de manière sournoise et larvée, peut ainsi être niée. Car la véritable violence perverse est rarement révélée. Elle a pour but, au-delà de la volonté de soumettre l'autre à sa domination, de s'approprier son être, de le phagocyter, de le dévitaliser.

Il peut néanmoins arriver que notre homme ait une défaillance et s'adonne à quelques folies en commettant de véritables excès de pouvoir, visibles au grand jour. Par exemple, il vous impose de vous engager par écrit à respecter des conditions de vie inhumaines et humiliantes. Il laisse paraître l'abus et montre ainsi sa volonté de puissance.

Le mien, entre autres, voulait me faire signer un papier disant que je renonçais aux vacances. Oui, oui, il est arrivé à mon pervers à moi de faire preuve d'une tyrannie évidente, mais toujours sans témoin (on est pervers ou on ne l'est pas!), surtout vers la fin de notre relation, où je suis devenue tellement incontrôlable qu'il en a perdu tous ses repères… de pervers et que, pour finir, il a laissé tomber sa garde !

Plus encore, et cela n'est pas en contradiction avec ce que j'ai dit plus haut, nous verrons bientôt que, dans des situations de crises aiguës, lorsque la victime tente d'échapper avec plus d'énergie, la violence latente, sous-jacente peut émerger avec force et, de morale, devenir physique, afin de mettre un coup d'arrêt plus définitif à la tentative de libération.

Le pervers sait qu'il ne doit pas aller trop loin : la violence physique risque d'amener la victime à une prise de conscience qui le desservira et mettra fin à son règne.

L'homme est subtil, ne l'oublions pas…

2

Les territoires
de prédilection du pervers

LE PERVERS ET L'ARGENT

S'il s'agit d'un PO qui gagne sa vie, voire un PO riche, vous tiendrez peut-être le poste assez longtemps. Mais si, par chance, il ne vous offre même pas le confort matériel, estimez-vous heureuse, vous ne lui échapperez que plus vite!

Le pervers riche

Il a le sentiment qu'il est trop pauvre. Il ne s'estime jamais assez riche, il cherche toujours à l'être davantage.

Cet homme-là a du pouvoir, il est dangereux, car il met beaucoup de personnes et de moyens à contribution pour le servir et collaborer à ses projets.

Il peut, en revanche, être très généreux avec la femme qui est sa «chose». Il la couvre de cadeaux, ceux qui lui font plaisir à lui: foulards de soie, sacs à main, montres Hermès. L'avantage, c'est que la «chose» peut ensuite aller les déposer au prêteur sur gages, ou les revendre dans une boutique de troc pour en tirer le liquide nécessaire à l'achat de trucs plus utiles, des trucs dont elle a vraiment besoin.

Avec celui-là, si vous avez rêvé d'un univers rose à la Barbara Cartland, c'est râpé. C'est plutôt Dallas qui vous attend, lui tenant bien sûr le rôle de «l'abominable JR qu'on adore haïr». L'argent est pour lui un hochet, ou un sucre d'orge qu'il brandit bien haut pour vous faire marcher sur la tête, ou sur les pattes arrière... comme un caniche.

Le pervers (ou le prince charmant) pauvre

C'est l'espèce la plus répandue.

Lui, il ne pense qu'à cela, à l'argent, à se donner l'illusion qu'il est riche et à vous le faire croire! Il est beaucoup moins généreux qu'un riche mais tout aussi exploiteur, même s'il a moins de pouvoir et sait que ses prétentions et sa stratégie sont limitées!

Comme vous ne pouvez pas être toujours sur le qui-vive et que vous finissez par vous endormir, vous lui faites confiance. Il semble si compétent en matière de fric que vous lui laissez benoîtement le carnet de chèques.

Ainsi, il joue le rôle gratifiant de l'homme qui paie, même si c'est avec l'argent de la dame. Vous achetez votre tranquillité... Mais à quel prix?

> Il (le PC) dit:
> «Quand y a plus d'argent, y a plus d'amour!»
> Et il s'en va.
> Alors, vous vous traînez à ses pieds en gémissant:
> « Mais, mon chéri, je t'aime, même pauvre!
> Pas moi!» répond-il.

Le PC n'est pas généreux. Il vous laisse croire – c'est là son art – qu'il vous donne, alors qu'il vous dépossède. En réalité, c'est un pingre. La seule chose qu'il vous donne, c'est l'occasion d'être extrêmement généreuse avec lui, crédule. Et lorsqu'il vous fait un cadeau avec *vos* sous, vous éprouvez une gratitude infinie. C'est vrai, il aurait pu ne pas le faire et vous priver de cette marque d'affection.

Le PC n'oublie aucun anniversaire. Une fois par an, il vous comble, car c'est aussi le mois de votre prime au boulot!

En fait, il faut reconnaître qu'au départ les comptes semblent équilibrés. Le pervers intelligent, dans la phase de séduction, peut même se montrer hypergénéreux, jusqu'au passage de la bague au doigt. C'est après que cela se gâte, et que les comptes deviennent disproportionnés. Au moment du décompte final, c'est (pour vous) la catastrophe économique!

Après le passage du pervers, c'est bien pire qu'après le passage du fisc: vous êtes à poil! Et je sais de quoi je parle!

Le pervers est prévoyant avec vos sous

Oui, le pervers sait se montrer prévoyant, parcimonieux même, avec votre argent. La gestion de votre argent l'intéresse au plus haut point. Sait-on jamais? Vous pourriez faire des folies, des achats imprévus ou, simplement, le dépenser pour vous seule.

Il chausse ses lunettes, il vous explique ce que vous pouvez faire et ne pas faire. Il budgète tranquillement. Il dit: «Non, ce ne sera pas possible, je suis désolé, tu n'as pas gagné suffisamment ta vie ce mois-ci, il n'est pas question que tu songes à ce week-end à Amsterdam. Pourtant, j'aurais aimé te faire plaisir avec cette exposition sur Gauguin et Van Gogh...»

Ou encore, si vous vous révoltez: «Tu dis qu'on ne peut jamais partir en vacances, en week-end, ou acheter une maison, mais pourquoi n'essaies-tu pas d'avoir une promotion? Ça arrangerait tout.»

Traduction libre: «Si tu faisais l'effort de gagner plus d'argent, je pourrais en dépenser plus.»

Le PB est prévoyant avec vos sous, mais il ne veut surtout pas que vous dépensiez les siens, ou que les siens vous servent à réaliser un projet personnel. Il aurait l'impression de se faire arnaquer.

«Trouve un commanditaire, trouve une autre source, va bosser, ma belle!» C'est ce qu'il vous répète à l'envi lorsque vous le sollicitez pour l'un ou l'autre projet. Ou encore: «Vends-toi, ma belle, vends ta blondeur!» Mais pas auprès de lui, s'entend...

En fait, cet homme vous parle d'argent, d'argent, d'argent... sans fin... mais gagné par vous, que cela soit bien clair. Alors, quand il vous dit: «Il faut ouvrir son cœur!», comprenez surtout: «ouvrir son compte bancaire», créditeur bien entendu, sinon s'abstenir.

Si vous voulez couper net un câlin inopportun, faites comme lui, parlez d'argent. Parlez de vacances, ou d'année sabbatique, par exemple.

Finalement, tout laisse à penser que vous n'êtes pour ce grand intendant qu'un portefeuille en actions ; à revenu fixe si vous êtes salariée. Il s'est tellement identifié à vous et vous a tellement identifiée à votre revenu que, par la loi de transitivité bien connue, il s'est identifié à votre salaire, qu'il a totalement «patrimonialisé». Votre revenu fait partie de son patrimoine, même si vous êtes mariés sous le régime de la séparation de biens. Et chaque vingt-huit du mois, vous l'entendez clamer, guilleret, dans la salle de bain : «Bientôt la paye !» Il ne parle pas de la sienne. Bien sûr que non !

La quotité disponible

Il a toujours considéré que votre salaire représentait l'argent du ménage et de l'entretien des enfants – c'est normal, c'est vous qui les avez voulus ! Son argent à lui sert éventuellement aux vacances, ou à des plaisirs connus de lui seul…

Aussi, lorsque vous avez décidé de ne plus payer le loyer, les choses se sont gâtées sérieusement. Et lorsque vous avez décidé de retirer vos billes du jeu, ce fut la déflagration. Mais n'anticipons pas !

Sur un salaire de femme, il devrait toujours y avoir une partie, une quotité disponible qu'elle conserve pour elle, pour son entretien, pour les dépenses qui touchent à sa personne, à son identité. Nous ne travaillons pas, nous les femmes, que pour le loyer, ou les traites de la maison, ou pour les courses au supermarché, bon sang !

Qu'est-ce qu'elle dit, la copine ? Que je plaisante, qu'elle (elle, c'est Francine ou Florence ou Valérie ou Christine) garde la totalité de son salaire, et que son bonhomme ne dit rien, qu'il n'est pas embêtant pour ça, qu'elle en fait ce qu'elle veut, que ses armoires débordent de fringues, et que je me suis vraiment fait avoir. Bon, eh bien ça veut dire seulement que tous les maris ne sont pas des pervers ! Elle dit que je me suis laissé faire ??? Facile. Revenons à notre démonstration ! Elle me ferait perdre le fil, cette Francine ou Florence, ou Valérie ou Christine !

Donc, là, quand le pervers voit que sa proie lui échappe, il lui coupe les vivres, ses propres vivres! Il lui retire la carte bleue, le chéquier...

Qu'en pense le psy? N'y aurait-il pas une jouissance de type maso à subir l'interdit, comme un rappel à l'ordre parental, au départ au moins, qui renvoie la femme à sa culpabilité constitutionnelle? Je t'appartiens, tu décides pour moi, peu m'importe d'obéir à ton arbitraire, c'est la preuve que j'existe pour toi! Souffrir par toi n'est pas souffrir, c'est tenter d'exister!

Coupable jusqu'au bout des ongles

Un petit exemple: quand le pervers s'attaque à votre image narcissique, à ce petit plaisir que vous avez à vous faire coller régulièrement, en institut, des ongles en résine qui vous font des doigts fuselés, bref, des mains à monter les marches du Festival de Cannes...

Au début, il accepte sans rien dire. Il vous complimente, même. Oui, il vous complimente! En fait, il bout intérieurement. Il bout jusqu'au jour où il éclate: «Tu vas arrêter ces histoires avec tes ongles!»

Comme si cela allait mettre la famille en faillite!

C'est tout un symbole, ces ongles, celui de la séduction qui ne lui est pas réservée exclusivement, celui de votre plaisir personnel dont il n'est pas la source, l'expression de votre narcissisme. Votre narcissisme, il tire dessus au canon de marine.

Quand il ne vous enguirlande pas parce que vous dépensez trop de sous, il aime que vous lui montriez ce que vous achetez, il aime acheter avec vous, en fait, «en être», comme il dit. Il ne veut pas être exclu, il veut contrôler. Il déplie et replie, tourne et retourne vos chiffons entre ses doigts. Il fait l'inventaire de votre valise de vacances et s'exclame: «C'est incroyable! Tu as le chic pour trouver des choses sympas, tout ce que tu touches est joli!»

Vous sentez bien que ces compliments-là, si gentils dans la bouche d'un autre, sont à double tranchant chez lui. Pourquoi cette sensation? Vous êtes parano ou quoi? Vous vous demandez de qui, de quoi il est jaloux? Message à double sens, sa spécialité!

Et il faut que vous sachiez que si vous avez des velléités de reprendre un jour des études (comme cela arrive parfois à l'aube de la quarantaine), ce sera le début de la fin avec le pervers. Il essaiera par tous les moyens de vous en dissuader, en vous imposant, par exemple, de signer un sous-seing privé. «Tu vas me signer un papier dans lequel tu t'engages à vivre comme une étudiante!» (Tiens, qu'est-ce que je vous avais dit?!) C'est-à-dire sans dépenser un sou! C'est votre récompense pour l'avoir entretenu pendant toutes ces années!

Le pervers à la bijouterie, ou comment s'en sortir à peu de frais

Vous avez, exceptionnellement, envie d'un bijou?

Il joue le jeu, il vous emmène à la bijouterie. Il tourne, vire-volte avec vous entre les rayons, et comme tout ce que vous touchez ne rentre pas dans le très, *très* petit budget qu'il vous a alloué, vous vous rabattez sans enthousiasme sur l'une ou l'autre bague. Devant votre mine déconfite, il dit: «Ne te sens pas obligée de prendre quelque chose qui ne te plaît pas!»

Alors, devinez quoi? Obéissante, vous sortez de la bijouterie sans rien. Ouf!! Il a eu chaud, mais il a tenu bon. Et surtout, il peut dire que c'est vous qui n'avez rien voulu!

Le PV sait très bien nager en gardant ses vêtements secs.

Paroles, paroles…

Il adore faire miroiter de belles invitations, qu'il lance avec enthousiasme… et qu'il annule peu de temps avant le grand jour, parce que «ça va coûter trop cher».

Le restaurant pour votre anniversaire, un petit voyage en Provence, une nuit dans un Relais et Châteaux… Déjà, au télé-phone, vous l'entendez tailler en pièces vos rêves féodaux avec un solide bobard à l'hôtelier. La seule chance pour vous aurait été qu'il ait versé des arrhes. Mais non, pas si fou! La dernière fois, c'était le coup de la Toscane, un coup de trop, franchement.

Les enfants, fait rarissime, sont en vacances une semaine chez leurs cousins. Il propose: «Et si on allait une semaine en Toscane? Ça te dirait, un petit voyage en amoureux?» Pour relancer la machine essoufflée, avez-vous envie d'ajouter.

Il téléphone à votre amie, qui travaille dans une agence de voyages. Vous croyez que tout est arrangé, que l'affaire est dans le sac. Il est plein d'enthousiasme, de motivation, il sait combien vous en rêvez, de ce petit voyage.

Déjà, vous voyez le velours côtelé des vignes, ourlé de cyprès cierges; vous sentez l'ivresse du chianti vous monter à la tête. Vous entendez les mandolines, vous savourez par avance la politesse exquise et le sourire si prévenant des Italiens amateurs de femmes blondes. Ça tombe bien, vous êtes blonde, justement, cette année.

Sauf qu'un soir, il annonce que non, finalement, vous n'irez pas en Toscane, parce qu'il ne peut pas s'absenter quatre jours. Tiens donc, c'est nouveau, cet attrait soudain pour le travail. Comme si un collègue ne pouvait pas le remplacer, comme il l'a déjà fait.

Vous, vous savez qu'il a fait «ses» comptes, encore une fois. Alors vous marmonnez entre les dents: «C'est sûr, c'est beaucoup de sous, ce voyage!»

Lui, il lui a suffi de le rêver, ce voyage que vous auriez pu faire, de voir vos yeux pétiller. Il a rempli son rôle, il vous a laissé croire qu'il pouvait vous faire plaisir. Il a eu son fantasme, il a eu son orgasme à bon prix. Pour se dédouaner, il explique qu'il réfléchit souvent à haute voix, qu'il émet des hypothèses de loisirs, pour rêver un peu, c'est tout. Sauf qu'il pousse un peu loin l'hypothèse.

Au début, quand il vous jouait ce genre de tour, vous aviez les larmes aux yeux, comme une enfant déçue à qui l'on propose une grosse sucette et qui, au moment de tendre la langue vers le délice acidulé, le voit disparaître.

Cela vous tue, ce pouvoir de vie ou de mort qu'il a sur vos désirs, qu'il fait naître et extermine en un temps record ; cette façon qu'il a de vous enchanter puis de vous désenchanter, quasi simultanément. Un méchant Merlin.

D'ailleurs, lui aussi, ça le dégoûte, d'une certaine façon. Il vous l'a dit : « En cinq minutes, on peut faire rêver les gens, et ils sont prêts à vous suivre au bout du monde… C'est décourageant parce que, dès qu'on cesse de les entraîner, ils ne rêvent plus, ces salauds ! »

Vous n'êtes pas très étonnée quand il vous annonce qu'il a pris unilatéralement la décision de vous enlever la sucrerie, et vous vous dites : « Ben voyons, c'est ça, mon vieux, comme d'habitude ! »

La dernière fois, vous n'avez pas bronché. Il a cru sa victoire facile. Mais vous lui avez annoncé, nonchalamment : « Bon, eh bien, puisque tu as du travail et que les enfants ne sont pas là, je pars une semaine chez mon amie en Provence. À défaut de Toscane, il y a des cyprès et de la vigne, ça m'ira très bien. »

Cette fois-là, exceptionnellement, vous n'avez pas joué les victimes. Et il est resté seul à la maison, « couilles croisées de Playtex », selon son expression, ne pouvant même pas vous reprocher, mère indigne, de lui avoir laissé les enfants en prime.

Vous ne le saviez pas encore, mais vous avez commencé à vous respecter, ce jour-là. Vous avez fait un pas hors d'un système frustrant, aliénant…

Peu de temps avant, d'ailleurs, quand il a réservé le meilleur restaurant de la région pour votre anniversaire, vous avez décidé de lui tendre un piège. Vous vous êtes préparée mollement, ne manifestant aucun enthousiasme particulier.

Ça n'a pas manqué, deux heures avant, il a prononcé la phrase fatale : « Je ne vois pas pourquoi je dépenserais tant d'argent pour une femme et des enfants qui n'en ont rien à foutre ! »

Vous n'avez même pas tenté de le contredire : restaurant annulé ! Déception évitée, moral stabilisé. Un début prometteur.

C'est que, il ne le savait pas (ne risquiez-vous pas de devenir un peu perverse, vous aussi ?), vous étiez entrée dans une phase d'observation, celle où désormais vous testiez, où vous ne disiez plus rien, où vous ne tempêtiez plus, vous ne pleurnichiez plus, vous ne vous laissiez plus retourner comme un gant, vous ne vous tordiez plus les mains… En bref, vous aviez décidé de ne plus être une victime de ses paroles et de ses actes, et encore moins de ses décisions.

Vous aviez démonté le mécanisme. (Il était temps, après toutes ces années!) Vous saviez, enfin, que cet homme n'était pas un homme de parole, mais un homme de promesses, de largesses fictives.

L'avis du psy: Tout cela part d'une bonne intention, ce début de manipulation de l'autre, mais attention… il est plus habile que vous et va rapidement récupérer la situation à son profit!

Fidèle malgré lui

Il dit que prendre une maîtresse coûte trop cher, parce que ça mène droit à la pension alimentaire obligatoire, et que cela coûterait encore plus en cas de divorce prononcé à ses torts.

Vous connaissez maintenant le fondement philosophique et sentimental de sa fidélité, du moins telle qu'il vous la présente, cette fidélité, car des maîtresses, il en a eues et il en aura encore, tout en vous laissant croire que ce n'est pas sa tasse de thé.

Qu'à cela ne tienne, il en résulte que le PH (*Pervertus Habilis*, une nouveauté!) va améliorer petit à petit sa situation financière, poursuivre son ascension sociale en utilisant sa victime, le tout avec discrétion, car, rappelons-le, nous avons affaire ici au représentant d'une forme élégante de «maquereautisme».

Non, ce n'est pas le gigolo déclaré. Il tient au qu'en dira-t-on et à son estime personnelle. Lui, vivre aux crochets des femmes! Il s'en défend bien!

Si, comme on l'a vu plus haut, le pervers semble être à votre service, en fait il se sert de vous. Il faut tout lui donner, tout lui fournir. Il finira du reste par vous le dire: «Tu ne m'apportes rien.» Ce qui est une demande indirecte à donner plus, c'est-à-dire toute votre énergie, toute votre disponibilité pour le servir, lui. Avec, bien sûr, tout votre argent.

L'AMOUR, OU LE PERVERS ET LES FEMMES

Ne jamais oublier ceci : il est beau, il est séduisant, il est attachant (dans tous les sens du terme), mais c'est un beau monstre.

« C'est un être redoutable, un soleil noir attirant et pervers », dit Anne Michèle Hamesse dans *Le voleur*. (L. Wilquin, 2000.)

Il faut quand même remettre les choses à leur juste place. Le prince charmant a rarement du charme. Il est charmant parce qu'il vous a charmée.

En fait, il est comme tous les autres. Il se cure les narines avec application et projette ses crottes de nez à travers la pièce d'un coup d'index véloce. Il pète au lit. Il ronfle comme une trompette et se gratte les couilles en public.

Le PC vous aime rarement, mais il vous donne l'occasion inespérée de l'aimer.

L'ESCROC DE L'AMOUR : LE MIROIR AUX SENTIMENTS

Une autre spécialité du PC est de vous présenter le miroir qui correspond à vos attentes.

Sa déclaration d'amour la plus troublante : « Tu verras, tu ne trouveras pas un homme qui t'aime autant que moi ! » Ou encore : « Aucun homme ne t'aimera jamais comme moi ! »

Avec le recul, vous savez qu'il disait vrai !
Il a brandi cette menace pendant tant d'années : « Tu sais, c'est pas mieux ailleurs. Pars, et tu reviendras à quatre pattes. Et moi, je te

jetterai et je te reprendrai quand je le voudrai. Tu verras, tu viendras mendier dans ma main.»

Je sais, là vous croyez que j'invente, que j'en rajoute, que je me la joue javanaise. Détrompez-vous! Un reste de pudeur (qui va vite s'estomper) m'empêche de tout dire…

En fait, dans le même registre, quand il vous dira plus tard: «Sans toi, je suis perdu», ça voudra dire ceci:

Vous avez récupéré votre autonomie financière.

Vous vous êtes dégagée de la collusion de ses dettes.

Vous ne faites plus la lessive pour lui.

Vous n'êtes plus son faire-lavoir… pardon! son faire-valoir.

Tout cela, bien sûr, à condition que vous ayez pris soin de le quitter avant d'être complètement laminée!

Voilà, il faut le dire dès maintenant, c'est ça, le plus difficile.

Quitter le mâle en toute lucidité semble au-dessus des forces de plus d'une. La plupart attendront un début de dépression, une réaction psychosomatique, un accident, pour se réveiller.

C'est le plus souvent quand vous êtes en pleine dépossession de vos moyens que vous prenez la décision de partir. Et à ce moment-là, ce n'est plus avec courage, mais poussée par un désespoir des plus pathétiques!

Mais n'anticipons pas. La catastrophe annoncée ne manquera pas de se produire!

LE MIROIR AUX DÉSIRS

Un pervers qui a du métier vous fait entrer dans son désir en vous laissant croire que c'est le vôtre, que c'est un désir que vous ignorez et qu'il est heureux de vous le faire découvrir.

«Tu ne serais pas heureuse d'avoir une maison à toi? Justement, mes parents ont un terrain qu'ils m'ont cédé. Alors, avec ton salaire, il serait facile de faire un emprunt qui, au bout de quelques années, me permettrait d'avoir une maison à moi.»

Le pervers connaît bien le vieil adage romain : «Le proprié-taire du sol est propriétaire de l'édifice.» Il est aidé en cela par son père qui lui a transmis ce savoir bien particulier de l'acquisition et de la conservation du patrimoine grâce aux revenus d'autrui. Car il faut bien le dire, on est souvent pervers de père en fils.

Alors, si, par un hasard tout à fait hypothétique, vous êtes fonctionnaire ou, mieux encore, dotée d'une fortune personnelle, vous serez accueillie par le pervers et sa famille avec tapis rouge et petits-fours. Vous êtes la proie idéale.

Et si vous avez affaire à un pervers jouisseur, sûr qu'il vous fera partager ses jouissances, mais surtout celles qui l'intéressent. Il ne vous demandera pas votre avis, ne vous proposera pas d'aména-gements pour mettre les choses un peu plus à votre convenance, si vous voyez ce que je veux dire...

Au début, vous serez ravie : il vous fera tellement plaisir en se fai-sant plaisir! Et il vous a convaincue que c'est votre désir qu'il satisfait. Lui ne fait que reproduire ses habitudes et son mode de vie. En fait, il se continue lui-même...

Quelques exemples vécus dont on peut rire aujourd'hui :

À la plage

Ça fait six heures (les plus chaudes de la journée) que vous rôtis-sez au soleil, sans parasol. Comme vous osez manifester l'envie de ren-trer, avant que vos poumons ne soient complètement secs, il s'insurge : «Je t'amène à la mer et t'es pas contente!»

En forêt

«Chérie, je t'emmène en forêt!» Vous vous réjouissez. Chouette, une randonnée!

En plus, il a tout de l'homme qui aime les arbres. Il les étudie, les observe longuement, les touche, teste leur solidité... pour y accrocher son hamac nuptial, qu'il faut absolument que vous par-tagiez. Pour lui, c'est le summum du bonheur en forêt...

Adieu la balade!

Le pervers vous promène? Non, il vous mène en bateau.

Il sait que vous aimez ça, les balades. Alors, dans un premier temps, il vous emmène en promenade. Ensuite, il vous dit, en regardant le carré d'herbe de cinq mètres carrés devant votre nouveau logis: «Maintenant qu'on habite ici, tu ne vas plus m'emmerder à vouloir te promener en forêt le week-end!»

Eh oui, je sais, on se demande comment vous avez pu supporter ce genre de commentaires!

La liste

Au fil du temps, la réalité sera tout autre, et le PC tendra de moins en moins le miroir devant vos désirs, ou alors vous n'y contemplerez plus que les siens. Une vraie peau de chagrin. Ou plutôt, une absence de désirs. Il vous dira alors tout ce qu'il n'aime pas.

Par exemple:

Il n'aime pas la garrigue.

Il n'aime pas «les oiseaux crus», selon l'expression de Flaubert. (Parfois il a des lettres, quand cela le sert.)

Il n'aime pas garder les enfants, même très peu de temps, quand vous avez une course à faire. Il dit qu'il n'est pas un «garde-chiots».

Il n'aime pas la marche.

Il n'aime pas monter à cheval.

Il n'aime pas recevoir des amis le samedi soir.

Il n'aime pas faire le ménage; il dit qu'il n'est pas venu au monde pour ça.

Il n'aime pas danser, parce qu'il transpire.

Il n'aime pas jardiner.

Il n'aime pas bricoler.

Il n'aime pas les autres; il dit qu'il est un sauvage.

Il n'aime pas son père, il dit: «Je n'aime pas ce type-là, je vais le voir parce qu'il a de l'argent.»

Il n'aime pas la montagne.

Il n'aime pas les chats.

Il n'aime pas les chiens.

Il n'aime pas les voyages, ni découvrir avec vous de nouveaux pays; il dit qu'il a déjà vécu au bout du monde.

Il n'aime pas le sport.

Il n'aime pas votre famille; il les appelle «les pieds nickelés»

Il n'aime pas le travail.

Il n'aime pas les enfants, bien sûr.

Il n'aime pas les vieux non plus; il dit qu'il en a déjà deux, que ça lui suffit...

La liste de ce qu'il aime est beaucoup plus courte...

Autant dire que vous découvrez tardivement, quand le prince a cessé d'être charmant, l'interminable liste des choses dont vous avez été privée pendant toute cette période de vie commune...

MA FEMME EST FORMIDABLE !

Le PO aime bien son chien et il aime bien sa femme aussi.

Il aime qu'elle sorte, à condition qu'il l'accompagne, et pour aller voir les spectacles qui l'intéressent, lui.

Il aime qu'elle soit belle et sexy, qu'on la regarde.

Il aime son titre, si elle en a un; il s'en sert, il en use.

Il aime absorber ses qualités, pour qu'elles rejaillissent sur lui et deviennent siennes. Une reconnaissance sociale le met tellement en valeur !

Il est le premier à raconter partout qu'elle a un QI au-dessus de la moyenne, mais dès qu'elle a franchi le seuil de la maison, il lui balance le balai et la serpillière: «Tiens, ma petite, torche-moi donc tout ça !»

Elle reprend alors sa fonction première: celle de bonne à tout faire ! Le PV n'en est pas à une contradiction près, du moment que ça l'arrange.

Il y a ce qui l'arrange dans les salons et ce qui l'arrange dans son salon. Non, mais qui est-ce qui commande ici ?

Certains vont jusqu'à épouser une femme dans l'unique but d'avoir un enfant. Ils la choisiraient presque sur catalogue pour s'assurer que la progéniture sera réussie !

Ainsi, comme je l'ai déjà écrit, il y a peu de chances que le pervers voie d'un bon œil que vous repreniez des études ou que vous vous adonniez à un violon d'Ingres «gratuitement»: «Ça ne me rapportera rien et tu ne seras plus disponible!»

Là encore, il a tout dit. Il veut une femme disponible parce qu'il veut disposer d'elle; il veut qu'elle s'occupe de lui, qu'elle s'occupe des enfants et, surtout, qu'elle «rapporte».

La femme 3 **D**: **d**ouce, **d**iscrète, **d**isponible.

FEMME-OBJET, OU LES FEMMES, «C'EST SON TRUC»

Le PC est incapable d'aimer la femme pour ce qu'elle est.

L'amour qu'il lui porte est proportionnel à ses propres angoisses: «Je t'aime tant!» signifie: «Je suis si mal, tu ne peux pas me laisser alors que je suis dans cet état!»

> Inutile d'essayer de vous faire aimer d'un pervers. Si vous vous attachez à lui, vous irez droit dans le mur. C'est le crash assuré. Pour lui, vous n'êtes qu'une chose, ça c'est clair, un objet.

D'ailleurs, c'est avec beaucoup de facilité qu'il va changer d'objet dès que vous ne le servirez plus. Vous essaierez en vain de lui donner des leçons d'amour désintéressé, gratuit, oblatif. Peine perdue! Il vous dira qu'il ne comprend rien à ce que vous dites, que vous n'employez pas le même langage que lui, qu'il ne comprend pas vos messages! Qu'il ne fait pas partie de votre secte. C'est le pervers hermétique, qui vous annoncera un jour: «De toute façon, avec toi, ça ne sert à rien d'être gentil, tu ne m'aimes plus!»

Il y a des mots qu'il ne comprend pas, comme «communication», «respect», «ressentir». Ces mots ne font pas partie de son vocabulaire. Il ne sait même pas qu'ils sont au dictionnaire.

Quand vous lui expliquez que vous avez besoin de plus d'«espace» dans votre «relation», vous réalisez très vite que c'est comme si vous parliez chinois, puisqu'il vous dit, en guise de réponse, que la liberté ça se finance, et qu'il n'a pas l'intention de travailler davantage pour gagner plus. Ça, on avait remarqué!

Non, il ne comprend pas, manifestement.

LE MENSONGE CONJUGAL, OU LE MYTHE FONDATEUR

Avec le pervers, vous êtes rarement la première et par le fait même rarement la dernière… Quand vous l'avez rencontré, il avait été abandonné par sa femme, qui ne l'avait jamais aimé, disait-il. D'ailleurs, elle l'avait prévenu le jour du mariage.

Il a seulement oublié de vous préciser qu'avant la rupture il était parti vivre avec une autre, et qu'il ne prenait jamais de nouvelles des enfants ni de la mère, ce que sa légitime n'avait pas apprécié!

Détail négligeable, me direz-vous: quand on aime, on partage. Cet homme ne voulait pas être une charge!

Ne le croyez pas quand il vous dit que sa femme est partie parce qu'elle ne supportait pas le climat ou pour assurer une meilleure éducation aux enfants.

> Un bon conseil à donner à toute seconde, troisième ou quatrième épouse, c'est de téléphoner à la première. C'est souvent édifiant et ça fait gagner du temps, en vertu d'une vieille règle… qui s'appelle: la répétition compulsive (merci, mon psy!).

Pourtant, vous n'aviez pas dix-huit ans que déjà une copine plus avisée, et qui n'avait pas besoin d'avoir «fait une psy» pour comprendre, vous mettait en garde à propos d'un autre PC dont vous étiez dingue (vous aviez déjà pris l'abonnement): «Ce qu'il lui a fait à elle, tu verras, il te le fera à toi aussi!» Parole d'or.

Et là, déjà, vous n'avez pas écouté, même si vous aviez entendu…

Ce que le PE (Pervertus Extraordinarius) a fait à une autre, il vous le fera, puis il recommencera ailleurs. C'est une loi universelle et immuable.

Même si vous vous étiez informée auprès de celles qui vous ont précédée, vous n'auriez sans doute pas renoncé à lui pour autant, car vous vous seriez dit qu'avec vous les choses allaient se passer autrement, tellement il vous aimait, tellement vous étiez exceptionnelle. Il rentrerait dans le droit chemin.

Mais bon sang, la solidarité entre femmes, cela existe, quand même! Nous avons le devoir d'informer les générations futures dans les rangs desquelles notre pervers risque de faire des ravages tant qu'il ne sera pas complètement décati.

Imaginons ceci: informée par une lettre anonyme du passé trouble de l'homme avec lequel elle se prépare à construire un avenir rayonnant, la nouvelle victime, par extraordinaire, le plaque.

Plus exactement, elle met ses valises sur le palier ou sur le perron, puisque, fidèle à lui-même, il habite chez elle. Et lui, en profond désespoir de cause, revient chez vous! Très mauvais calcul. Non, décidément, trop lâche, vous préférez ne rien dire.

Après tout, personne ne vous a prévenue, vous! Surtout pas l'ex… Pas folle! Alors, laissons le destin du pervers s'accomplir et ne jouons pas au démiurge. Sa perversion finira bien par se retourner contre lui.

DE L'IMPORTANCE DU PHYSIQUE, OU « SOIS BELLE ET TAIS-TOI ! »

Lui: «Je voulais revoir mon ex, revivre un peu avec elle… Mais lorsque j'ai ouvert la porte et que je l'ai vue, je me suis dit: "C'est ça!" et je suis parti.»

L'ex ne devait pas avoir le *look* fatal, intégralement occupée qu'elle était à élever ses enfants à lui, qui avaient pris trois tailles depuis la dernière fois qu'il les avait vus. À quoi ça tient, l'amour, le bel amour!

Pour le PC, c'est une question de «plastique». Un mot qui revient souvent dans son discours.

C'est un amateur qui se veut éclairé de la plastique des femmes, *des rares qui en ont une! Ça, c'est le psy qui le dit,* moi je n'y suis pour rien. Au fait, c'est un homme ou une femme, ce psy?

Que la sienne (de plastique) laisse franchement à désirer, le PV ne le voit pas. Il a une très haute opinion de lui-même. S'il a des problèmes de poids, l'enrobé se déchargera de ses kilos en trop en critiquant tout ce qui entre dans son champ de vision.

Quand il vous a plaquée, vous êtes devenue famélique. Alors, il clamait à la cantonade: «Rien ne vaut une bonne rupture pour perdre des kilos!» Lui, ça ne lui a pas fait perdre un gramme!

Dans l'intimité, il ajoutait: «Tu es trop maigre, aucun homme ne voudra de toi maintenant!» Histoire de vous encourager à rester...

Ou encore, sur un autre registre, il constatait: «C'est au moment où on vous plaque, vous les femmes, que vous devenez belles!»

Merci, c'est sympa et délicat!

Tout cela parce que, délivrée du tortionnaire et de ses: «Tu ne peux pas dépenser, t'as pas un rond!», vous vous étiez acheté de nouvelles fringues.

Quand le pervers n'est pas là, les souris font du shopping en paix!

JAMAIS SANS MOI

Avec le *Pervertus Ordinarius*, votre droit le plus sacré est de travailler, d'être «rentable», de ramener de l'argent, de vous occuper des enfants, du ménage et des courses. L'intendance, c'est-à-dire vous, doit tout prévoir.

En revanche, dès qu'il s'agit de loisirs, vous n'avez aucun droit. Et surtout pas de prendre du bon temps en dehors de sa présence. Vous avez le droit de passer vos journées dehors, mais dans le rayon du supermarché et du portail de l'école.

Quant à la journée shopping-cinoche-copines, il la voit d'un très mauvais œil, et votre portable sonnera dix fois d'affilée pour vous localiser ! Ah, le portable, c'est sûrement une invention masculine !

Le soir même, il vous dira, très en colère, sans même jouer la comédie, avec une sincérité effrayante : « Je ne comprends pas comment tu peux revenir la mine aussi réjouie après une journée passée sans moi ! » Vous, cela vous a paru évident, et extrêmement sain !

Variante possible : « Tu as dépensé tout ça ? Comment une mère de famille peut-elle dépenser autant dans une après-midi ? »

Et vlan ! Là, vous êtes une mère de famille. Il ne vous apprécie pas du tout en amante qui dévalise les magasins de lingerie fine parce qu'elle est soucieuse de lui plaire. Car vous vous obstinez encore à essayer de lui plaire, à susciter son émoi, son plaisir de vous avoir comme compagne ! Je sais... on ne se refait pas.

Lui, on l'a vu, tient les cordons de la bourse, mais vous aimez bien les faire seule, les magasins, et ça le désole parce qu'il ne peut plus contrôler les achats. On en revient toujours au nerf de la guerre ! C'est-à-dire au contrôle de l'aliénation, à la prise de pouvoir sur l'autre. S'il y a une chose que le pervers n'aime pas, mais pas du tout, c'est que sa proie se dérobe, lui échappe. Il déteste ça. Vous avez déjà une petite idée de ce que peuvent être les ressources d'un pervers, une toute petite idée.

D'une manière générale, le PO n'aime pas que la femme vive hors de son orbite. Il veut qu'elle vive à travers lui, sans bien sûr lui donner les moyens de s'épanouir. Il ne faut surtout pas qu'elle lui échappe, qu'elle réussisse dans un domaine qui lui tient à cœur. Il veut bien, éventuellement, d'une réussite contrôlée dont il peut tirer profit, mais il a peur que sa femme n'ait plus besoin de lui, qu'elle prenne conscience de la pauvreté de leur relation. Il a une si mauvaise opinion de sa personne ou de l'autre (**help, le psy !**) qu'il ne le supporterait pas.

Une des phrases préférées du *Pervertus Extraordinarius*: «Quand tu auras réussi, je partirai!»

Ou encore: «Quand on n'a plus besoin de moi, je pars!»

Vous voilà face à un dilemme: renoncer au pervers ou renoncer au meilleur de vous-même!

Le *Pervertus Banalus* est malveillant. D'ailleurs, on le lit sur son visage. Il ne veut pas votre réussite. Il souhaite même parfois que vous en baviez un peu, pour ne pas dire franchement, quand il vous dit, avec du regret dans la voix: «Tu ne mettras jamais les mains dans la merde, toi!»

Que vous soyez employée de bureau (col blanc), et voilà notre PV désespéré. C'est le pervers qui vous veut du bien!

D'ailleurs, il vous dit souvent: «Tu finiras seule!», lorsque vous lui faites le reproche de ne pas vous laisser une once de liberté. Vous êtes prévenue! C'est vivre comme une prisonnière ou risquer la malédiction...

ENTRE SES DOIGTS, LA PLUS BELLE FLEUR S'ÉTIOLE...

Après le passage du PC, les femmes sont comme des coquilles vides. D'ailleurs, il en tire une certaine fierté. C'est un destructeur, ne l'oublions pas.

Il s'en vante. Il dit, de sa dernière ex: «Après moi, elle a été brisée. Mes ex (il en a quelques-unes), elles ne refont pas leur vie, c'est quand même terrible. Au lieu de se trouver un mec, elles m'emmerdent avec des pensions alimentaires!» Il a le chic pour faire très sincèrement la confusion entre lui et le partenaire – beau-père ou amant – qui devrait, selon lui, payer pour ses enfants à lui.

Et quand elle n'a pas trouvé de remplaçant, il dit: «Si elle avait refait sa vie, elle ne m'emmerderait pas aujourd'hui, celle-là!» Les femmes seraient-elles dégoûtées à vie du sexe opposé, après lui? Il y aurait de quoi!

Mais vous voulez prouver le contraire. Vous voulez interrompre la malédiction qui s'est toujours abattue sur les ex du pervers! La véritable malédiction, ne l'oubliez pas, c'est le PC. Le quitter sans être détruite y mettra fin!

Enfin presque, car il fait tout, cet homme-là, pour que ses ex ne voient plus jamais la lumière du soleil. Il ne paie pas la pension alimentaire prévue et renonce aussi souvent que possible à son droit de visite.

Sûr que ses ex-femmes ont peu de temps, moins que lui en tout cas, pour la bagatelle! En vérité, je vous le dis, je vous le répète, je vous le martèle, ne vous reproduisez jamais avec un PC!

La névrose, c'est la répétition, ai-je lu quelque part, une répétition qui vient de loin! Du fin fond de notre histoire, de la sienne et de la vôtre...

UNE BONNE MAMAN

Il examine vos dents, comme le font les Arabes, paraît-il, au moment des fiançailles.

Vous avez une bonne croupe, vous êtes douce, vous savez cuisiner, vous serez une bonne maman.

Oui, oui, le pervers, avec son œil aigu et expérimenté, sait toujours repérer une future bonne maman dans la femme qu'il choisit. Il ne faut surtout pas que les mômes lui restent sur les bras, ou qu'il ait à s'en occuper seul! Alors, il la teste sur ses propres enfants d'abord. (Entendez, ceux qu'il a eus avant elle!)

Mais vous n'y échappez pas, vous avez droit aux reproches concernant tout ce que vous ne savez pas faire avec sa progéniture toute faite.

Il vous reproche, par exemple, de ne pas avoir préparé une nourriture appropriée pour sa fille de six ans... et vous remportez à la cuisine la blanquette de veau que vous avez amoureusement mitonnée toute la matinée.

Il clôture l'histoire de la blanquette par un: «Tu sais, nous... un mot, et dans cinq minutes on n'est plus là!» Comprendre: lui et ses enfants vous laisseront, vous et votre marmite fumante, pour toujours, si vous ne comprenez pas ses demandes et les leurs avant même qu'ils ne les formulent.

Alors vous écrasez silencieusement une larme, un tout petit début d'indignation. Déjà la menace du grand départ!

Le PB peut vous reprocher aussi, en rentrant, de ne pas avoir fait faire ses devoirs à votre «beau-fils», cancre patenté que l'école intéresse autant que la mécanique ondulatoire.

Ne rêvez pas, vous n'êtes pas là pour vivre votre jeunesse et vous épanouir contre une poitrine rassurante, non!

Avec un pervers, vous l'avez compris, tout ce que vous avez toujours craint le plus arrive, immanquablement, et même au-delà de tout ce que vous pouviez anticiper!

Car le PC, après avoir échoué (ou réussi) avec vous, veut refaire sa vie et prendre le bon temps nécessaire. Lui, il a le droit. Mais il préfère sincèrement que vous, vous restiez seule, avec les enfants qu'il vous a faits et qu'il ne vous aidera pas à élever!

La vengeance est un plat qui se mange toujours réchauffé et à petites bouchées!

Surtout ne vous avisez pas de vous éclater après le divorce, surtout pas!

LE PERVERS ET LE SEXE

Le pervers déverse sur vous un tas de paroles choquantes, blessantes, cinglantes, puis il veut faire l'amour. Comme, bien sûr, vous lui résistez, lui expliquant que vous ne pouvez dissocier les mots de l'acte et que sa demande vous humilie plus qu'autre chose, il objecte: «Pourtant, je suis un beau gars!»

Il faut l'aimer, quoi qu'il dise et fasse…

Qu'il garde ça pour sa mère !

LE PERVERS EN CRISE, OU LE PERVERS AMOUREUX… D'UNE AUTRE

En situation de crise, le PV se déchaîne. Il éructe, gesticule, se donne à fond.

C'est ce qui arrive quand le pervers tombe amoureux.

Appliquant le vieil adage qui dit que «quand on veut tuer son chien, on dit qu'il a la rage», il vous accuse de toutes les fautes possibles et imaginables pour justifier la décision de commencer une autre relation. Décision qu'il a tant de mal à prendre et dont, surtout, il ne veut pas assumer la responsabilité.

Ainsi, avant de commettre l'adultère, il est important pour sa conscience qu'il se dédouane en remettant en cause votre façon de faire l'amour. Il lui faut une excuse, vous comprenez ?

«Tu es comme ma première femme, tout ce que tu sais faire, c'est écarter les jambes, mais après ça, rien, un trou mou sans réactions…»

Vous l'avez remarqué, il ne fait pas dans la dentelle émotivo-relationnelle ! Il fait d'une pierre deux coups, il justifie son infidélité à l'égard de son ex, qui lui a déjà valu un divorce, et celle qu'il va vous infliger.

Ou bien une variante : «Donne-moi la permission de prendre une maîtresse. Après tout, ça ne te fera rien puisque faire l'amour ne t'intéresse pas.»

Il lui arrive aussi de vous demander des conseils par rapport à sa maîtresse, d'ordre quasi conjugal, parce que même avec elle ce n'est pas simple tous les jours !

Il vous demande, par exemple : «C'est normal qu'une femme ait plusieurs orgasmes à la suite ?»

Ou encore : «Tu crois qu'une femme peut simuler son plaisir ?»

Le pervers est un homme qui a de solides principes. Il dit : «Il faut changer de femme tous les dix ans!» Il tient à rester branché, informé.

D'ailleurs, si vous étiez gentille, vous accepteriez d'être copine avec sa maîtresse. C'est vrai, cela lui ferait tellement plaisir de voir les deux femmes de sa vie devenir les meilleures amies du monde! Vous pourriez par exemple passer les vacances tous ensemble. Voilà qui lui simplifierait la vie! Non, vous ne voulez pas. Vous n'êtes vraiment pas marrante!

Vous avez compris que, s'il est parti voir ailleurs, c'est parce que vous êtes une mauvaise épouse, mais surtout une mauvaise baiseuse.

Si vous n'avez pas envie de faire une fellation à un emmerdeur pareil, c'est que vous n'êtes pas assez cochonne, ou délurée. Inutile de lui répondre que la cochonne, c'est la femme du cochon, car, rappelons-le, c'est vous le problème, encore et toujours!

Lui : «Une femme comme ça, avec un corps comme ça, elle ne peut pas être dans mon lit sans faire l'amour!»

Vous : «Un homme comme ça ne devrait pas être dans mon lit!»

Variante

«Moi, quand j'ai une femme dans mon lit, elle doit faire l'amour, sinon ce n'est pas une femme!» (ou la justification du viol conjugal).

Vous vous entraînez à sommeiller, le «*Pervertus Erectus*» se redresse dans le lit comme un fou :

«Il faut que je fasse l'amour. Tout de suite!»

Help, le psy! Toujours présent, ce dernier vous explique doctement : *Certains hommes font passer leur désir pour un besoin impérieux, vital, qui, dans leur esprit, doit être accepté par l'autre, bien sûr, sous peine de conséquences graves... pour celle qui ne répond pas «présente». C'est une facette plus ou moins déplaisante du terrorisme relationnel conjugal le plus banal!*

C'est vrai que votre désir, à force de déceptions et de mauvais traitements, s'est fait la malle. Cela faisait longtemps qu'il était distrait, mais là, franchement, il a carrément fichu le camp! Vous en êtes la première attristée. Pire, vous nagez dans le désarroi.

Quant à lui, il se débat pitoyablement dans un premier temps et impitoyablement dans un second. Il ne faut pas oublier qu'il a un profond mépris pour la femme et une très haute opinion de lui-même: «J'ai envie, je ne vois pas pourquoi je me priverais...»

Comment pourriez-vous fantasmer ailleurs? Vous êtes une dinde et il est si formidable.

D'ailleurs, le pervers est persuadé qu'une fois séparée, vous vous languirez en attendant son retour: «J'attendrai... le jour et la nuit, j'attendrai toujours... ton retour...» Vous connaissez la rengaine.

Si vous l'avez quitté, c'est, bien sûr, parce que vous ne supportez pas les hommes. Si vous ne voulez plus faire l'amour avec lui, c'est parce que vous n'aimez pas faire l'amour.

D'ailleurs, vous êtes frigide! Il n'a pas toujours dit ça, mais, aujourd'hui, comprenez qu'après la séparation, il faut bien qu'il raconte partout que vous pourriez faire la pub pour les réfrigérateurs. Sauf qu'il y a des chaudières qui ne démarrent pas quand le chauffagiste est nul!

Il dit aussi, parlant de vous à la troisième personne: «Pour elle, l'amour est un boulot!» Fidèle à son habitude, il ne se demande pas si, par hasard, ce n'est pas seulement avec lui que vous êtes comme ça.

Bon, comme disait ma grand-mère, parlons peu mais parlons bien. Et surtout, soyons précise: qu'avez-vous à dire pour votre défense? Toute pudeur écartée, cette fois.

Que le sexe avec lui est morne et répétitif, que vous êtes un objet qui doit être entièrement livré à sa satisfaction et qu'il ne cherche plus à séduire.

Que le summum de l'amour réussi, pour lui, c'est la fellation. Chaque fois que vous envisagez de sortir sans lui, il réclame cette «petite gâterie». C'est son droit de péage. Installé dans son fauteuil préféré, il déboutonne sa braguette, et vous n'avez plus qu'à vous incliner, à consommer et à vous sauver, rouge de honte.

Il est, comme beaucoup d'hommes, éjaculateur précoce. En guise d'excuse devant ce manque de contrôle, il dit que *vous* ne faites pas assez l'amour et que, quand cela arrive, il est trop excité pour se retenir. L'affaire est donc bâclée en quelques minutes. Il faudrait beaucoup d'efforts pour le réanimer!

Vous, bonne poire, vous lui dites: «C'est pas grave.» Et vous culpabilisez, bien sûr. Vous pensez que c'est votre faute, que vous ne prenez pas assez d'initiatives, que vous êtes trop fatiguée, etc. Alors que c'est lui qui manque d'imagination. Il n'a rien essayé avec vous, en douceur, subtilement. Au fond, il est complètement inhibé.

Quand il veut être gentil, il vous «bouffe» le clito comme un malade pendant des lustres, sans jamais se demander si vous n'en avez pas marre, au bout de toutes ces années. Il pense qu'il vous fait un cadeau. Il ne jure que par les rapports oraux vaginaux. Il ne connaît rien d'autre.

Et la tendresse, bordel? La tendresse, c'est pas son rayon. Il est pour la baise efficace, sans bavure.

Il a un collègue qui sort tous les soirs dans des boîtes de nuit pour se dégotter de ces amantes infatigables qui peuvent bosser sur la bête pendant des heures. De vraies marathoniennes qui transpirent sous l'effort! Il raconte ça avec un petit rire. D'envie. Il aimerait ça, lui aussi.

Très honnêtement, vous vous demandez si ce n'est pas pour ces filles-là que l'amour est un boulot!

LE PERVERS ET LES ENFANTS

Quand un enfant casse quelque chose, sa colère est si terrible que les murs et l'enfant en tremblent.

Vous avez vite compris qu'il ne vous aidera en rien dans l'éducation de votre enfant, qu'il ne sera d'aucun soutien dans les moments de doute, qu'il ne fera qu'aggraver la situation. Il préfère torturer le petit que lui apprendre quelque chose.

Il n'épargne jamais les enfants. Il parle devant eux de tous vos problèmes; et quand ils sont plus grands, il les prend à témoin.

Deuxième axiome complétant le premier: gardez-vous d'aimer un pervers, mais, surtout, ne faites pas d'enfants avec lui.

Si vous êtes une adulte capable de se sortir tôt ou tard d'un mauvais pas, les enfants, victimes innocentes ou «collaborantes», auront besoin de plus d'une vie pour s'en sortir. Le pervers sème sur son passage des cadavres d'enfants. C'est là son pire méfait. En attendant, il les préfère grands, quand ils ont été élevés par une autre. Mais ça ne l'empêche pas de dire: «*Mes* enfants sont bien élevés!»

L'avis du psy: Avec un pervers, l'enfant ne sait jamais ce qui va surgir: un billet ou une gifle. L'enfant ne sait jamais sur quel pied danser, ce qui est générateur d'angoisse. Mais il faut compter sur son système de défense, qui le sauvera.

L'axiome de mon psy préféré: *Malgré les parents, les enfants s'en sortent bien!*

Espérons.

De toute façon, vous allez le découvrir au début de la grossesse et plus encore dans les premiers mois, les enfants ce n'est pas son truc. C'est tout au plus la preuve qu'il est un bon étalon. Il dit «l'enfant» pour désigner son fils; il en parle comme d'un objet, d'un gadget, en observateur extérieur. Il ne se sent pas du tout concerné par les tâches consécutives à la présence d'un enfant.

Vous avez la grippe? Qu'à cela ne tienne, il se dévoue pour aller chercher les enfants à l'école. D'abord, parce qu'ils sont encore très petits; ensuite, parce qu'il a remarqué que la directrice, belle femme, l'avait repéré parmi les rares pères qui s'aventurent dans le hall de la crèche.

Mais vous êtes prévenue: «T'as intérêt à être en forme, je t'amène tes enfants dans une heure!»

Il vous l'avait bien signifié, qu'il ne voulait pas d'enfant. C'est vous qui en vouliez, et il s'est dévoué en acceptant de vous faire le premier, puis le second! Alors, maintenant, c'est «votre dossier», comme il dit.

Deux instants dont vous vous souvenez:

Le premier, au tout début de la relation, quand vous avez mis les points sur les «i» en lui disant que vous souhaitiez avoir des enfants, même si lui en avait déjà. Il ne vous avait pourtant pas caché qu'il avait poussé un soupir de soulagement quand, après son divorce, il avait échappé aux corvées de l'école, du matin, aux activités du mercredi, aux courses, etc.

Mais vous vous êtes dit (vous avez beaucoup d'imagination) qu'avec vous ce serait différent. J'ai déjà évoqué le leurre, le piège. Et vous n'étiez pas prête à renoncer à la maternité, cela faisait partie du lot, à prendre ou à laisser... Et comme vous étiez un joli petit lot (à l'époque), il a pris le tout, mais il n'en pensait pas moins.

Le deuxième, c'est quand il a déployé en vain tous les arguments possibles et imaginables pour vous dissuader de faire un second bébé: «Tu vois, celui-là, comme il est sage, comme il mange bien, comme il a toujours bien dormi... Eh bien, quand le premier est comme ça, le second est forcément tout le contraire!»

Un bébé calamité en prévision, quoi! Il vous a prédit des nuits sans sommeil, de la purée de légumes plein les murs, la dépression nerveuse assurée... Mais vous ne vous êtes pas laissé terroriser par l'oracle!

Quelques jours avant la naissance de ce second enfant tant désiré et tant redouté, il téléphonait, en transe, à votre sœur: «Elle en a encore fait un! Elle ne pense qu'à ça, elle ne veut que ça, des mômes! Moi je ne supporte pas! Je voulais vivre avec une femme, pas avec deux chiards en bas âge!»

Le premier bébé

Revenons au premier accouchement, quand votre nouveau-né a la jaunisse... Oui, la petite merveille blonde aux yeux verts a la jaunisse...

Vous, vous vous dites qu'il a les yeux verts et le teint brun. Vous n'en démordez pas, et cela contre l'avis de tous les professionnels, médecin et bataillon de sages-femmes qui vous répètent : «On ne peut pas savoir, tous les enfants ont les yeux clairs à la naissance.»

Tout ça, c'est des histoires, vous dites-vous. Une maman sait tout. Il est beau comme un dieu, mon moussaillon bronzé aux yeux verts.

L'obstétricien vous enlève vos illusions, un matin, lorsqu'il s'écrie, à la vue de votre progéniture : «Oh là là! Il a une sacrée jaunisse, celui-là!» Vous qui trouviez que cela lui allait si bien, ce bronzage précoce! Et allez, hop, un séjour sous UV gratuit, en couveuse. Durée prévue : quatre jours au bas mot.

Il faut vous résigner à l'idée de sortir de la maternité un jour avant le petit mousse, qui va se la couler douce dans sa couveuse dernier cri. (Oui, madame, elle vient spécialement des États-Unis ; elle n'est pas encore fabriquée en France. Vous en avez de la veine!)

Mais voilà qu'au matin du troisième jour, l'homme en blanc resurgit sur le pas de la porte et annonce : «Bon, on lui a fait une prise de sang, son taux de bilirubine a complètement baissé, vous pouvez le prendre, votre petit!»

Une vague de contentement vous submerge, mais, quasi simultanément, une sorte d'inconfort vous envahit, qui prend vite la tournure d'un malaise, et la réplique que vous faites à l'homme en blanc n'est pas aussi enthousiaste qu'il le faudrait.

«Ah bon? Je peux l'emmener?»

La vérité, c'est que le père de l'enfant a prévu de vous inviter ce soir, vous et votre maman, sa belle-maman à lui (encore chérie à l'époque, au moins en surface), dans un restaurant chic, puisque vous n'avez pas encore le petit.

Vous pressentez la demande : «Tu ne pourrais pas le laisser une nuit de plus, qu'on puisse *profiter* d'une dernière soirée sans enfant?»

Et il la fait, cette demande!

Tout de suite, l'horreur de la proposition vous apparaît, énorme, monstrueuse, inacceptable. Finalement, ce qu'il vous demande, c'est d'abandonner cet enfant à peine sorti de votre ventre, encore tiède de votre chaleur, de le laisser ici, dans cet aquarium à bébé ultramoderne mais sans âme.

Vous ne pouvez transiger là-dessus. Pas question de croquer des toasts au foie gras pendant que votre merveille passe une nuit supplémentaire et inutile dans ou à côté d'une couveuse. Vous pensez aux petits prématurés que des parents anxieux viennent voir chaque jour, impatients de les ramener au plus tôt dans leur chambre rose ou bleue. Vous lui dites: «Je suis choquée *à mort* par ta proposition.»

Ce soir-là, vous rentrez à la maison avec le petit couffin bien rempli, essayant d'oublier la vilaine proposition. Vous êtes bien trop occupée pour prêter attention à la déconvenue du père renfrogné, qui ressasse sa frustration.

La suite va vous prouver qu'il vit sa paternité comme un supplice. Élever des enfants avec lui est un calvaire quasi permanent. Vous y perdez toutes les joies anticipées dans vos lectures sur la vie de famille, celle que vous vouliez constituer avec un mari et des enfants.

Dès le départ, il coupe net votre élan gratuit et émerveillé de mère dévouée à sa progéniture. Il exécute à bout portant vos illusions. «Tu sais, les enfants, ce sont des prédateurs. Ça ne vaut pas la peine de se fatiguer pour eux, parce qu'à vingt ans ils te plaquent et ils n'en ont plus rien à foutre de toi!»

Il multiplie les variations sur le sujet, combinées à d'autres thèmes qu'il affectionne:

• Le travail et l'argent, baromètres impitoyables: «Je vais commencer à travailler pour m'amuser et je vais te laisser te démerder avec ton foutoir de gosses!»

• La solidarité à toute épreuve: «Je vais vous planter là, toi et tes grognards!»

• La séparation programmée: «Si tu me quittes, je ne reverrai plus tes mômes!»

Très vite, vous avez mesuré le degré de dévouement sans borne dont il est capable vis-à-vis d'un enfant. Très vite, vous avez compris que ce père-là n'est pas un cadeau que vous avez fait à vos rejetons.

Vous culpabilisez devant ce mauvais choix, mais c'est trop tard. Car c'est bien vous et personne d'autre qui l'avez choisi pour être le géniteur et, au diable l'avarice, le papa de vos enfants.

Vous-même, au fil des années, vous vous sentirez peu à peu « désertifiée » en tant que mère.

LE PERVERS MANIPULE GRANDS ET PETITS, OU LES FEMMES ET LES ENFANTS D'ABORD

Il a le chic pour faire travailler femme et enfants.

Cette manière qu'il a de ne jamais se lever pour le sel ou le poivre, de faire lever les autres… Et ça marche ! Avec son fils, par exemple, qui est petit et gobe encore cette escroquerie affective : « Si tu m'aimes, tu le fais ! »

Cette façon qu'il a de prendre une intonation cajoleuse, avec l'emploi d'un mot doux… Vous savez d'avance qu'il va lui demander quelque chose, qu'il a besoin de lui, juste après l'avoir rembarré deux minutes auparavant d'un : « Lâche-moi, tiens-toi donc tranquille ! »

LE PERVERS ET LA BOUFFE

C'est vrai que, pour lui, le restaurant est une source de satisfaction de tout premier plan.

Il vous le dit souvent, et il vous l'a dit dès les premiers temps : « Entre une belle fille et un bon repas, je choisis toujours le bon repas. »

Depuis, cela vous a donné à réfléchir.

«Qu'est-ce qu'on mange?» La question revient comme une antienne. Cet homme attend, voyons! Il s'énerve, se jette sur le sachet de cacahuètes. Il dit, contrarié: «Si je veux avoir quelque chose à bouffer en rentrant, il faut que j'achète des conserves!» Il vous culpabilise. «Je ne mange que des conneries!» C'est votre faute, bien sûr!

Variante plus perfide:

«J'en ai marre de bouffer! Arrête de me donner à manger! Tu fais comme ta mère, qui a fait crever ton père!»

LE PERVERS ET LE RÉGIME

Il ne fait jamais de régime et, s'il en fait un, ça ne dure jamais long-temps. C'est toujours un feu de paille, dont il vous fait porter la responsabilité.

Au début, le fait de l'aider à maigrir vous paraît être un acte d'amour. Pour sa santé, pour sa longévité, pour le garder plus longtemps. Vous êtes même prête à faire comme ces femmes qui mangent plus qu'à leur faim, par pur sacrifice, pour éviter que leur mari ne finisse le plat – quitte à ce que leur taux de cholesté-rol grimpe.

Vous participez à toutes les tentatives et à tous les échecs.

Car ce goinfre vous demande de l'aide. Il vous regarde dans le tréfonds de l'œil en vous disant, d'un ton semi-affirmatif, semi-interrogateur: «Il faut que je maigrisse. Je dois arrêter de manger!»

Et vous de lui expliquer qu'il ne s'agit pas d'arrêter de manger, mais de manger différemment. Vous n'hésitez pas à partager avec lui sa maigre assiette, pour l'encourager, lui mitonnant chaque jour, matin et soir, un plat différent. Sauf que lorsqu'il perd cinq cents grammes, vous perdez cinq kilos!

Quand ses vieilles habitudes le rattrapent et que votre ardeur s'émousse, il vous rappelle brutalement à l'ordre: «Arrange-toi pour qu'il y ait toujours des crudités dans le frigidaire pour mes fringales», tout en faisant un sort à un paquet de croustilles à l'ancienne acheté par lui, comme toutes les cochonneries, au propre comme au figuré, qui rentrent chez vous.

Et de pester devant votre taille de guêpe : « Mais tu manges devant moi ! Comment veux-tu que je maigrisse ? »

Vous jouez tous les rôles, encore une fois, les plus mauvais évidemment. Vous êtes l'emmerdeuse qui veut qu'il maigrisse, alors qu'il se sent très bien comme ça, que « son gros ventre le rassure ». Quand vous lui parlez de régime, vous êtes l'ennemie à combattre, à abattre, même. Quand vous vous résignez, vous êtes indifférente et vous ne l'aidez pas.

« Comment je vais faire ? Comment je vais faire ? » vous demande-t-il dans ses moments de lucidité angoissée.

« Fais comme moi ! Tu n'as qu'à manger comme moi ! » lui répondez-vous, exténuée après des années et des années à tourner et retourner le problème dans tous les sens.

Un jour, vous réalisez qu'il a toujours mangé contre quelqu'un, et contre vous, en l'occurrence. Qu'il mange trop par esprit de contradiction, parce que c'est interdit, et que vous pourriez le lui reprocher. Alors il prend les devants. S'il mange trop, c'est à cause de vous, parce que voilà, vous avez toujours eu un bon coup de fourchette sans grossir, et que vous lui donnez le mauvais exemple.

En fait, c'est toujours votre faute, comme pour tout d'ailleurs, vous l'avez compris.

Le jour où vous lui avez dit : « La nourriture, c'est avant tout une question de volonté et de gestion personnelle ! » vous, au moins, avez eu un vrai poids en moins à traîner !

Quand vous êtes revenue d'un stage de naturopathie pleine de bonnes résolutions et de préceptes alimentaires biologiques, allégés et naturels, vous avez failli voler dans les plumes de la copine qui vous a dit : « Maintenant, s'il mange comme toi, ton mari, il va maigrir, et ainsi tu vas pouvoir l'aider ! » Puis vous vous êtes calmée et vous êtes contentée de dire : « Tu crois au père Noël ! C'est pas mon problème ! »

Elle vous a trouvé dure, votre copine, et pas très compatissante, comme petite épouse! Lui, à votre retour, a eu une interrogation angoissée: «Alors, si on doit manger comme ça, c'est fini, les restaurants?»

L'avis du psy: Il a un rapport infantile à la nourriture, mais, surtout, il veut se faire prendre en «charge» et vous obliger à «porter» son problème.

Oui, il vous a fait porter son gros ventre. Vous vous en seriez même fait pousser un pour qu'il se sente moins seul.

QUELQUES SÉQUENCES SOUVENIRS

Ou le rapport entre la bouffe et l'amour/l'amour et l'argent/l'argent et la bouffe, boucles récurrentes...

Première séquence: un pervers, ç'a toujours du bon... surtout dans le panier à provisions

Vous passez en revue les ingrédients qui se trouvent dans le panier de l'homme qui se trouve devant vous. Il vous fait un large sourire.

L'homme de «goût»: saumon fumé, blinis, bon vin, œufs de lump, petits fromages de chèvre pour le dessert... Tiens, voilà qui vous rappelle votre ex, en plus raffiné question pinard; à l'autre, ce n'était pas son fort.

C'était votre habitude, votre petite fête à vous. Il rentrait avec du saumon fumé, des blinis, de la crème fraîche, de la ciboulette et des crevettes...

Vous l'imaginez, le PC, reproduisant exactement le schéma du samedi après-midi, courses au supermarché, repas fin avec partie de jambes en l'air obligatoire, comprendre: fellation obligatoire devant *Star Académie* ou *Loft Story,* et j'en passe et des meilleures.

Non, sans façon, vous préférez renoncer définitivement au saumon, aux blinis, même « s'il n'y a rien à faire, aucune préparation », comme il disait. Quand même, le saumon, c'est comme les torchons, il joue toujours un rôle important au moment de la rupture (et de la rencontre aussi).

Torchon, saumon, même combat. C'est fou, quand on y pense, toutes ces répétitions !

Deuxième séquence : Salmon Story

Ce soir-là, il a fermé toutes les belles portes en bois. Sans en oublier une seule. Il a fermé le robinet d'arrivée du gaz. Comme quand vous partez plusieurs jours. Et décroché le téléphone…

Cela ne lui avait pas échappé que vous aviez pris toutes les affaires nécessaires pour vous et les enfants. Tout ce qu'il fallait pour trois jours. Tout fourré dans le grand sac de voyage. Vous alliez partir…

Vous avez rouvert toutes les portes, rétabli l'arrivée de gaz, raccroché le téléphone. Casé les enfants chez la gardienne. Vous n'êtes pas partie.

Bon sang ! Il avait remis ça ! Il fallait en avoir le cœur net. Le cœur était blessé. Et vous vouliez en plus le fracasser !

Avant, il ne vous laissait pas passer quelques jours seule dans la famille. Chez d'autres, cela se fait, pas chez vous. Vous, vous êtes comme les doigts de la main. Jusqu'à il y a quelques mois. Si fusionnels…

Mais tout a changé. Pourquoi ? Vous avez déjà la moitié de la réponse : cherchez la femme.

Déjà, le garder avec vous pour le premier janvier a été un tour de force. Il disait que son oncle l'avait invité. Un oncle qu'il n'avait pas vu depuis quinze ans ! « On pourrait aussi venir chez lui avec toi, moi et les enfants, avez-vous déclaré. – Non, ce n'est pas possible ! » a-t-il répondu. L'oncle a bon dos !

Une petite phrase aurait dû vous mettre sur la piste : « Si on ne fête pas la nouvelle année ensemble, on ne passera pas l'année ensemble non plus, hein, c'est ça ? »

Comme d'habitude (et pour un moment encore), vous entendez tout, mais vous n'écoutez rien, vous ne comprenez rien.

Il reste, finalement.

Parce que vous lui avez dit que vous alliez préparer des coquilles Saint-Jacques – toujours l'appât de la bouffe – et que, s'il s'en allait, vous n'auriez de solution que d'aller, vous, vos coquilles et vos enfants, chez les voisins pour les partager ! Des coquilles du Nouvel An, tout de même !

Donc, il reste. De bon cœur, enfin, si on place le cœur plus bas, au niveau de l'estomac. Et puis, il y a la peur du qu'en dira-t-on.

Oui, mais voilà… Quelques jours après, vous vous retrouvez face à son empressement à vous voir partir, vous et votre petite famille… C'est vrai que vous aimeriez bien changer un peu d'air. Ici, l'atmosphère est un peu putride. S'il ne veut pas venir, vous irez seule.

Il est d'accord. Il se reposera, il regardera la télé. Il n'a jamais eu une grande affection pour vos collatéraux, alors les revoir, après ce qui s'est passé, le pauvre, c'est-à-dire après sa très longue fugue d'il y a quelques semaines, qui l'a tant fatigué…

Et vous, toujours si clairvoyante et ne doutant pas de votre bonheur retrouvé, vous n'avez pas prévu ça… qu'il ait à nouveau envie de jouer les filles de l'air.

Il ne vous reste plus qu'à finir le plan, mais en beauté, parce qu'il pourra toujours dire qu'il était certes ailleurs, mais avec quelqu'un d'autre qu'une enfileuse de perles, comme… son oncle, par exemple. Vous savez, celui qui est providentiellement reparu dans sa vie !

Donc, vous ne dormez pas chez vos amis. Vous mettez le réveil à deux heures pour pouvoir le prendre sur le fait, lui et sa (re)conquête.

Tout cela pour dire que le PO vous amène sur des chemins « de travers », vous qui n'êtes pas la reine de la préméditation, sur des chemins pervers, à monter des plans oiseux et foireux qui vous pompent une énergie qui pourrait être mieux employée, par exemple à vous envoyer en l'air avec un non-pervers !

Ce n'est que le lendemain de ce flagrant délire que le saumon va entrer en scène et, malgré lui, devenir un enjeu de premier plan.

En effet, le soir du «jour fatal», vous rentrez quand même (je vous rappelle que vous êtes une cruche) à la maison, avec sous le bras, enrubanné dans sa cellophane, un saumon fumé entier.

Il est là, dans la cuisine, au bord du suicide, parce que vous repartez en sens inverse avec toujours le même poisson et une bouteille de champagne. Or, saumon-champagne, c'est votre signature, c'est celle du couple tellement romantique que vous formez...

Lui: «Tu ne restes pas?» Comprendre: «Le saumon ne reste pas?»

Vous: «Non, nous sommes attendus, lui et moi, chez des amis.»

Lui: «Oui, mais moi... je suis là...»

Vous: «Oui, ben tu n'étais pas là quand il le fallait, et mes amis si, alors... Ils m'attendent. Tu ne crois tout de même pas que je vais les laisser tomber!»

Lui: «Tu crois qu'on peut encore sauver ce couple?»

Comme si le problème était extérieur à lui, comme si on parlait d'un film à la télé.

Enfin, il ose, l'œil gourmand couvant le salmonidé: «Tu ne m'en laisses pas une tranche?»

Alors, royale, vous déshabillez le saumon et coupez quatre tranches. Vu le gabarit et les habitudes du monsieur, vous lisez sur sa mine que c'est insuffisant. Quant au champagne, il peut attendre!

Voilà, c'est pire que si vous lui aviez avoué que vous aviez un amant. Il a l'habitude de dire: «Avec toi, j'aurai toujours à manger!» Alors, ce saumon qui lui échappe, avec la mère nourricière sur son trente et un, c'est trop dur! L'après-midi, vous avez acheté des torchons neufs, des sans taches indélébiles, des sans trous.

Il vous rappellera de temps à autre cet épisode marquant, mettant en doute la profondeur des sentiments de vos amis : « Évidemment, avec du saumon et du champagne, c'est facile, tout le monde t'accepte ! »

LE PERVERS FUGUE

Le mien est parti pendant trois mois, il disait qu'il était dépressif.

Le vôtre vous appelle pour vous dire : « Je peux te trouver un copain, si tu veux ! »

Vous : « Non, merci, quand je vois la distinction de la fille avec qui tu sors, garde tes services ! »

Il revient de temps à autre, genre pigeon voyageur. Il scrute vos fesses, y décèle quelques marques rouges et vous dit, d'un air tout ce qu'il y a de plus méprisant : « Où as-tu encore été traîner ? »

Quand vous lui signifiez, après cette histoire, que vous allez finalement demander le divorce, il ordonne : « Mets-toi toute nue ! » Ce que vous faites, pour lui prouver que vous êtes fidèle, vous.

Il peut aussi vous la jouer faussement désinvolte : « On t'a vue avec un homme en ville. Tu n'as pas perdu de temps ! »

Comprendre toutes ses phrases à l'envers. « Donc, toi aussi, tu as un amant. » Prêchant le faux pour savoir le vrai, ou collant aux autres sa propre turpitude pour se dédouaner de la sienne.

Tout cela, aussi, pour voir si la place est prise, pour vérifier s'il peut revenir, au cas où cela se gâterait avec la copine. Si ça sent le roussi, il se rabat sur vous. C'est pourquoi il estime, dans certains cas, que vous avez pris l'initiative du divorce un peu trop tôt à son goût, se référant ainsi à la sagesse populaire qui recommande de ne pas jeter ses vieilles chaussures avant d'en avoir des neuves.

Mais tant que son projet est en bonne voie, connaît un développement ascendant ou prometteur, vous n'entendez pas parler de lui. Il ne prend de vos nouvelles que lors de brèves crises de panique, au cours desquelles il essaie de s'assurer une possibilité de retraite éventuelle : «On ne se perd pas de vue, on reste unis, O.K.?»

Ou il se tient subrepticement au courant de ce que vous faites, surtout si vous avez des projets en cours – sources éventuelles de revenus –, afin de se ménager la possibilité de revenir pour vous parasiter, ou pour faire modifier, à la baisse, la pension alimentaire... si vous en êtes déjà là avec lui.

Oui, le PG (*Pervertus Gigolus*) se réserve en toute circonstance une porte de sortie, parfois vers vous, parfois sans vous...

Il peut aussi «faire» dans le style grand seigneur charitable : «Je reviens parce que je veux t'aider à élever ces petits, finalement, parce que tu n'as personne d'autre que moi pour ça.»

Ou, beau joueur : «Je peux être parti dans un quart d'heure! C'est comme tu veux... Ou je reste pour la vie, ou tu ne me revois plus!»

Merci pour les enfants. C'est le pervers qui vous teste, qui veut se rendre compte de votre degré de dépendance.

Ou, comme ce soir-là, méprisant à la vue de votre petite robe sexy et moulante : «Elle s'habille (comprendre sa maîtresse) tous les soirs comme ça!»

Oui, c'est pour lui, c'est en son honneur que vous mettez dès lors ce vieux peignoir pourri, parce que vous avez rompu avec l'illusion et surtout l'intention de le récupérer... Pour faire épouvantail, radicalement!

Il peut aussi arriver que vous soyez la dernière à apprendre, de la bouche même de sa maîtresse, que vous êtes en instance de divorce. Il n'empêche, vous vous souvenez : vous êtes sur l'aire de l'autoroute, vous regardez ces familles assises autour de leur table bleue dépliante avec bancs intégrés. Vous avez la même. Vous l'avez utilisée tant de fois avec les enfants. La dernière fois, c'était en Camargue. Ça avait été le fou rire, quand lui, avec son poids, avait déséquilibré l'ensemble et que les assiettes avaient fini dans l'herbe.

Aujourd'hui, vous vous demandez comment il se fait que vous vous soyez fait larguer. Avec une variante : «Comment se fait-il que je n'ai rien vu venir?»

Parce qu'un pervers, ça vous annonce tout à l'avance, mais ça ne vous prévient pas. Toujours les coups en douce!

Dans le fond, le PE (*Pervertus Extraordinarius*) se fuit lui-même. Des hommes fugueurs, la planète en compte des masses, mais tous ne sont pas pervers. La différence, c'est la manière avec laquelle celui-là va fuguer et, surtout, ce qu'il va vous amener à faire. Il va vous mener sur des chemins qui ne vous ressemblent pas.

Vous allez, je vous l'ai dit, faire des choses incroyables dont vous ne vous seriez pas cru capable. Vous allez développer des comportements hystéro-positifs qui vous feront honte ensuite! Cavaler partout pour le chercher, vous planquer la nuit sous des fenêtres, le suivre, etc. Tout ça pour savoir la vérité, pour le débusquer, pour en avoir le cœur net. Que de forces gaspillées! Quelle misère relationnelle, quel mépris de vous-même!

3
Qui est-il ? Qui est cet homme ?

« Le pervers est un individu qui, par frayeur face à la vie, organise son existence en produisant des lois destinées à le rassurer. » (Daniel Sibony, *Perversions : dialogues sur des folies actuelles*, Seuil, Paris, 2000.)

Voilà qui pourrait nous le rendre sympathique, ce pauvre petit pervers. Il a donc besoin d'être rassuré, comme un enfant.

Mon œil !

On a tous besoin d'être rassurés, et on n'est pas tous pervers pour autant !

L'HOMME AUX CENT VISAGES

Ni Janus, ni M. Hyde... Le pervers, comme le disait ce cher Sigmund, est polymorphe.

Non seulement ses visages sont multiples et renouvelables à la demande, mais il est capable de reproduire dix rôles à la fois : de la victime incomprise au macho pur laine, en passant par le mari idéal, etc. Sa créativité en la matière est infinie, et vous êtes pour lui une mine de ressources inépuisables. Car le pervers est tout à fait perdu quand il est seul.

Qu'a dit le maire le jour de votre mariage, dans son sympathique discours peaufiné exprès pour vous ?

« Vous, Mademoiselle, vous êtes le charme et la grâce, et vous, Monsieur, vous offrez au monde le visage d'un homme cordial et affable... »

C'est cela, le PB. En plus de tous ses avantages, il est cordial et affable. Nul n'imaginerait l'autre visage, celui qu'il vous montre dans l'intimité. Celui du tyran domestique.

Quant à vous, on espère que votre charme est inusable et votre grâce bien accrochée, parce qu'avec le traitement qu'il va vous infliger durant les années à venir, vous avez de quoi désespérer.

Au propre (comme au figuré), on voit se succéder sur sa face, en l'espace de quelques secondes, des expressions contradictoires – comme les masques rigides de la Commedia dell'Arte ou de la tragédie antique – et, surtout, interchangeables.

Vous recevez des amis ou de la famille? À table, il rit aux éclats, il a la bouche en fente de tirelire. Mais s'il se lève pour aller chercher du vin à la cuisine, vous voyez sur ses traits le dégoût le plus visible ou les signes du plus grand accablement. Il n'est pas à la fête avec tous ces cons, le pervers, malgré sa mine réjouie une minute auparavant.

Vous connaissez cela. Vous vivez au rythme de ses changements d'humeur, suspendue à ses babines boudeuses. Vous tremblez comme une feuille sous l'averse glaciale que constitue l'apparition du rictus trahissant sa désapprobation. Pauvre idiote, vous attendiez qu'il soit heureux, satisfait, comblé… par vous.

Dressons la liste de tout ce qu'il est, ce pauvre pervers.

LE PERVERS EST MALIN

Parfois même, il vous semble qu'il est habité par l'esprit du malin. Ça, c'est vrai, il est plus que malin, il a aussi (en plus) des *intentions* malignes, carrément malveillantes, on l'a vu.

Bien sûr, le PH (*Pervertus Habilis*) est très doué pour les relations sociales, d'où une très grande aptitude à la manipulation et à la subordination d'autrui. Mais il ne se sert pas de ce don pour vous faciliter la vie, oh non!

LE PERVERS EST DÉPOURVU DE SENS MORAL

En ce qui le concerne du moins, car, pour les autres, il est toujours prêt à les rappeler à l'ordre sur ce terrain.

Il illustre très bien l'histoire de la paille qu'on voit dans l'œil du voisin mais pas la poutre qu'on a dans le sien.

Lui n'a qu'un surmoi rachitique. Mais celui des autres doit être hyperdéveloppé pour le satisfaire!

Ce surmoi sous-développé (très maladif) et ce seuil de conscience et de culpabilisation au ras des pâquerettes le conduisent très souvent à déclarer sans ambages: «Faut pas qu'on m'emmerde, sinon on me trouve!» (Ou, variante: je me tire!)

Les emmerdeurs, c'est vous et les enfants, bien sûr, ce petit monde envers qui il nie avoir contracté un quelconque engagement.

Le pervers est souvent très fécal, ou scato, si vous préférez. «Je ne vais pas m'emmerder!» est une phrase qui revient souvent dans sa bouche.

« LA LOI, C'EST MOI!»

Cela, vous en connaîtrez les conséquences au moment de la séparation, ce qui va vous compliquer sérieusement les choses!

Le pervers se hérisse; il nie l'existence de règles et de contraintes au-dessus de lui, de lois et de valeurs morales habituelles qui s'imposent à tous... sauf à lui.

Pourtant, il y a de fortes chances que vous ne sachiez pas, comme lui, vous servir de la loi. C'est pourquoi il convient de lire ce livre avant de partir, sinon vous risquez de vous retirer sur la pointe des pieds... (pour ne pas réveiller le dragon qui sommeille), et de le regretter. Car, au fond, vous avez peur de lui, avouez-le!

Sûr qu'il est plus habitué à la loi que vous, puisque la loi, c'est lui! Il a une telle expérience de la rouerie, c'est un tel retors!

D'une manière générale, croyez-moi, le pervers et sa famille sont plus forts que vous au jeu de l'argent et de la loi. Quand vous monterez sur le ring, vous aurez dix rounds de retard !

Alors, gardez à l'esprit qu'il ne faut lui faire aucun cadeau, car lui ne vous en fera pas. Et souvenez-vous qu'il n'aime pas contrevenir à la loi. Il le fait rarement, il est habile. Il entretient un rapport ambigu avec elle, car elle est aussi sa partenaire. Il se veut au-dessus de la loi, mais pas « hors la loi ».

Aussi, sans céder à aucune intimidation, brandissez-lui le code sous le nez, le vrai, le seul, le légal, celui qui garantit vos droits et vous protégera de lui et de ses coups fourrés.

BIEN DRESSÉE

Il faut dire que vous ne serez guère dépaysée lors de la séparation, car tout au long de votre vie commune il vous a habituée à n'avoir devant vous qu'une peau de vache. Un être impitoyable. Aussi, lorsqu'il est un tantinet gentil et attentionné, vous lui baiseriez les pieds.

Il vous a accoutumée à un seuil si bas de moralité que vous êtes tout ébaudie quand il fait le minimum, rien que de très normal. Ah, il vous a bien dressée !

Quand il débarrasse la table le soir : « Merci, mon maître ! »

Quand il emmène les enfants à l'école le matin, vous vous confondez en excuses !

Quand vous vous achetez quelque chose et qu'il ne dit rien, vous prenez les devants, vous vous justifiez, on ne sait jamais : « Tu sais, mon chéri, j'en avais vraiment besoin ! »

Tout acte de sa part un tantinet ordinaire, normal, dans la ligne de la morale quotidienne, vous remplit de gratitude.

Pensez, il a fait un tel effort ! Il revient de si loin, le pauvre ! Que c'est gratifiant, ce sentiment que vous avez d'avoir réalisé un véritable exploit en l'ayant amené à une telle grandeur d'âme.

Car vivre avec un homme à qui il faut ainsi toujours montrer le chemin et contre lequel il faut sans cesse lutter pour obtenir le minimum, c'est stimulant, non? Comment? Épuisant? Vous êtes mauvaise langue!

D'ailleurs, après la séparation, ce réflexe de gratitude vous restera et, lorsqu'il daignera prendre les enfants un week-end sur deux, vous lui serez infiniment reconnaissante.

De toute manière, en toutes circonstances, le PV n'est pas un homme solidaire, c'est plutôt un homme qui se défile dans les situations dramatiques. Comme cette fois où vous avez perdu un gros fauteuil sur l'autoroute, qu'il avait mal harnaché sur la remorque. C'est avec effarement que, dans le rétroviseur, vous l'avez vu s'envoler dans les airs! Une fois retombé en plein milieu de la voie, il est devenu un obstacle quasi inévitable. Vous imaginiez déjà la catastrophe en série, les gros titres dans les journaux, mais le PO n'a rien trouvé de mieux à dire que: «On se tire!» Il a fallu que vous vous insurgiez et que vous l'obligiez à s'arrêter à la première aire d'autoroute pour signaler votre bévue.

(Pour la petite histoire, il n'y a pas eu d'accident, un camion a gentiment poussé le meuble sur la bande d'arrêt d'urgence. Les routiers sont sympas, et pas pervers!)

PERVERS, OUI, MAIS RIEN D'AUTRE!

S'il ne fait pas certaines choses, et que vous le lui reprochez, il vous dira qu'il s'adapte à la personne avec qui il vit.

Or, ces choses, c'est vous qui les avez prises en charge. C'est votre faute, aussi! Ainsi, lorsque vous demandez au PC pourquoi il ne fait rien à la cuisine, il dit qu'il respecte votre souhait.

«Mais enfin, tu as toujours sauté sur tes casseroles aussitôt rentrée du travail, après les courses, et les devoirs, et le bain des enfants! C'est que c'était important pour toi, non? Je n'allais pas me mêler de ça! C'est toi qui donnes le tempo, pas vrai?»

Il trace sa route au plus près de ses besoins… ou de votre non-désir : « Quand tu as commencé à ne plus avoir de désir pour moi, je suis allé voir ailleurs, je ne me suis pas posé de questions, je n'ai pas de temps à perdre ! »

Quel homme de décision, de cohérence !

Ainsi, le pervers reconnaît (parfois) qu'il n'a pas de personnalité, qu'il agit par mimétisme. S'il rencontre une danseuse nue, il vit la nuit ; si c'est une femme popote au foyer, il enfile les pantoufles ! S'il vit avec une femme python, il devient branche.

C'est un homme fabuleusement adaptable. Une adaptabilité remarquable, incroyable, à toutes les situations, doublée d'une spontanéité qui suscite, vue de l'extérieur, admiration et parfois respect, sinon inquiétude.

L'avis du psy : C'est le signe typique d'une carence identitaire, d'une difficulté grandissime à se reconnaître.

Oui, il est vide, intérieurement ; il n'a aucune passion pour rien. Une de ses phrases récurrentes : « Rien ne m'intéresse ! » Il se trompe, et la bulle (la plus connue, celle qui consiste à ne rien faire) alors ?

Puisqu'il n'a pas de personnalité, il lui faut se nourrir de celle de l'autre. C'est pourquoi vivre avec lui finit par être aussi ennuyeux qu'épuisant.

IL N'EST RIEN SANS VOUS

Sachez-le bien, le pervers n'est rien sans vous, sans votre collaboration active, sincère et émouvante.

C'est cette collaboration incroyablement stimulante qui lui permettra de développer toutes ses facultés, tout son art, même… jusqu'à la maestria.

Cette complicité sans faille… vous semblez y tenir, les premières années. Après, évidemment, vous tentez de vous en débarrasser. Trop tard, elle vous colle à la peau.

Alors, pendant quelque temps encore, vous continuez à mettre en valeur ce qu'il fait avec le meilleur des arguments : il aurait pu ne pas le faire, ou s'opposer…

PERVERS, OUI, MAIS PAS SEULEMENT

C'est le roi de l'ambivalence. Ce qui fait sa force et perpétue son règne, c'est qu'il oscille en permanence entre le manipulateur extradoué et l'enfant démuni.

S'il n'était que pervers… On l'a vu, il sait se rendre utile en matière de détails, et même jusqu'au trop-plein, lorsque ceux-ci deviennent son obsession et votre hantise.

Si le PB est un homme attentif aux plus petits indices qui peuvent travailler à ses intérêts, c'est aussi un maniaque qui vous pourrit la vie avec des détails insignifiants, comme le coup du beurre dans la confiture.

Oui, pendant des années, il vous a assommée, vous et les enfants, avec cette histoire de beurre. Il fallait absolument, au petit-déjeuner, prendre deux cuillers, une pour étendre la confiture sur la biscotte, l'autre pour la sortir du pot. D'autres façons de procéder avaient pour conséquence immanquable la fureur du pervers. Il disait que ça lui rappelait son frère qui, enfant, était un «gros dégueulasse» parce que, quand on passait après lui, on trouvait du beurre rance dans le pot de confiture.

Ça l'a traumatisé à vie, le PH… ainsi que la génération suivante.

Après la séparation, ça continue. Ce n'est plus le beurre et la confiture, mais d'autres détails concernant le beurre et l'argent du beurre, si vous voyez ce que je veux dire…

LA DOUCHE ÉCOSSAISE

Sa langue tue plus sûrement qu'une flèche au curare. Puis, dans l'instant qui suit, alors que vous êtes effondrée, ravagée par l'incompréhension, au bord de la folie, il devient doux comme un agneau, il vous prend dans ses bras pour vous consoler.

Vous acceptez ses turpitudes verbales, vous ne lui en tenez pas rigueur puisque, de toute façon, après le coup de patte vient la caresse. Il faut dire qu'il est si difficile de résister quand il crie, parle cruellement, blesse… sous peine de déclarer la guerre. On n'a jamais vu un homme aussi instable d'humeur, aussi double, capable d'une telle méchanceté, puis d'une telle innocence dans la minute qui suit !

Vous allez connaître une exacerbation du phénomène au moment de la séparation, je vous le promets.

PERVERS, MAIS PAS *BORDERLINE*

Même si le PV (*Pervertus Vulgaris*) reste toujours à la limite, à la lisière, à la bordure de l'insupportable, j'ai eu parfois personnellement le sentiment très puissant que j'avais affaire à un fou, à un malade mental vivant entre deux mondes, celui de l'apparente normalité, celle qu'il me donne à voir, ainsi qu'aux autres (qui, d'ailleurs, la plupart du temps, ne me croient pas quand je décris sa turpitude), et celui de cette terrifiante folie qui m'est le plus souvent réservée, quoique pas exclusivement.

Malgré cela, ce petit «pervers domestique» n'est pas ce qu'on appelle un *borderline*. Celui-là est bien pire, et je ne souhaiterais pas à ma meilleure ennemie de le rencontrer.

Un pied dans la folie, l'autre dans la réalité, et vous accrochée à ce qui reste (je ne fais pas de dessin, mais vous voyez quand même le tableau) ! Alors, dois-je m'estimer heureuse de ne pas avoir croisé le *borderline* ? Sans doute. Mais il n'est jamais trop tard…

LE PERVERS AMBIGU

Le PO n'énonce jamais clairement son avis. Lorsque vous lui posez une question, il dit : « Ah oui ? » ou : « C'est possible, ça ? » ou : « Tu crois ? » ou : « Qu'est-ce qui te fait dire ça ? »

C'est comme en politique, il attend que l'adversaire abatte ses cartes, dévoile son jeu, montre sa vulnérabilité ou ses limites... pour prendre l'avantage !

> Plus, le PV dit une chose et son contraire et maintient sa partenaire dans le flou. Vous êtes à la fois nulle et indispensable. C'est comme cela qu'il vous tient.

« Tu es une salope, je t'adore ! »

« J'en ai mis des années avant de te trouver, toi ! »

« Pauvre fille, tu t'es vue ! »

« Avec toi, même un débile ne s'ennuierait pas... »

Etc.

LA DUPLICITÉ

Le pervers qui veut faire l'amour est tendre le soir, mais le lendemain, il vous crie : « Mais t'es tarée ! », parce que vous avez donné un coup de pied sans le vouloir dans son téléphone portable, qu'il a mis en charge... à même le sol.

Le pervers qui veut un câlin le matin est un vrai sucre d'orge, mais après le petit-déjeuner, il part chez le notaire pour préparer le projet d'acte pour mettre la maison familiale à son nom.

Le pervers qui vous a insultée la veille au téléphone n'hésite pas à vous rappeler gentiment le lendemain.

D'où cette impression d'être complètement folle qu'on a, par moments, avec lui, rien qu'avec lui, heureusement (ou alors avec un autre PV)... comme celle aussi d'avoir rêvé... ou d'être complètement paranoïaque. Mais de cela, votre entourage est convaincu !

LE PERVERS N'EST JAMAIS RESPONSABLE ; IL NE S'ENGAGE PAS

Il adresse des reproches aux autres sur des sujets qui font partie de ses responsabilités, comme si ces dernières ne le concernaient pas. Il se place toujours dans une position extérieure.

Il dit, par exemple : « C'est le bordel chez toi ! », alors qu'il est également chez lui.

Il maîtrise à la perfection l'art de faire des reproches sans en avoir l'air. « Ce n'est pas un reproche, c'est une constatation ! » laisse-t-il tomber, nonchalamment.

Et lui qui ne supporte pas votre maman s'appuie sur elle à l'occasion, quand ça l'arrange.

Lui : « D'ailleurs, ta mère le dit, tu as toujours été comme ça. Quand tu étais petite, c'était pareil ! »

Quel bloc coalisé contre vous ! N'en jetez plus !

De même, le PE (*Pervertus Extraordinarius*) ne vous fait jamais de demandes franches qui pourraient vous conduire à vous positionner et à entamer un dialogue constructif, éventuellement porteur de progrès (qui sait ?). Ce n'est pas le but de la manœuvre.

Par exemple, en voiture, il ne vous demande jamais de conduire. Par contre, une fois le voyage terminé, il vous lance, avec dans la voix une forte dose de rancœur : « Tu ne prendrais pas le volant de temps en temps, toi ? » Sous-entendu : « Espèce de feignante ! »

Heureusement que vous ne lui répondez pas, du tac au tac : « Tu ne feras jamais ça, toi, la vaisselle, la lessive, le ménage, les devoirs des enfants, leur faire prendre le bain… ramener de l'argent à la maison ? » La liste est longue !

Heureusement que vous manquez totalement d'esprit d'à-propos et qu'il vous prend par surprise, sinon cela finirait dans le sang ! Le vôtre, bien sûr !

UN PARASITE COMPLEXE

Vous avez découvert que le pervers est plein d'attention pour des choses secondaires, peu importantes, et plein d'inattention pour les choses conséquentes, essentielles.

Le parasite intelligent ne détruit pas la plante vigoureuse qui le porte et le nourrit. Même s'il vous ronge jour après jour, il n'a pas intérêt à ce que vous tombiez en poussière, comme la poutre après l'attaque prolongée des termites.

Au contraire, il vous entretient par des gratifications peu onéreuses, pour un bénéfice maximum. Car rien n'est gratuit chez lui, tout don est calculé. Et s'il n'est pas payé de retour, il a l'impression de s'être fait avoir.

Il ne manque d'ailleurs pas de vous faire remarquer régulièrement tout ce qu'il fait pour vous. Il sait monter en épingle le plus petit geste, tout en se plaignant de ne pas être suffisamment secondé dans le combat sans merci qu'il mène pour rester présent, debout, fidèle au poste, sans jamais vous demander de l'aide.

Il rappelle d'ailleurs à la pauvre inconsciente que vous êtes les dures réalités de ce monde : « Tu ne te rends pas compte, toi, mais dehors c'est la guerre, c'est la jungle ! » Sûr que sans lui, vous péririez, petit animal inadapté !

N'est-ce pas lui qui fait la queue à la gare ou à l'aéroport pour aller chercher vos billets ?

Non, raisonnablement, vous ne pouvez quitter un homme tel que lui ! Il vous faudrait alors réserver et payer votre ticket de transport par téléphone. Rendez-vous compte, on vous l'enverrait par la poste, vous ne l'auriez dans votre boîte aux lettres que deux jours après ! Trop simple, pas assez artisanal. Tout cela perdrait de son charme et de son caractère humain !

Laissez-lui de quoi jouer les utilités. Sinon, que ferez-vous de lui ?

Avec le pervers, il y a toujours le retour de manivelle. Si, d'aventure, il a un geste de générosité, il ne tarde pas à s'en vouloir, à se le reprocher, et à vous présenter l'addition.

Le parasite, et le *Pervertus Gigolus* (PG) en particulier, se greffe sur les femmes. Cependant, il arrive qu'il se greffe aussi sur des hommes. Mais ce n'est pas ce cas de figure qui nous intéresse ici.

Ainsi, Monsieur est un parasite qui, comme tous les parasites, ne construit rien lui-même. Il se débrouille pour débarquer là où tout est déjà en place, à sa disposition, pour sa jouissance immédiate, gagné à la sueur d'autres fronts. Lui se contente de servir un peu, de remplir quelques petits offices divers et variés. Ceux, entre autres, dévolus au gigolo. Il travaille un peu, pour ses cigarettes, ou pour préserver un minimum d'image de soi.

Peu importe que les actes du pervers soient immatures et irresponsables, il y a toujours un bénéfice à la clef.

« Chérie, telle que je te connais, je sais que tu as mis de l'argent de côté pendant que j'étais parti avec une autre… Eh bien, maintenant que je suis revenu, j'aimerais que, en signe de réconciliation, tu m'offres une semaine à Paris avec tes économies. Oui, je sais, tu préfères la mer, mais moi, je suis obsédé par Paris. Prouve-moi que tu ne m'en veux pas… »

Après la séparation, si vous y arrivez, vous ne prendrez plus en charge les dettes ou les engagements du pervers, mais vous en supporterez d'autres. Ce sera là sa vengeance.

Vous verrez qu'il s'en sort toujours avec des compensations substantielles lorsque vous le quittez, des bénéfices secondaires énormes. Là est son art de tirer profit de tout.

LE REGARD DU PERVERS

> Tâchez de garder ceci à l'esprit : quand un PV vous regarde, vous pouvez voir au fond de ses yeux tout l'intérêt qu'il vous porte, au strict sens du profit, bien entendu.

La terminologie utilisée devrait vous éclairer. Elle vous aveugle, au contraire : « Tu m'es très chère, tu comptes beaucoup pour moi, ma chérie ! »

Inversement, vous n'en croyez pas vos yeux devant la lueur de haine qui brille, rien que pour vous, dans le regard du PO, et cela dans deux cas de figure :

• Quand vous commencez à lui échapper.

Tenez, comme cette fois où, partie sans lui pendant une semaine, vous êtes revenue en pleine forme, et manifestement pas en manque de lui. Vous avez alors eu droit à une véritable mise à mort, le soir au dîner.

Le PE est sidéré, il n'aurait jamais pensé qu'un jour cela puisse arriver. Il vous a tellement niée dans votre être qu'il est tout étonné de voir que vous avez encore une velléité d'exister hors de lui, et qu'il vous reste une dose d'amour de vous et de la vie. Cette idée lui déplaît… violemment !

La lèvre tordue par le mépris qu'il vous porte, il vous regarde de la tête au pied avec dégoût et dit : « Tu veux divorcer, toi ? Pauvre fille, je te plains ! »

D'accord, vous pesez cinquante kilos, mais lui, il s'est vu ? Une grosse barrique qui oscille sur des certitudes qui se dérobent !

L'homme travaillant inlassablement à la préservation de ses intérêts, il se peut qu'il vous dise, en toute franchise, lorsque vous le demandez en divorce : « Je n'ai pas intérêt à divorcer ! »

En effet, le PB peut croire, au début, qu'il n'a pas intérêt à divorcer, mais vous verrez par la suite le divorce avancer à pas de géant, car le pervers, très rapidement, n'aura plus intérêt à stopper la procédure !

• Quand vous devenez encombrante.

Quand le prince charmant a une autre femme dans sa manche, il souhaite franchement que la terre s'entrouvre sous vos pieds pour vous y voir disparaître tout entière et à tout jamais. Franchement, votre existence lui gâche la vie, contrarie ses projets tout neufs ! Il peut vous suggérer quelques mesures qui lui rendront service. « T'as qu'à te pendre, toi et *tes* mômes ! »

Ou bien : « T'as qu'à t'en aller, on n'a pas besoin de toi ! »

Ou encore, comme vous êtes dans votre bain : « Noie-toi ! »

Quand le pervers est en crise, vous avez eu très souvent l'occasion de vous en rendre compte, il est diabolique, au sens réel du terme. Il flirte avec le diable!

Mais au-delà des situations de crises précitées, vous voyez souvent passer beaucoup de violence dans le regard du pervers. Il ne faut pas que cela vous étonne, «car pour berner l'autre, il faut une très grande dose de mépris et donc de violence sous-jacente, y compris envers soi-même». (Alberto Eiguer, *Petit traité des perversions morales,* Bayard Éditions, Paris, 1997.)

L'ARNAQUEUR UNIVERSEL

«Tu ne vas pas me baiser!» ou «Tu n'as qu'à les baiser!»

Expressions triviales qui reviennent souvent dans son discours. Il oscille en permanence entre la sensation et la crainte paranoïaque de «se faire avoir» et le désir «d'avoir» les autres, de les posséder, de les «niquer», comme il le dit dans ses moments les plus joviaux! «Truander» est un mode d'existence qui lui apporte de grandes satisfactions, de fortes jouissances, et libère cette violence intense qu'il porte en lui.

Dans le traité précité, Alberto Eiguer explique que «les pervers sont des tourmentés se livrant à des excès pour s'en libérer, ce qui leur procure une intense satisfaction, un sentiment de triomphe, une exaltation, une jubilation». Il y a, avec eux, une fuite hors du réel, une construction en parallèle pour pouvoir supporter les contraintes réelles... du réel!

Ainsi, le PB (*Pervertus Banalus)* ne ménage personne. Quand il trahit, il a toujours l'air de se venger, de régler des comptes. Il ne vous épargne aucune humiliation. Il ne va pas vous tromper en douce, avec un minimum de coût pour vous, non, non!

Son ex et vous vous êtes fait «avoir», bien sûr. C'est pour cela que vous voulez tenir, pour ne pas vivre la même chose qu'elle, au bout du compte, mais c'est perdu d'avance, écrit dès le début de l'histoire, et il en sera de même avec la suivante, et ainsi de suite.

Personne n'est épargné, même pas la femme que, selon vous, il aime le plus au monde: sa mère, celle qui pourtant le sauve en toute circonstance! Vous êtes en congé de maladie à la suite des séquelles d'un accident dont vous avez du mal à vous remettre et qui vous colle de «vieilles» douleurs persistantes. Votre belle-maman, «qui a des sous», vous téléphone pour prendre de vos nouvelles, sur le ton de la tragédie grecque. Manque de pot, ce jour-là, vous ne souffrez pas et, plutôt guillerette, vous répondez à la vieille dame que cela va beaucoup mieux.

La gaffe! Quel savon il va vous passer, le pervers, lorsque vous aurez raccroché!

Lui: «Depuis le temps que je la travaille pour lui expliquer que tu ne vas pas bien et que, dans cette société, lorsqu'on est malade, on vous jette à la poubelle. Et toi, tu rigoles? Comment veux-tu dans ces conditions qu'elle nous envoie de l'argent?»

Vous: «Mais je ne suis pas invalide, je perçois mon salaire, et je vais bientôt reprendre mon boulot!»

Lui: «Là n'est pas la question. J'aurais pu l'apitoyer et gagner un petit plus avec lequel j'aurais pu changer ma voiture plus tôt!»

> De surcroît, il faut bien savoir que plus on donne au pervers, plus il se venge en vous le faisant payer cher, très cher!

Il fait payer très cher tout ce qu'il reçoit, il ne veut avoir aucune dette morale.

Inutile de vous acharner à essayer de comprendre pourquoi tout cela, «pourquoi tant de haine», de violences, d'humiliations qui vous paraissent inutiles, gratuites, sans fondement.

Inutile de vous sentir responsable. Si ce n'est que vous l'êtes, dans une certaine mesure… Quand vous aurez compris que trop de gentillesse est une provocation insupportable, vous serez sur la voie du salut!

Vous auriez dû lui mener la vie dure. Peut-être auriez-vous obtenu davantage de lui. Non… cela ne vous aurait pas menée loin, car cet homme-là ne peut rien donner! Mais au moins, vous ne l'auriez pas provoqué avec votre gentillesse, provoqué à «vous refuser».

«J'aime bien quand tu es *chienne* comme ça, quand tu me dis que tu ne m'aimes plus! J'adore la façon dont tu tentes de me détester sans y arriver tout à fait!»

C'est le PE (*Pervertus Extaordinarius*), heureux quand vous le fouettez! À cet instant précis, c'est lui qui joue le rôle du maso.

Version plus osée: «Quand tu es chienne comme ça, ça me fait bander, tu me plais!» Vous n'en voyez pas le résultat pour autant, mais cela permet au *Pervertus Erectus* de vous laisser croire qu'il en est capable.

L'EFFROYABLE SOLITUDE DU PERVERS

Par définition, il ne peut être seul, car il rencontrerait l'horreur, c'est-à-dire lui-même.

Même dans sa voiture, lorsqu'il est provisoirement seul, il construit les dialogues, les amorces avec lesquelles il va pouvoir attirer et «travailler» de nouvelles victimes.

Ainsi, le pervers n'est jamais entre deux femmes, il a toujours prévu la suivante. Il ne peut y avoir d'intermède solitaire qui pourrait être l'occasion, pour le pervers, de se recentrer en ne comptant que sur lui-même.

Le PV a horreur du vide. Le sien. Quand il n'y a rien ni personne à pomper et à «sadiser».

Imaginez, dans ces conditions, qu'il s'attaque à lui-même. Je ne vous dis pas le carnage!

LE PERVERS EN VACANCES

En vacances, le pervers perd ses repères (de pervers), donc il perd le contrôle.

Il boude ou il est malade (de ce que ça va lui coûter!). C'est un boulet que vous traînez. Lumbago, rhume, asthénie générale. En fait, il se paralyse pour vous immobiliser. Pour résumer, il s'emmerde, alors il tente de se «désemmerder» en vous emmerdant!

À l'étranger, comme il n'est pas doué pour les langues et qu'il ne fait aucun effort, il souffre! Quand on sait combien l'art de la manipulation passe par la parole, voilà notre pervers réduit à néant. Il ne peut pas charmer, arnaquer, puisqu'il ne comprend rien! Alors, il a hâte de ficher le camp. Et il écourte ainsi votre plaisir!

Souvenez-vous du voyage de noces. Les valises à peine déposées, un méga lumbago l'a cloué au lit, pour tout le séjour. Il y a des signes qui ne trompent pas... qui sont de mauvais augure, je veux dire!

Ça lui a collé une telle angoisse de vous épouser pour ne pas être seul (à payer le loyer!). Bon, vous me direz, pour un voyage de noces, le séjour au lit, pourquoi pas? Mais pour les excursions exotiques, bernique! Heureusement qu'il y avait des gentils organisateurs pour vous aider à porter les valises!

Le coup du lumbago, il vous le fait chaque fois que vous partez à la montagne. Il est prêt à tout pour échapper à la randonnée, jusqu'à une série de piqûres dans les fesses!

Pour les Caraïbes, ce n'était pas mieux, il pleurait tout le temps (rhume des foins en février!). Dans le fond, il devait être allergique à votre personne! Maintenant, vous l'avez compris. Mais c'est trop tard!

De toute façon, vous vous êtes bien vengée (croyez-vous), car, pour finir, c'est bien à cause de *votre* lumbago que vous l'avez quitté! Entre vous et lui, depuis le début, ce fut une histoire de dos, et vous avez fini par lui tourner le vôtre!

UNE HAUTE ESTIME DE SOI

Quand il énonce son nom, il le dit avec une telle fierté, une telle mise en avant de soi qu'on dirait Jules César. Il parlerait presque de lui à la troisième personne.

Le pervers sait qu'il est pervers, mais, bien sûr, il ne se nomme pas de la sorte et pense être justifié dans ses actes du seul fait qu'il se croit plus malin que les autres, qui ne sont que «des cons» qui méritent ce qu'ils vont découvrir à leur réveil.

Il signe de son nom (d'un P qui veut dire Pervers). Il achète, à son nom, avec vos sous. Ça, on l'a déjà vu.

Vous êtes niée, annexée, accessoirisée.

Quand il débarque dans votre vie, il crée, sur son répondeur téléphonique, un message où il se présente, lui. Mais comme il s'est installé chez vous, il accole, après son prénom, votre patronyme au sien, alors que vous n'êtes pas encore mariés. Difficile de «vous» retrouver dans ce salmigondis!

De quoi décourager les copains et anciens amants. Le message est clair. Vous, vous auriez préféré entendre: «Vous êtes sur le répondeur de Philippe et Térésa, nous ne sommes pas là pour le moment...» Mais vous n'avez rien dit, comme d'habitude, considérant que ce n'était qu'un détail.

Que dit le psy? Vous avez été trop faible. C'était symptomatique de l'emprise en cours d'installation, du barrage téléphonique qui commençait...

Eh oui, déjà, vous (et le répondeur) étiez à lui!

En parfait mégalomane, le pervers veut voler plus haut que ses ailes.

Help, le psy! Un petit commentaire...
Oui bien sûr, mais il oublie trop souvent que, où que l'on vole et aussi vite qu'on aille, on a toujours son cul derrière soi. Et en français, nous précise le psy de service, le derrière s'appelle aussi le fondement.

Tout cela nous plonge dans un abîme de réflexions...

Cette haute estime qu'il a de lui-même et ses ambitions démesurées sont le corollaire de cette mésestime de soi qui le contraint, pour exister et se rehausser, à rabaisser l'autre, en le dévalorisant et en allant jusqu'à le détruire… Brrr !

L'ÉTERNELLE VICTIME

Lorsqu'il vous aura quittée ou que vous l'aurez quitté, il vous parera de tous les vices aux yeux de ses nouveaux amis ou de sa nouvelle conquête.

Car c'est lui qui, dans cette affaire, sera le plus à plaindre. C'est lui la victime la plus consensuelle. Il s'est dévoué auprès de vous depuis tant d'années, en vain. La preuve, vous le quittez.

Il ne cessera de colporter des faussetés sur vous, des contre-vérités, surtout auprès de votre famille, par exemple que vous êtes une femme-enfant, que vous ne vous occupez de rien, que vous êtes une mauvaise mère, une épouse frustrante, trop centrée sur ses problèmes.

Et vous serez la première étonnée d'apprendre que vous êtes possessive, jalouse, et que s'il ne travaille pas, c'est parce que vous l'en avez empêché, parce que vous le vouliez sans cesse à vos côtés, disponible, prévenant ! Il est gonflé, ce type ! Vous aviez plutôt l'impression que c'était lui qui ne vous lâchait pas les baskets, alors que vous auriez bien aimé être un peu seule, un peu tranquille !

LE PERVERS ET LA SOUFFRANCE

Il est sado, vous êtes maso. Vous êtes le couple idéal.

Le PV est sans scrupule, il nie la souffrance de l'autre.

> Avec lui, vous avez fait le choix des larmes.

Car le pervers aime les larmes. Au lieu de s'apitoyer, il s'acharne, persiste dans la persécution, en même temps qu'il en jouit, car c'est la preuve qu'il a atteint son but : faire souffrir.

Ainsi, il a l'assurance de son importance, de son pouvoir.

Le PB aime les déprimées, pas les dépressives, qu'il a pourtant rendues telles. «Il paraît que je fais peur, parfois», dit-il avec un sourire sadique.

Parfaite dans le rôle de la petite victime consentante, vous lui dites souvent, après une de ces scènes invraisemblables dont il a le secret: «Qu'est-ce que tu souhaites, au juste? Que ma peau te reste entre les doigts?»

Il n'ose pas répondre: «Non... seulement ta vie!» Mais vous le lisez dans ses yeux.

Vous le prévenez.

Vous: «Ne te fais pas d'illusions, même si je reste avec toi, je ne serai jamais grosse, vieille et moche!»

Le visage du pervers affiche une incroyable déconvenue: «Ah bon, jamais, alors?»

Là, vous demandez de l'aide. Êtes-vous vraiment maso? Vous donnez votre langue au chat.

Vous ne savez pas ce qui se trame là-dessous, tous les enjeux vous échappent. Dans cette part d'ombre, ces jeux de rôle que vous jouez et qu'il rejoue et qui ressemblent si souvent à des jeux de massacre. Vous avez bien sûr une part de responsabilité, mais vous êtes tellement sincère dans votre désir de bien faire, de mieux le comprendre!

L'avis du psy: Vous n'êtes peut-être pas foncièrement maso, vous revivez seulement ce qui s'est passé dans votre famille, par une espèce de loyauté familiale, ou bien vous vous sentez une mission de réparation vis-à-vis de lui, de l'image qu'il a de lui-même, de son narcissisme. Et pour cela, vous êtes prête à faire le sacrifice de vous-même. Votre besoin de donner est plus important que celui de recevoir, votre idéal de communication si élevé, que vous minimisez et vos demandes et vos refus!

Que c'est beau, quand même, cette compréhension de votre habileté à souffrir!

S'il nie la souffrance des autres, le pervers la refuse également pour lui. Il rejette ainsi le seul moyen qu'il aurait de changer et de progresser.

Par exemple, après que vous lui avez signifié que vous alliez le quitter, il dit qu'il a souffert trois mois. Trois mois. Vous lui répliquez que c'est très peu pour toutes ces années de vie commune avec lui, pendant lesquelles vous, vous avez souffert comme une bête! Il a une réponse toute prête: «Mais toi, tu souffres depuis ta naissance!»

Ben voyons, comment n'y avez-vous pas pensé plus tôt?

Vous, c'est normal que vous souffriez. «Vous êtes venue au monde pour ça», a décrété le pervers. Ce déterminisme karmique le déresponsabilise complètement! Votre souffrance est niée, vous êtes une fois de plus chosifiée. Il peut ainsi continuer, sans culpabilité, à vous en faire voir des vertes et des pas mûres.

L'avis du psy: Le pervers chosifie sa victime afin de ne pas être atteint par sa souffrance, ou part du principe que la souffrance est inhérente à elle.

LE PERVERS ET LA MORT

Le pervers entretient des rapports ambigus avec la mort.

Il n'aime pas la mort, il la fuit. Pourtant, il met à mort. Il vide l'autre de sa substance. L'autre qui devient une «morte vivante» après son passage. C'est pour cette raison qu'il la quitte ensuite, parce qu'«elle sent la mort», comme il dit, et que cette mort le terrorise.

Eh bien, qu'il ne se réjouisse pas si vite. Pour avoir résisté à ses pulsions de mort, vous êtes plus que jamais en vie.

LE PERVERS ET L'ANALYSE

C'était il y a longtemps, bien avant tous les événements relatés précédemment.

Vous: «Chéri, as-tu pris une assurance?»
Lui: «Pourquoi?»
Vous: «Parce que j'entreprends une analyse... Alors on ne sait jamais, pour payer la provision de l'avocat quand j'aurai fini.»
Eh oui, le service après-vente, faut l'assurer!

On a connu des pervers que l'analyse a vite découragés: «Donner *autant d'argent* pour entendre ça!»

C'est-à-dire ses *quatre* vérités... le pervers n'apprécie guère!

11 heures:
Lui: «Si tu allais moins souvent chez le psy, tu pourrais acheter des yaourts pour tes enfants.»
18 heures:
Lui: «Tu fais bien d'aller chez le psy, tu en as besoin.»

22 heures:
Lui: «Comment? Tu n'as pas envie de faire l'amour? C'est encore ton psy qui absorbe ta libido, ma parole! Il devrait me payer, ce salaud, pour que j'aille chez les putes en compensation...»

Évidemment, le fait que vous entrepreniez une analyse ne fait ni son bonheur ni son jeu. Il n'aime pas ça, il risque gros!

Vous allez peut-être découvrir que c'est lui la source de vos problèmes et de vos somatisations en tous genres. Vous l'avez plaint pendant des années, car le pauvre PC a eu une enfance difficile! Peut-être, mais il y en a d'autres qui n'ont pas rigolé non plus et qui se soignent, ou du moins font un travail de réconciliation avec eux-mêmes!

Ce comportement pervers est justement la défense qu'il a développée pour échapper à la dépression et, à un degré plus grave, à la psychose. Un pervers sous antidépresseurs, cela n'existe pas.

Dommage, car ce pourrait être le début d'une prise de conscience, d'une remise en cause et d'un travail sur soi.

Un pervers qui se soigne n'est pas un pervers. Un pervers qui se soigne est un contresens!

Donc, comme il n'a pas de problème et qu'il est très bien, alors on ne voit pas pourquoi il irait faire vivre le «psy», qui n'est là que pour «te piquer ton fric!» Nous y voilà, le fric! La boucle est bouclée!

Ce n'est pas lui qui lui permettra, à ce psy (comme vous grâce à vos séances et à une cure qui s'annonce longue...), de s'acheter une deuxième maison à la campagne. Ou alors c'est malgré lui, parce qu'il pousse ses partenaires à consulter quand leur malaise devient chronique et leur folie palpable!

Au fait, comment psychanalyse-t-on un pervers mythomane? Déjà qu'on se raconte tous des histoires à soi-même... Là, si, en plus, il en raconte au psy... bon courage!

En tout cas, vous, vous avez compris ce qui a présidé (chez vous) à cette relation: un déracinement géographique (une mutation impitoyable!) et surtout un attachement enfantin lié au manque de père (il était plus âgé, mature, sûr de lui), une valise très allégée en amour (c'est-à-dire un manque abyssal!), et l'habitude de se contenter de peu dans ce domaine.

La moindre marque d'attention, d'intérêt, vous l'attendez et la recevez comme un cadeau inouï.

LA FAMILLE DU PERVERS : LE PERVERS ET SA MÈRE, OU MACHO DE MÈRE EN FILS

Que dit le proverbe ?
Si tu veux acheter le tissu, regarde la trame; si tu veux épouser la fille, regarde la mère.
Eh bien, c'est confirmé avec le PB.

Observez-la bien, cette mère. Et vous verrez qu'elle est complètement infantilisée.

Il a d'ailleurs commencé à vous appliquer le même régime, qu'il maîtrise sur le bout des doigts (exemple de papa pendant quarante ans). Il vous coupe le chauffage quand il sort, ou il vous crie d'une voix qui n'a plus rien à voir avec les intonations câlines des premiers temps : « T'as qu'à te foutre un pull ! », alors que vous avez une énorme trachéite.

Ce qui ne l'empêche pas de la plaindre, sa pauvre mère, pour tout ce qu'elle subit comme humiliations de la part de son ignoble père ! Eh oui !

Mais la brave femme n'est pas rancunière. Elle aussi cultive le paradoxe dans son jardin. Et elle clôture toujours la liste des sévices qui lui sont infligés au quotidien par un conjoint de malheur avec un surprenant : « Mais mon mari a un cœur formidable ! C'est un bon garçon, sinon je ne serais pas restée quarante ans avec lui. » (ou l'art de justifier sa faiblesse).

Cette femme sous emprise, pour ne pas entrer en conflit conjugal, a rarement pris la défense de ses enfants contre son pervers de mari. Elle s'est le plus souvent faite son avocate, même quand son fils finissait par lui exprimer toute sa souffrance (reconnaissons-le) dans une phrase à l'emporte-pièce : « Je n'aime pas ce type-là ! Tu n'aurais pas pu me choisir quelqu'un d'autre comme père ! »

D'ailleurs, elle vous a fait le coup aussi à vous pour son fils : « Tu sais, il ne faut pas se fier aux apparences, il a un bon fond ! »

Ben voyons, si le fond est bon, peu importe que la forme soit déplorable, n'est-ce pas?

Que son mari lui interdise depuis toujours l'accès au téléphone n'est franchement qu'un détail de forme en ce début du XXIe siècle. Son rejeton s'est contenté de faire disparaître les combinés téléphoniques! Le gaspillage, voyons, le gaspillage…! Et puis, nous, quand même, ma chérie, on est au-dessus de tout ça… Au-dessus des combinés, ce doit être le septième ciel!

Dans le fond, vous êtes devenue sa mère. D'ailleurs, son père, le jour de votre mariage, ne vous a rien caché, et, désignant votre promis: «Sa pauvre maman va enfin respirer, tu as pris le relais!» (Il y a de ces phrases… de ces mises en garde qui devraient nous faire prendre nos jambes à notre cou!)

Sauf que vous, il vous voulait autonome, ne comptant pas sur lui financièrement, tout en étant soumise. C'est là que ça se corse! Et quand vous avez cessé de l'être, soumise, il est devenu franchement méchant, à la hauteur de sa panique. Belle-maman, elle, n'a jamais travaillé. Beau-papa, dans le fond, qui entretenait femme et enfants, était dans sa logique, et belle-maman aussi!

Pervers de père en fils, certes. Mais le vôtre est adapté à son époque, aux temps qui courent. Maintenant que les femmes travaillent, le PV a davantage d'arguments. Il vous l'a confirmé: «Tu as voulu des enfants? Tu gagnes ta vie? Eh bien, c'est toi qui paieras pour eux!»

D'ailleurs, cette mère est à la fois victime et bourreau. Victime, on l'a vu, du père pervers et en même temps garante de la pérennisation du système par son chérubin de fils qui, ne l'oublions pas, reste la chair de sa chair. Sûr que la pauvre femme compatit à vos malheurs et fustige son incorrigible fils, façon subtile de le relancer. Sûr qu'elle s'en régale aussi! Vous connaissiez depuis peu son rejeton qu'elle vous posait déjà régulièrement la question: «Il n'est pas méchant avec toi, au moins?»

Au début, elle attendait, étonnée que la lune de miel soit aussi longue. Mais c'est la même qui parle des ex de son fils en les traitant de «femelles».

Comment le PC aurait-il pu, élevé par cette femme, ne pas avoir du mépris pour le sexe opposé? Dites-le-moi.

L'avis du psy: Cette mère, traitée comme elle l'est par son mari, a une image d'elle-même très dévalorisée, qu'elle reporte sur les autres femmes, surtout celles qui lui prennent son fils...

Il faut bien comprendre que l'opération d'emprise est une entreprise collective. Maman et papa sont bien contents d'avoir casé fiston et d'en être momentanément débarrassé. Alors, vous, pour l'instant, vous avez le profil de la femme dévouée, parfaite pour le rôle, mais attention, gare à vous si vous avez des velléités d'affirmation! Sûr que vous passerez vous aussi au rang des femelles. À bon entendeur, salut!

Vous êtes à la cuisine, ils sont dans le salon. Vous entendez sa mère lui dire à demi-voix: «Fais-la rentrer au bercail, exige qu'elle retourne à ses fourneaux! Tu lui as laissé trop de liberté!»

Un comble! Vous êtes déjà coincée dans la cuisine, aux fourneaux, il a déjà la clé de la porte du bercail... Que veulent-ils de plus?

Et quand vous quitterez son fils, l'ex-belle-maman trouvera une appellation plus évocatrice: «la hyène». C'est vrai que vous êtes plutôt rieuse, mais quant à vous nourrir du cadavre de son fils... C'est plutôt lui qui vous a nettoyé la carcasse. Mais n'anticipons pas!

C'est la même qui, un jour, découpant un poulet de belle taille, brandit le cou de la bête dans sa main droite et, à la surprise générale (elle n'avait habitué personne à ce genre de... libertés orales), vous déclare: «Ah, tu as de la chance! Celle de mon fils est bien plus belle!»

La brave femme, qui n'a pas souvent copulé, et juste pour la procréation, fait chambre à part depuis des lustres... Et son mari, bien sûr, a une double vie depuis belle lurette aussi, et il n'honore la femme bafouée que lorsque celle-ci a des velléités de le quitter, des velléités qui se raréfient bien sûr avec le temps. Femme désirée que lorsqu'elle s'échappe. Ne nous étonnons pas que le fils éprouve une certaine jouissance quand vous le rejetez.

Question subsidiaire. D'où cette mère tient-elle une connaissance aussi précise du sexe de son fils, qu'elle peut ainsi comparer au cou d'un poulet de Bresse?

Le lien entre le phallus de son fils et l'argent... Help, le psy!

Bon, le psy reste muet. De mémoire de belle-fille, tout de même, la grosseur des quéquettes, cela a toujours intéressé les mères. Elles sont plus portées vers leurs garçons que vers leurs filles, qui n'en ont pas. Sûr que pour la mère du PV, la virilité est dans la taille, rappel d'un archaïsme ancien. Comme quoi ça l'obsède, la belle-mère. Pas étonnant que son fils ne manque pas une occasion de rappeler qu'il est bien «équipé».

D'ailleurs, lorsque vous aurez pris la décision de le quitter, le pervers va vous lancer sur un ton méprisant: «Tu t'es mis un phallus!» Il n'apprécie pas qu'une femme lui fasse de la concurrence. Le PB est donc bien entretenu dans son rôle par sa famille.

Pourtant, il se présente comme une victime de ses parents. Il justifie ses turpitudes et ses insuffisances par son enfance difficile. Mais si vous avez le malheur de lui faire quelques confidences sur la vôtre, qui n'a pas toujours été une partie de plaisir, il saura s'en servir, contre vous, cette fois! Vous, vous n'aurez pas de circonstances atténuantes.

«Ah, ce n'est pas étonnant que tu sois comme ça avec une famille pareille!»

Ou: «On sait d'où tu sors!»

Ou: «Tu as été si mal élevée que je dois en supporter les conséquences!»

Il n'a pas ajouté: «stoïquement». Un oubli. Car le PE se sert de tout, et surtout de vos confidences.

N'oubliez pas, tout ce que vous lui confiez sera retourné contre vous... Immanquablement!

LE PERVERS (OU LE SINGE) PARESSEUX

Celui-là mérite un petit paragraphe parce que c'est une calamité d'en rencontrer un de cet acabit.

Il y a des pervers qui bossent. Pas le mien. Le mien a toujours déployé une énergie débordante afin d'éviter de travailler. Quel héroïsme! J'ai déjà fait allusion à la question, par-ci, par-là, dans ce qui a précédé.

Cette paresse me le rendait sympathique, au début. Toujours au lit, comme un bébé, m'incitant à faire de même, pas seulement pour l'amour et la sieste améliorée, mais pour roupiller à toute heure du jour! J'ai des albums entiers qui le montrent abandonné dans les bras de Morphée, à croire qu'il était piqué en permanence par des mouches tsé-tsé.

À la maison, il tire au flanc. Le rhume le plus banal le garde au lit plusieurs jours. Il en abuse comme s'il avait la grippe.

Et là, c'est la spirale infernale. Quand un homme très paresseux épouse une femme très courageuse, l'aggravation risque d'être sérieuse. L'homme sera de plus en plus paresseux et la femme de plus en plus courageuse, jusqu'au moment inéluctable où cette dernière va craquer!

Le paresseux pressé de changer par la courageuse qui s'épuise exerce une force de résistance fabuleuse au changement. Et la situation empire.

À l'extérieur, dans le cadre professionnel, le pervers se plaint. Le travail ne lui est pas naturel. «Je me bats pour gagner ma vie. Toutes ces choses que je dois faire pour gagner ma vie!» À l'entendre ainsi gémir, le pauvre vous convaincrait presque qu'il est le seul dans ce cas-là.

S'il ne supporte ni le travail ni les employeurs, c'est parce qu'il n'aime pas qu'on lui impose quoi que ce soit et qu'il n'aime pas les règles.

D'ailleurs, même lorsqu'il est son propre employeur, il ne peut résister, il s'arnaque lui-même, il disparaît des journées entières de son poste, il se vole des heures, il mange ses bénéfices en restaurant et en faux frais.

Plus encore, dès qu'il estime qu'il a un peu gagné sa vie (appréciation très relative chez lui, car il se contente de peu!), il cesse toute activité! Il n'est pas rare de le voir rentrer chez lui pour s'allonger (bien sûr) devant la télé, dès la mi-journée.

Cette aversion pour le travail, et le lien de subordination, déborde dans toutes les sphères de la vie, y compris familiale. Quand vous lui demandez de s'occuper des enfants, il rétorque: «Tu n'as pas d'ordre à me donner, on dirait un employeur!» C'est névrotique, son histoire!

Il faut comprendre la logique de l'homme: il ne travaille pas pour améliorer le quotidien. Le quotidien, c'est la femme qui l'assure avec son salaire. Lui, il travaille pour les loisirs et, comme on le sait, les loisirs sont facultatifs. Son travail, donc, d'une manière générale, reste très aléatoire.

Par moments, il lui arrive de «mettre le paquet», comme il dit, mais c'est toujours de courte durée, et ses poussées laborieuses sont le plus souvent comme des éjaculations précoces, on reste sur sa faim.

Il ne travaille que lorsqu'il y est acculé, ce qui lui fait dire: «Dans l'extrême, je suis pas mal!» Sauf que les extrêmes ont fini par vous épuiser, vous!

Une de ses phrases célèbres: «Moi, j'attends l'héritage, je ne vois pas pourquoi je m'emmerderais!»

Il n'empêche, quand vous lui avez dit qu'à cause de son bao- bab dans la main, vous vous êtes toujours sentie en insécurité avec lui, il s'est énervé. Touché! (Mais pas coulé!)

Bon, ne vous faites pas d'illusions, que le pervers soit pares- seux ou travailleur, peu importe, il met toujours à profit les mêmes ressorts pour se mettre en valeur et manipuler l'autre, en faire sa chose. J'ai connu des pervers travailleurs qui faisaient travailler des bataillons. Mais ce n'étaient jamais de «vrais» travailleurs, du moins des gens véritablement efficaces.

Ce genre d'individu va réussir grâce aux autres, en les écrasant et en intriguant pour se créer une réputation de grand professionnel, tout cela en utilisant la compétence d'autrui. Courage… fuyons!

TEL LE PHÉNIX, IL RENAÎT DE SES CENDRES, OU LES REBONDS DU PERVERS

Même si la réalité le rattrape, ses capacités de rebond (dans l'extrême) sont insoupçonnables!

> Il n'est jamais aussi redoutable que lorsqu'il est au fond du trou.

Par un fort pouvoir de «résilience», serais-je tentée de dire. Mais là, j'utilise ce beau mot de Boris Cyrulnik dans un sens différent de celui donné par son inventeur.

Il faudrait que je relise les merveilleux bienfaits du malheur pour m'en convaincre. (Boris Cyrulnik, *Un merveilleux malheur*, Odile Jacob, Paris, 1999.) Mais est-ce nécessaire?

Nous avons vu que cet homme refuse cette formidable force de progrès qu'est la souffrance, et qu'ainsi il se condamne lui-même à reproduire, en boucle, les mêmes comportements. Il n'y a donc pas là de vraie résilience.

Il n'empêche, la séparation vous donnera l'occasion de vous rendre compte de ses ressources! Il va vous sidérer encore, n'en doutez pas, par sa capacité à se remettre du coup derrière les oreilles que vous allez lui administrer!

Oui, il va vous sidérer, au sens étymologique du mot. Du latin *sideror, siderari*: «subir l'influence funeste des astres». Ne l'oublions pas, nous avons dit que c'était un «soleil noir» à lui tout seul. Mais il n'aura rien appris, tiré aucune leçon de l'histoire.

4

Petit guide lexical du pervers

POUR MÉMOIRE, QUELQUES CITATIONS DE PERVERS CÉLÈBRES OU DE CERTAINS QUI LE SONT MOINS...

À vous, il dit: «Je ne vais pas gâcher ma vie à cause d'une femme et de deux enfants!»

À l'un de ses enfants: «Fais comme si je n'étais pas là, comme si je n'existais pas. Tu as ta mère, ça devrait te suffire!»

Autres gâteries verbales:

«Tu es une salope, je t'aime!» (déjà citée).

«C'est inadmissible que tu ne m'aimes plus!» (idem).

«Faut vraiment être en manque pour te fréquenter...»

À son meilleur ami qui lui a emprunté de l'argent et qui a du mal à le rembourser: «Tu sens la mort!» Il ajoute qu'on ne l'aura plus à prêter de l'argent, que l'amitié c'est un piège à cons.

«Tu as choisi le mauvais cheval!» Le PC n'essaie jamais de changer ou de faire des efforts pour vous apporter ce que vous attendez de lui. Il vous dit: «Tu as choisi le mauvais cheval, ma belle!» Aucune remise en cause. Bloc monolithique, force d'inertie, ou l'anti-généreux...

QUELQUES PETITES ANTIENNES PROPRES AU PERVERS, OU L'ART DE LA MENACE

- «Si tu m'emmerdes, je ne verrai plus tes mômes!»

- «Tu te démerderas toute seule avec tes mômes, tu les as voulus, tu les as!»
- «Tu auras tes mômes à 100%, c'est ton boulot!» (Ça, on le sait!)
- «Moi je n'ai rien à perdre, toi tout. Je vais t'en faire baver, tu vas en crever! Si tu m'emmerdes, tu vas voir, je vais te tuer, toi et tes enfants!»

Il vous prévient:

- «Plus tu vas résister, plus tu vas en prendre plein ta gueule parce que ça m'excite!»
- «Si tu ne fais pas ce que je te dis, tu en mourras!» ou: «Méfie-toi, je vais te casser la gueule!»
- «Méfie-toi!» Le «méfie-toi» tout seul est très courant, pratique, il peut s'accommoder à toutes les sauces!
- «Si tu me dénonces aux impôts, je te tondrai comme les putes à la Libération!»
- «Si tu engages un divorce à mes torts, je te détruirai et tuerai tes enfants!» Ça, c'est le minimum.

Ou encore:

- «Pour les hommes, il n'y a que deux solutions: la lutte à mort, ou la disparition!» Il a choisi...

ET PUIS, IL Y A LES PRÉDICTIONS DU PERVERS

Elles vous reviendront en mémoire dans les moments de doute, ces petites phrases poison, ces petites vrilles qui, à force de faire des petits trous, vous minent l'inconscient.

- «Si tu me quittes, tu ne retomberas jamais sur tes pattes!»
- «Si tu me quittes, toute seule, tu te feras violer!»
- «Tu es trop exigeante, tu finiras seule!»
- «Ma pauvre fille, tu ne sais pas ce qui t'attend!» (un classique...)
- «Dans dix ans, tu reviendras, à genoux, manger dans ma main!»

LE PE VEUT VOUS ENTRAÎNER
DANS SON SILLAGE DESTRUCTEUR

- « De toute façon, tu auras toujours des problèmes ! »
- « Tu es gangrenée jusqu'à la moelle parce que tu as été élevée par des ordures, tu es comme moi, c'est pour ça que ça ne marche pas ! » (Ça, c'est une création de mon gentil pervers à moi !)
- « Tu plaisantes, j'espère ! » (Ça, c'est une expression que le pervers affectionne tout particulièrement. Ce n'est pas un non, une fin de non-recevoir, c'est pire !)
- « De toute façon, tu n'es faite pour rien ! » (Merci, m'sieur !)

Du point de vue du champ lexical et des expressions en tous genres, le pervers est une mine d'or, mais vous n'allez tout de même pas continuer à vivre avec lui pour collectionner ses perles !

5

La séparation

La partie la plus importante de notre propos, l'illustration de la théorie et surtout le dernier volet de l'histoire… sans fin.

La prise de conscience de l'emprise se manifeste par un spleen plein ciel.

*

J'ai laissé partir mes amis
J'ai laissé exécuter ceux qui restaient
J'ai laissé s'éloigner ma famille
J'ai laissé assassiner mes rêves
J'ai laissé mourir mes croyances
J'ai abandonné mes paysages
J'ai renoncé à la danse
Je ne sais plus rire
Je cafarde souvent

*

Je deviens pisse-vinaigre plus souvent qu'à mon tour
J'ai laissé s'affaiblir mes forces
J'ai laissé se faner ma jeunesse
J'ai renoncé à ma spontanéité
Je vais mourir bientôt
Je meurs
J'espère renaître doucement
Me réparer

*

Je comprends ces femmes tentées de renoncer…

J'ai trop cultivé les soucis dans mon jardin
J'ai mis de côté l'évidence
Insulté mon intelligence
Je me suis alignée sur la médiocrité ambiante

*

Bon, petite trêve. Cessons de faire dans le ténébreux !

C'est vrai que vous étiez une adepte, une groupie, que vous détourniez les évidences, la raison, vos sentiments, pour adhérer à ses opinions les plus irrationnelles, les plus passionnelles.

Que d'acrobaties en plein vol pour en arriver au crash assuré à l'atterrissage ! Vous étiez de son parti ; le désavouer, c'était désavouer votre choix, vous désavouer vous-même. C'était un parti pris pour la vie. Vous aviez décidé d'aller jusqu'au bout.

Et puis, les femmes préfèrent les voyous, c'est bien connu, car ils ont l'art (au début) de les approvisionner en grands frissons.

Alors vous, qui viviez avec un gentil voyou, si gentil avec vous (tout au début), mais déjà grossier et suffisant avec ses semblables, vous retardiez le moment d'être logée à la même enseigne que les destinataires de ses insultes. Vous aviez la naïveté de penser que vous étiez épargnée parce qu'il vous aimait. Inconsciemment, vous sentiez déjà que mieux valait être son amie que son ennemie.

« C'est votre mari, ça, madame ? » Combien de fois l'avez-vous entendue, cette question ! Combien de fois avez-vous dû vous faire l'avocate du diable ?

« Vous savez, il n'est pas toujours comme ça… » Combien de fois avez-vous dû plaider les circonstances atténuantes ?

Souvent, dans ces conditions, par une espèce de contagion, vous avez tourné, détourné la vérité.

À cette ex-copine qui ne vous l'envoyait pas dire (« Ton mari est un voyou ! »), vous avez prouvé par A + B qu'elle se trompait et que c'était elle qui avait acculé ce pauvre garçon à la faute.

Mais une chose est sûre, les voyous, cela ne plaît qu'un temps, même si cela plaît très fort. Vivre avec un homme qui a « le fond voyou », ce n'est pas une vie, surtout lorsqu'il cesse d'être tendre.

Les femmes sont sensibles aussi au charme des «doux dingues» (une variante). Mais le problème persiste, le même. Vient un moment où ils deviennent de plus en plus dingues et de moins en moins doux!

On ne change pas un homme. On ne change pas une femme non plus. Et il y a de quoi s'inquiéter... Mais merde! Vous allez essayer d'apprendre!

Vous étiez une femme sous influence. Aujourd'hui, l'influence a cessé, la magie n'opère plus. Après toutes ces années, et aussi subitement, il ne comprend pas. Alors, pour se soustraire à cette culpabilité qu'il fuit comme la peste, il vous dit: «Tu ne m'as jamais aimé.» Ben voyons, facile!

Surtout... il s'inquiète, et quand le pervers s'inquiète, il ameute l'entourage. Il essaie de vous faire passer pour une irresponsable.

«Ton mari s'inquiète pour toi!» vous disent vos amis. Leur regard se fait scrutateur: «Qu'est-ce qui te prend?» Sous-entendu, c'est la crise de la quarantaine, elle a pété un câble, la demoiselle.

Non, non, vous avez décidé d'éviter l'HP (l'hôpital psychiatrique), c'est tout! Ah, ces gentils amis... Ils craignent que vous fassiez des bêtises. Cela part d'un bon sentiment, mais personne ne sait ce que vous vivez, alors même eux, ils finissent par vous énerver!

Ben oui, il n'y a que lui qui ait le droit de prendre des décisions qui mettent en péril l'équilibre de la famille. Vous, vous devez rester le point d'ancrage sur lequel il peut s'appuyer. Vous êtes l'indéfectible, celle à qui rien n'arrive, sans désirs, sans envie de changement, sans lassitude.

Sinon, ne cherchez pas, vous êtes une irresponsable, une femme-enfant, une mauvaise mère, une mauvaise épouse, une garce, en somme, voire une «salope», et belle-maman de renchérir sur le vocable. Voilà que la sainte est tombée de son piédestal. On ne va pas la rater! On l'a épousée pour ça, parce que c'était une sainte, alors on ne va pas admettre qu'elle nous joue maintenant les affranchies!

Quand vous avez dit au PV, un jour où vous vous sentiez particulièrement bien, avec un enthousiasme que vous pensiez communicatif : «Je me sens revivre, tu sais, pour moi c'est comme une seconde naissance, un nouveau départ !», il n'a pas applaudi. Il s'est contenté de dire : « Ah bon ! Et c'est moi qui vais devoir subir ça ! J'ai vraiment pas de chance ! C'était à ta mère de vivre ça, il y a vingt ans ! Tu nous emmerdes avec ton chemin d'identité !»

Il ne lui est pas venu à l'idée que, depuis toutes ces années, son chemin d'identité à lui a été pour vous celui du calvaire, de la Passion, une vraie croix à porter pendant quinze ans !

Le pervers n'a aucune mémoire, c'est bien connu !

QUAND L'UTÉRUS ET LE DOS N'EN VEULENT PLUS

Vous êtes allée voir un magnétiseur avec lui, car vous souffriez atrocement du dos. Mais c'est sur votre utérus que l'homme a appuyé, déclenchant une douleur de chien (de chienne plutôt, selon le PO).

« Il y a un vide, une rétroversion, vous avez eu une fausse-couche, ou un avortement ?

– Non. »

Il demande depuis combien de temps vous êtes mariés.

«Ouf, ça fait longtemps…

– Ça va bien entre vous ?

– Non !»

Le PE reste muet pendant toute la séance.

« Vous faites l'amour ? demande le magnétiseur.

– Bof… en ce moment… (et tout de suite vous lui livrez le nœud de l'affaire, du moins l'origine du nœud !) on s'est séparés à une époque, enfin… il est parti… et depuis, mon désir joue au yoyo…

– Voilà, cette séparation est inscrite dans votre corps (le magnétiseur opportuniste saisit la balle au bond !). Depuis, vous n'avez plus une bonne image des hommes. » Au mari :

«Il faut être avec elle comme avec un bébé. Si vous l'aimez, vous devez l'aider.»

Et vous de répondre que vous êtes d'accord, que vous avez besoin d'aide. Puis c'est le cri du cœur:

«Mais je ne sais pas si je l'aime encore! (C'est plus fort que vous.)

– L'amour n'existe pas, c'est un mouvement en soi... vers l'autre, ce n'est pas la possession. Vous devriez peut-être la laisser partir, se chercher, trouver ce qu'elle a besoin, et elle reviendra ou pas... il faut la comprendre, elle est poète. L'amour semble compter beaucoup pour elle.»

Il a deviné que vous étiez une petite fleur des champs...

Les conséquences de la séance de magnétisme ne se sont pas fait attendre. Le soir, dans la chambre à coucher, à propos d'une broutille:

«Je veux regarder un film jusqu'à deux heures du matin, et toi tu veux lire. Alors dégage, va lire dans le salon!

– J'ai mal au dos, je suis mieux dans mon lit! Je me demande comment on va faire quand je vais reprendre mes études de psy (eh oui, pauvre pervers, ça s'annonce mal pour lui!), parce que je bouquinerai le soir dans mon lit, sans télé!

– Je ne veux pas vivre avec une étudiante qui ne sera pas disponible!»

Ce disant, il appuie violemment un doigt sur votre utérus.

«C'est là que ça se passe, hein? Dis-le! Dis-le! Tu es comme ta mère, il n'y a qu'une chose à faire, te battre! Tu te permets de dire à un étranger que tu ne sais pas si tu m'aimes! Tu te fous de ma gueule!»

Le pervers est atteint dans son orgueil de mâle...

«J'ai besoin de reprendre mes études, je suis une intellectuelle, tu ne peux pas nier ce que je suis!

– Tu me prends pour un con? Je ne comprends même pas quand tu parles!»

Du coup, vous émigrez, vous et votre couette, dans la chambre d'enfant vide. Il hurle, et vous lui lancez: «C'est fini, je récupère ma vie!»

Vous n'en revenez même pas vous-même de la beauté de votre sortie de scène!

« Puisque c'est comme ça, tu te démerderas avec tes mômes!»

Punir, punir. Le pervers fou a encore frappé! Et son arme favorite, les enfants, vous réduit à votre position de mère.

LE VIOL CONJUGAL

Serait-il moins impitoyable, moins sans pitié si vous lui donniez votre cul avec moins de réticence?

Mon Dieu, votre cul n'est pas une forteresse imprenable (loin s'en faut, avis aux amateurs, mais pervers s'abstenir!). Cependant, il faut croire que le PC (le prince charmant) lui en a trop fait baver, parce qu'il résiste hermétiquement à ses coups de boutoir!

Le PB ne veut pas que sa proie lui échappe, quel que soit le domaine, y compris, bien sûr, celui du sexe. Lui a le droit de dénigrer sa façon de faire l'amour, mais elle n'a pas le droit d'émettre des réserves sur ses aptitudes.

Ce soir, comme tant d'autres soirs, il vous a contrainte. Alors, malgré vos larmes, vous vous êtes soumise sans aucune réaction. Ensuite, il vous a dit qu'il s'en voulait, qu'il avait honte, puis il a remis ça et vous a empêché de dormir alors que vous l'en suppliez.

Le lendemain matin, il vous empêche de sortir du lit pour aller déjeuner. Vous explosez, vous vous débattez, vous criez, vous êtes prête à vous casser en deux pour vous échapper: «Fous-moi la paix!»

Il n'accepte pas, il n'accepte pas.

Alors, il prononce cette phrase suave: «Ce n'est pas bon de s'énerver comme ça de bon matin! Pense aux enfants, pense à nous, c'est dimanche, on va pas se faire la guerre un dimanche!»

Voilà, le harcèlement *soft* a fait place, depuis votre prise de distance, à un harcèlement de plus en plus violent.

LA FIN DE L'EMPRISE, OU L'ENVIE DE S'ÉCHAPPER, DE SE LIBÉRER, DE SE RESPECTER

15 juillet
(Je note la date, le lendemain d'une révolution bicentenaire…)

Vous allez de disputes en disputes, de conflits en conflits ; les accalmies sont de courte durée. Accalmies où il est avec vous comme avec un enfant. Il vous sert de taxi, il va chercher le livre de poèmes que vous avez commandé à la librairie, il multiplie les petites attentions auxquelles vous êtes sensible.

«Quel gentil mari ! Quel gentil mari !» disent les dames qui vous entourent.

Comme lorsqu'il arrive en trombe, débarquant en plein milieu de la séance d'ostéopathie, tel un éléphant dans une boutique de porcelaine, pour voir «comment ça va», et qu'il repart avant la fin lorsqu'il se rend compte à quel point il inhibe totalement la praticienne, qui le surnommera désormais «l'homme amoureux de sa femme».

Voyez comme il fait illusion ! Comme il est perdu, sans vous ! En fait, il est très inquiet, il surveille son gagne-pain. Il faut que la plante (parasitée) tienne le coup, que la séance d'ostéopathie la remette sur pied !

Malgré tout, vous le reconnaissez vous-même, vous l'avez déjà dit, s'il était toujours aux petits soins comme ça, il vous serait impossible de le quitter, et s'il était toujours odieux, il vous serait plus facile de le quitter.

> Car cet homme a réussi l'exploit d'inscrire en vous à la fois le manque et la dépendance.

D'ailleurs, le PO choisit spontanément des femmes très jeunes, proies faciles, celles qu'il sent en manque de père, pour les assister et les rendre dépendantes.

Ce grand illusionniste se rend indispensable. C'est parfois le groom parfait. Mais sur l'essentiel, la sécurité matérielle et affective, il ne répond jamais présent. Pourtant, quand il s'en va, vous êtes déroutée. Il a tellement joué les utilités. C'est pour cela qu'il vous l'assène : «Si je m'en vais, tu en mourras, tu ne pourras jamais vivre seule, te débrouiller seule, ma pauvre fille!» Prêt à tout pour vous aider sur une «foultitude» de détails secondaires, prêt à rien pour vous laisser être celle que vous êtes.

Vous saviez, inconsciemment, que tout ce qui vous arrive devait arriver, mais tout de même, cela vous surprend, vous étonne, et souvent même vous renverse! Rien d'étonnant, souvenez-vous de *pervertere*, qui veut dire «renverser». Alors, vous vous retournez sur le passé, vous revoyez le travail, les enfants, les tâches sans fin (pour lesquelles il ne vous est d'aucune aide).

Paradoxalement, il est devenu votre repos, votre refuge. Ça a toujours été comme ça et vous avez fini par en oublier les incuries du couple, ses insuffisances. Alors, voilà, il a fallu cet accident qui vous a immobilisée, qui vous a obligée à vous arrêter, qui vous a obligée à penser, à lever la tête. Dès lors, vous avez regardé le paysage tout autour de vous, et vous avez eu honte… À l'avenir, vous vous interdirez d'être absorbée au point de perdre conscience de votre aliénation.

Et puis il y a ces scènes terribles, diaboliques, humiliantes qu'il vous a faites et qui ont taillé des plaies, fait des entailles, des trous noirs dans votre relation. Pas étonnant qu'aujourd'hui elle soit en lambeaux. Chacune a marqué un clivage. Alors la séparation est devenue peu à peu comme une évidence, une nécessité. Vous ne vous en êtes pas rendu compte, parce que chaque fois c'était comme si, dès l'orage passé, tout revenait comme avant – du moins vous vouliez vous en convaincre. Évidemment, c'était un leurre.

Car s'il y a un domaine où il ne faut pas aller trop profond, même si parfois on va très loin, c'est en amour. Il ne faut jamais prononcer certaines paroles irrémédiables, irréversibles. Il ne faut jamais enfreindre certaines limites. Essentiellement, celles du respect.

Oui, mais comment le faire comprendre à un *Pervertus Extraordinarius*?

Le fait même d'évoquer l'amour, s'agissant de la relation qu'on entretient avec lui, est un non-sens, alors…

> Non, croyez-moi, il n'y a qu'une chose à faire, encore et toujours, je le répète: se regarder dans une glace, découvrir qu'on ne se respecte plus soi-même et… tourner les talons!

De plus en plus, vous avez conscience, pire, la conviction profonde que votre union restera stérile (malgré la présence d'enfants), qu'il ne comprend rien, parce qu'il ne veut rien comprendre, qu'il ne veut pas bouger d'un poil, parce que ce n'est pas son intérêt, qu'il perd son emprise sur vous, sa domination, et qu'il faudrait qu'il se remette en cause, qu'il «bosse», en résumé, au propre et au figuré, mais qu'il n'en fera rien.

Ce ne serait pas confortable, car il perdrait ce qu'il estime être ses droits réservés! Donc, aucune avancée possible, dans aucune direction. La marche des crabes dans le désert!

D'ailleurs, vous ne lui envoyez pas dire, un de ces soirs de tempête cyclonique, après une de ces récurrentes discussions sans fin.

> Vous: «Quel intérêt de parler ainsi? Ça ne sert à rien de parler avec toi. Vivre avec toi ne sert à rien, d'ailleurs! Et comme vivre avec moi dans ces conditions ne m'intéresse plus… je décide de vivre pour moi.»

Voilà ce que vous en tirez, de tous ces dialogues, de toutes ces disputes: une énorme sensation de perte de temps, de perte d'énergie, de perte de vie, de destruction. Si vous avez apporté à un pervers tout votre enthousiasme, en échange il vous a fait passer toutes ses désillusions. Mais désormais, c'est vous qui lui dites: «Stop, va mourir ailleurs!»

Rien ne sert d'être courageux, il faut partir à point.

> N'en doutez pas: le courage face au pervers ne mène à rien, surtout quand on confond aveuglement et courage.

Le pseudo-courage, c'est supporter une situation intenable. Le vrai courage, c'est y mettre fin. Le pseudo-courage c'est celui, épuisant, de creuser, puis de tenir la tranchée. Le vrai courage, c'est d'en sortir pour aller voir ce qui se passe dehors, où ce n'est finalement pas la guerre annoncée.

Avec lui, vous êtes dans une prison payante (par vous). Librement acceptée, espèce de folle !

Mais ça y est, vous avez décidé de cesser de payer le tribut à votre histoire.

Qu'est-ce qu'il dit, le psy ?

Eh oui, il arrive qu'il vous parasite, ce psy, alors que vous ne lui demandez rien ! Il a dit que vous confondiez aveuglement et courage. Il est dur ! Quand même, moi, j'ai le sentiment d'avoir été courageuse, même si ça n'a servi à rien, on est bien d'accord ! Qu'on me reconnaisse au moins cela, d'avoir été courageuse ! Bon, heureusement que je l'aime bien ce psy, et puis je sais qu'il a raison, et ça m'énerve qu'il ait souvent raison !

LA SÉPARATION DE COMPTES, OU LA GUERRE EST DÉCLARÉE

Il y a deux jours, le PO (*Pervertus Ordinarius*) a fait disparaître les téléphones de la maison. Conclusion : tous les coups de fil basculent sur son portable.

Ce matin, il vous hurle que si vous faites virer votre salaire sur un compte personnel, c'est fini entre vous.

Une bonne raison pour le faire !

Puis il se ravise. Si vous faites comptes séparés, de toute façon, comme c'est le montant des dépenses du ménage, votre salaire y passera.

Tiens, tiens, alors comme ça, vous seriez le dindon de la farce ?

Ce fameux salaire de la peur vient justement de tomber dans le grand trou sans fond du compte joint, et ce n'est pas l'idéal pour ouvrir un nouveau compte! D'autant que le pervers se refuse à consentir à l'amiable une rétrocession d'une partie de la somme pour l'alimenter.

Vous devez faire intervenir votre fondé de pouvoir pour parlementer et obtenir un chèque de la moitié de votre revenu, auquel le rat ne va pas manquer de soustraire mesquinement la dernière coupe faite chez votre coiffeur. Et sur ce, il vous pique le chéquier en cuir dont le banquier vous a fait cadeau. Vous êtes marron jusqu'au bout!

Et bien sûr, il refuse de vous fournir les relevés de compte bancaire du compte joint: «Ça, ma petite, tu ne les auras pas, tu es une emmerdeuse!», ou encore: «Ce que tu es mauvaise, à me demander toujours ces relevés!» En prononçant ces mots, il signe son arrêt de mort, sans le savoir, ou en le sachant et le voulant…

Le PV devient carrément délinquant quand le contrôle de la situation lui échappe. Bien plus, il vous pousse à la rupture, puisqu'il agit de manière inacceptable. Comment peut-il imaginer que vous allez vous soumettre? (Un compte joint, c'est un compte joint, les relevés vous appartiennent!) Vous mesurez le mépris qu'il a de vous, le peu de cas qu'il fait de vous en s'imaginant que vous allez lui permettre de vous traiter ainsi.

Et pourtant, vous n'avez pas encore parlé de séparation. Mais lui vous y conduit tout droit!

30 août

Autre date importante, date repère (à défaut de père, faut avoir des repères, me répète le psy).

Ça ne manque pas, en guise de représailles, face à votre demande de restitution des relevés de compte, il éructe: «Tu ne dormiras pas dans mon lit ce soir! Dans mon lit, on fait l'amour!» (Il ne précise pas qui est ce «on».)

Et: «Je n'ai pas confiance en toi!» (ou l'art de retourner encore et toujours la situation). Répudiée, vous êtes répudiée.

Mais le soir même, il a changé d'avis. Tout mielleux, il a remis le masque du gentil, il se contrôle à nouveau, la nuit approche, il n'a pas envie de la passer seul.

Alternance de vacheries et de compliments : « Tu as vu ta tête ? » et « Tu as un corps superbe ! »

Pendant toutes ces années, il a été plutôt avare de compliments. Dernièrement, il disait tout au plus : « Ouais, t'es pas mal… » Quand vous changiez de coiffure : « Mouais, je vois pas la différence… » Maintenant que vous vous carapatez, vous êtes Bo Dereck et on vous surnomme *the body*. Il lui est du reste arrivé de rentrer à la maison mi-étonné, mi-fier parce que des gens lui avaient dit qu'il avait une jolie femme.

Mais vous, vous en faites un point d'honneur : tant qu'il ne vous rendra pas les relevés de compte, vous ne dormirez pas avec lui ! Pas question !

La morale de l'histoire : En amour, il faut garder son « quant-à-soi », mais surtout son compte à soi.

Donc, en situation de crise, le *Pervertus Extraordinarius* accentue la pression pour que la victime capitule. Il se déchaîne. Il fait dans la méchanceté cruelle. Pour que le carnage cesse, il faudrait que vous baissiez la garde.

Dans ce combat pour le respect de vous-même, dans ce combat pour l'avenir, vous avez compris que le couple ne résistera pas. Il restera, cadavre gisant sur le champ de bataille. Le pervers vous a fait trop mal… Plutôt que de perdre le contrôle, il préfère perdre la femme.

Le pervers fait tout pour vous repousser, il ne laisse aucune chance à une éventuelle renaissance de vos sentiments. Il ne transige pas. Il vous pousse à la rupture. Le PB (*Pervertus Banalus*) ne veut pas d'une petite séparation « pour voir ». Il ne conçoit pas de délai de réflexion, si minime soit-il. Il est trop fier, il a une trop haute opinion de lui-même pour accepter qu'on lui fausse compagnie et qu'on ne le serve plus ! Vous lui échappez. Cela, en soi, il ne le supporte pas, alors il préfère vous voir disparaître.

Tout bien réfléchi, dans le fond, ce type de pervers-là (qui est le mien), toujours prêt à anticiper sur ses intérêts, a finalement choisi d'aller semer ailleurs. Chercher la femme... l'autre femme. La pré-suivante. Vous êtes sur le bon chemin.

L'AFFAIRE DES LÉGUMES, OU L'APRÈS-SÉPARATION DE COMPTES

Quoi qu'on dise, vous êtes une bonne épouse, une bonne maman, attentive à la présence de légumes sur la table. C'est pour cela qu'il vous a choisie d'ailleurs.

Vous lui dites : « Il faut acheter des légumes, et je n'ai pas de liquide sur moi. Tu peux le faire ?

– Tu plaisantes ? Tu n'as qu'à payer. Tu m'as piqué assez de sous comme ça ! »

Il parle de la portion de votre salaire que vous « lui » avez volée pour ouvrir le compte séparé. Quand je vous dis qu'il raisonne à l'envers... Il croit que votre salaire lui appartient. Vous lui faites remarquer qu'il compte mal.

Alors, il ouvre les placards et dit à son fils : « Tu mangeras des conserves. Quand il n'y aura plus rien, on fera des courses ! » Ce disant, il montre une vieille boîte de choucroute qu'il a achetée il y a belle lurette.

Aussi, le soir, vous êtes étonnée de le voir rentrer avec des tomates et des concombres. Vous vous dites qu'il s'améliore. Eh bien, non !

« Tu me dois la moitié de la note de légumes ! » assène-t-il.

Ensuite, les choses vont crescendo.

Le PV gratte sur tous les plans, dans tous les coins, maintenant que vous avez fait compte à part. Désormais, il dit à son fils de téléphoner à ses copains avec votre portable.

Vous êtes en train de taper sur l'ordinateur, il vous crie – cet homme ne sait plus parler normalement : « Tu me dois la moitié de l'ordinateur ! »

Et pourtant, je le répète, vous n'avez pas encore parlé de séparation. Ça promet d'être jouissif!

Sûr que l'ordinateur va remplacer le chien que vous n'avez pas. Il va falloir lutter dur pour en avoir la garde, parce que celle des enfants, pour vous, c'est dans la poche, il n'en voudra pas. Mais l'ordinateur, la voiture et certains meubles… là, il va se montrer coriace!

LA TERREUR DE L'INÉLUCTABLE

Chez le psy:
« J'ai peur de ce que je vais faire… Divorcer. Peut-être est-ce mon inconscient qui me prévient…
– Vous avez eu peur quand vous vous êtes mariée?
– Non.
– Bon, alors!»

Se séparer d'un pervers est une entreprise qui terrorise à juste titre. Si vous avez mis du temps à prendre la décision, c'est parce qu'il y avait, dans votre inconscient, la certitude (et elle remontait très souvent à la conscience), que cela allait être dur! La réalité va dépasser la fiction!

La collaboration du pervers coûte très cher à l'achat, mais alors, quand vous voulez vous en séparer…

Avis à la population féminine:
Aimer un pervers coûte très cher. Mais ne plus aimer un pervers est carrément exorbitant!

LA PUISSANCE DU DÉSIR DE RUPTURE

Vous vous demandez quelle force de rejet vous anime ainsi.

C'est comme si cet inconscient, devenu votre allié, surmontant vos peurs, vous dictait maintenant votre conduite, et que vous lui obéissiez comme une somnambule. C'est comme s'il vous faisait faire ce que vous n'aviez exprimé auparavant que sur un coup de colère. Ce qui semblait, en apparence, être un coup de colère.

Qui parle par votre voix? Vous ne vous reconnaissez plus!

Soudain, vous rejetez le PB comme une cellule qui expulse un corps étranger, ou un miasme. Quand le seuil de tolérance est atteint, c'est comme un raz-de-marée... une tornade que rien ne peut empêcher ni arrêter.

Mais soyez honnête, depuis combien de temps aviez-vous la sensation de respirer plus large, plus libre chaque fois qu'il s'absentait un peu plus longtemps que d'habitude ou que vous étiez loin de lui?

Oui, les premiers signes sont apparus il y a bien longtemps.

LE PERVERS TENTE ENCORE DE VOUS PILOTER À DISTANCE

Au cas où (qui sait?) vous avez réussi à aller vous mettre «au vert» à quelques centaines de kilomètres de là, au milieu des arbres fruitiers, par exemple, pour réfléchir, pour faire le point, il y a toujours un petit coup de fil du PV pour vous rappeler que vous devriez en profiter, tiens, pour acheter des légumes pour... les enfants.

Parce que, bien sûr, des légumes, il n'y en a que là où vous êtes!

Ainsi, dans l'hypothèse où il vous reste juste assez de temps pour visiter un monastère (ça arrive) ou vous envoyer en l'air avant de partir (ça arrive aussi!), le choix est vite fait. Pas d'alternative: on vous a rappelé que les légumes sont vitaux pour les enfants!

L'avis du psy: Il vous a rappelé que vous aviez des enfants, il vous a rappelée à l'ordre, vous a culpabilisée. Quand il sent que vous lui échappez, il essaie de reprendre le contrôle à distance.

LA DÉCISION PURE ET (PAS) SIMPLE

Les décisions de rupture importantes, même si elles ne sont jamais que l'aboutissement d'un cheminement, se prennent souvent hors de chez soi, hors des repères habituels, dans des endroits où rien ne vient parasiter l'esprit, sans influence d'aucune sorte, loin des détails de la vie quotidienne et de ses contraintes, dans une situation de lâcher-prise.

Cela peut se faire lors de retraites dans des lieux calmes, déserts, retirés, propices à la réflexion, ou à l'occasion de vacances dans des sites magiques, porteurs d'énergie. Envahie alors de bouffées d'allégresse, on retrouve cette farouche envie de vivre qui s'est peu à peu étiolée, et il apparaît soudain comme une évidence qu'il faut faire cesser la relation mortifère.

Oui, mais voilà, une fois la décision prise, le plus dur reste quand même à faire : le faire !

Ce jour-là, vous n'avez pas pris l'autoroute à contresens, mais il s'en est fallu de peu… Vous vous êtes contentée de vous tromper de direction. Vous êtes partie à l'opposé. Et il a fallu rouler des kilomètres et des kilomètres avant de pouvoir faire demi-tour.

Vous étiez remplie de trouble, d'une espèce d'affolement qui vous a fait perdre le sens de l'orientation. Vous saviez que vous aviez franchi un pas décisif, une étape vers l'inéluctable, que ça y était, que tout vous poussait à agir, que rien ne vous arrêterait, même pas vous-même. Une force vous dépassait, qui vous propulsait vers l'inconnu, même si vous aviez le trouillomètre à zéro !

Vous n'aviez la tête à rien d'autre qu'à ce que vous vous apprêtiez à faire. Vous parliez toute seule, rouliez trop vite, avec beaucoup d'écarts de conduite, trop préoccupée… emportée, transportée. Peut-être même chantiez-vous pour vous donner du courage… Bref, vous ne vous souvenez de rien.

Le soir même, vous lui avez annoncé que vous faisiez chambre à part… définitivement.

Vous aviez toujours mis du temps à prendre des décisions, même les plus banales. Cette fois, vous ne vous êtes pas reconnue. La vitesse à laquelle vous êtes passée à l'acte vous a sidérée. Comme si quelqu'un avait allumé la mèche au début d'un chemin de poudre dessiné à l'avance, lentement, au fil des années.

En un rien de temps, la flamme serpente, embrase, arrive au terme de son voyage et fait sauter la charge. Tout est prêt pour la déflagration. Tout est là, préparé par l'artificier…

Votre cerveau a tout enregistré, méthodiquement, à votre insu, pour en faire un ensemble structuré. Vous avez relié tous les fils entre eux et vous partez ! Toutes les pièces du puzzle se sont mises en place toutes seules, d'un coup, pour former une image de lui d'une clarté terrifiante.

L'*OMERTA*, OU LA LOI DU SILENCE

Le psy: Mais pourquoi n'avez-vous jamais dit tout cela à personne? Même ici, il a fallu attendre des mois pour que vous en parliez.

> Parce que si je l'avais dit, comment aurais-je pu justifier d'être encore avec lui? La logique aurait été que je le quitte depuis longtemps. Mais je n'y étais pas prête. Vous me le dites vous-même, ça va être dur. Je le sais. Et je ne voulais pas non plus m'avouer à moi-même combien j'étais maltraitée. Je voulais jouer à la femme heureuse, comme si tout était normal…

Quand la victime est sous une emprise, c'est comme si elle avait un bœuf sur la langue.

Oui, c'est drôle, cette difficulté à annoncer aux autres ce projet de séparation. C'est comme une chose honteuse dont vous vous sentez coupable en partie parce que vous en avez pris l'initiative, mais ce n'est pas seulement cela…

Oui, vous éprouvez de la honte, comme pour une maladie honteuse, alors qu'il y a tant de divorces… parce que vous avez toujours préféré jouer à la femme heureuse, «normale», comblée…

Il faut oser l'avouer, cette chose si intime, l'échec de la vie amoureuse, de la vie de couple, de la vie de famille, et oser dire aux autres qu'on s'est plantée. Tout va bien ? Non, non, ça ne va pas ! Ce n'est rien ? Non, non, c'est grave, c'est sérieux ! Ça va passer ? Non, il en restera toujours des traces !

LA FIN DE L'EMPRISE : LA HONTE

Quand la manipulation dont vous avez été victime apparaît tout à coup évidente, un sentiment de honte surgit.

C'est le réveil d'une blessure narcissique, celle d'avoir été humiliée, trompée, et d'avoir cru au mensonge. Ce sentiment d'avoir été flouée et de s'être laissée faire...

Vous sortez alors (enfin !) de l'emprise, comme un papillon de sa chrysalide, mais lentement. Car ne vous leurrez pas, ce pouvoir qu'il a sur vous ne cessera pas le jour où vous aurez pris la décision de divorcer.

Aussi, vous perdrez beaucoup de plumes dans cette procédure si vous ne tenez pas compte de l'avertissement qui vous est donné ici : avec un pervers, il faut être plus dure que lui ! Au risque de provoquer l'escalade...

LA TENTATIVE DE REPRISE DE CONTRÔLE

« Et si on faisait un autre enfant ? »

Eh oui, c'est au moment où vous envisagez de le quitter qu'il vous propose un troisième enfant, alors qu'il a eu le sentiment de s'être fait « avoir » quand vous lui en avez réclamé un deuxième. Mais cela ne prendra pas... rassurez-vous ! Vous êtes vaccinée, pilulée, contraceptisée à mort.

LA VIOLENCE PHYSIQUE

Un jour, vous lui lancez à la figure : « Tu ne gagnes pas un sou, tu me trompes, il ne te reste plus qu'à me battre, et ce sera la totale. Il n'y a que ça que tu ne fasses pas ! »

Vous venez de lui en donner l'autorisation.

Il ne vous fera pas l'offense de l'utiliser immédiatement, mais vous êtes sur le chemin. La première claque n'est pas qu'une gifle, c'est l'équivalent d'un magistral coup de pied au derrière.

Séquence souvenir

Il y a de cela quelques années, n'en pouvant plus, vous avez voulu descendre de la voiture qu'il conduisait trop vite. Alors, il vous a filé une pichenette à la lèvre, qui s'est entaillée sur votre dent, et vous avez saigné.

Du coup, vous n'avez plus bronché. Comme si vous l'aviez bien mérité, comme si c'était vous la coupable et que vous acceptiez cette marque de possession. Vous étiez sa chose : interdiction de partir, obligation de supporter l'insupportable, l'intolérable.

Vous saviez qu'il continuait à voir cette femme et vous ne vous respectiez plus en restant là, assise à côté de lui, dans cette voiture. Vos enfants étaient à l'arrière, ils ont eu peur et ont pleuré devant ce rappel à l'ordre, son ordre à lui.

Il y a eu d'autres circonstances où vous avez voulu quitter le véhicule, brutalement, pour ne plus subir, entendre sa violence, mais vous ne l'avez pas fait parce que vous aviez peur des conséquences, toujours les enfants derrière... Il vous tenait avec eux et il aurait bien fallu se réconcilier pour eux, de toute façon.

Mais ça, c'était avant. Maintenant, vous avez décidé qu'il n'y avait plus de réconciliation possible, que vous n'en voulez plus, quoi qu'il arrive et malgré les petits, que vous affronterez les conséquences, que vous allez résister et faire face aux mauvais traitements et aux insultes qui vous attendent.

Vous verrez qu'il vous en infligera moins que prévu, dès lors que vous cesserez de prêter le flanc à ses griffes.

MOTS ET MAUX EN TOUS GENRES

Avec un pervers qui vous empêche de vivre, qui vous met sous cloche, il n'y a qu'une chose à faire pour étouffer cette énergie vitale qui vous conduirait, si vous vous écoutiez réellement, à le quitter: c'est tomber malade.

Jamais de la vie vous n'auriez pensé que vous alliez somatiser! Non, vous êtes une fille intelligente et vous avez toujours de bonnes raisons d'avoir une angine, une crise d'allergie ou un lumbago!

L'allergie au prince charmant

L'allergologue: «Alors, comment allez-vous depuis notre dernière rencontre?

– Eh bien, je divorce…

– Alors, c'est fini, vous n'avez plus besoin de désensibilisation…

– Pourquoi?

– Tout va disparaître.

– Expliquez-moi ça.

– Quand je vous ai vus tous les deux, je me suis dit: "Mon Dieu! Comme ils ne vont pas ensemble! Comme ils sont différents!" Vous dites qu'il est dans le commerce? Alors, il s'est vendu ou il vous a achetée?

– Je ne sais pas…

– En tout cas, moi, je le savais, je vous assure… J'ai un don pour ça, pour évaluer les couples…

– Alors, le prochain, je vous l'amènerai.

– Oui, faites ça, je vous dirai si c'est viable.»

Cela vous a fichu la trouille. Pour le suivant, vous n'êtes pas allée voir l'allergologue conseiller matrimonial.

LE DÉSENCHANTEMENT, LA DÉSILLUSION, LA DÉBANDADE, OU LE DÉGOÛT

Ça y est, vous ne ratez plus une de ses fautes de français, plus une de ses élucubrations, pas plus que son ton trivial ne vous échappe. Alors qu'avant, tout passait…

D'ailleurs, il se sent de plus en plus mal avec vous. Il a beau dire et beau faire, vous le reprenez chaque fois qu'il dérape!

Il dit: «On dirait que ce que je te dis t'agace suprêmement!»

Il est à trois mille lieues en dessous de la vérité!

C'est que vous savez maintenant quand il vous baratine, comme disait sa première femme.

Maintenant, c'est votre tour. Vous êtes devenue «l'autre», mais c'est vrai qu'avec vous il n'est plus à la fête, le pervers! Au demeurant, il vous le rend bien.

LES MAL ASSORTIS

Vous avez le malheur de dire que le théâtre (pour la fille) et le rugby (pour le garçon) ont lieu à des heures concomitantes.
Il répond: «Tu peux pas parler français?
– Et "fais chier", tu comprends, ça?»

Il faut croire qu'il faisait des efforts, question vocabulaire, quand vous étiez ensemble, parce que, maintenant, il vous fait répéter tout deux fois au téléphone, il estropie vos mots. Comme s'il y avait deux langues françaises et que vous ne parliez pas la même. Il veut mettre l'accent sur vos différences.

Désormais, il va pouvoir être lui-même (il ne risque pas de vous séduire à nouveau!). Il va enfin cesser de jouer à être un autre, et vous aussi par la même occasion!

La pire chose – ou la meilleure – qui risque de vous arriver, c'est que vous finirez par oublier qu'un jour vous l'avez aimé.

Bien plus, vous ne trouverez plus aucune raison de l'avoir aimé. Au fait, l'avez-vous jamais aimé ? Voyez, je vous le disais !

Et pourtant, il restera une sorte de nostalgie, de vague à l'âme qui vous laissera parfois croire que vous êtes passée à côté de quelque chose. Mais cela finira par s'estomper sans doute. Il vaut mieux que vous entreteniez cette espérance.

De toute façon, tout vous le crie, vous ne pouvez pas finir votre vie avec cet homme !

Bon, mais comment quitter un *Pervertus Abominablus*, alors qu'il ne faut jamais quitter un *Pervertus Abominablus* ?

LA SÉPARATION PURE ET (PAS) SIMPLE

S'il y a un conseil à vous donner, c'est de ne jamais avoir envie de quitter un pervers, et encore bien moins de le quitter. Cela vous étonne ?

L'envie de se séparer, c'est l'horreur qui se profile ! Pas moins !

Vous persistez quand même ? Vous pensez que vous arriverez à éviter le carnage, que vous saurez l'amener à un comportement digne, en lui montrant l'exemple et en le guidant d'une main habile sur les chemins de la raison ? D'accord.

Vous n'avez pas encore compris, vous n'avez pas suffisamment appris. La suite va encore vous instruire, un peu plus, vous allez voir.

Non… sérieusement, avec un pervers, il n'y a pas de solution satisfaisante. Et ce sera pire si, excès inverse, vous faites dans la surenchère, agissez dans la colère, la réaction, la violence, et qu'en proie à un dégoût total, vous hurlez : « Cette fois c'en est trop, je te quitte, à n'importe quel prix ! »

Car alors, affaiblie et vulnérable, vous paierez le prix fort ! Il n'y a aucun doute là-dessus. Vous jouez, plus que jamais, le rôle de la victime.

C'est ce que j'ai fait. Ne suivez pas mon (mauvais) exemple !

> Le seul moyen d'emprunter le chemin de la libération, c'est de construire à l'intérieur de soi la rupture, de bâtir les conditions de la séparation. C'est aussi de travailler à le comprendre, ce PB.

Cela vous servira lors de la séparation, pour anticiper, préparer et éviter de vous en tirer à trop de frais, à trop seulement, car des frais il y en aura toujours. Et des gros !

Le mien, face à la soudaineté et à la violence de mon rejet, a fait l'étonné, comme s'il n'avait rien vu venir. « Je ne comprends pas, tu disais toujours : c'est comme tu veux ! »

Ou encore, plus crûment : « Tu as fermé ta gueule toutes ces années, et maintenant tu l'ouvres et tu te tires ? »

Il vous accuserait de n'avoir pas bronché, de le prendre par surprise ! Aussi, impossible d'en placer une sans être démolie.

Même avec la meilleure volonté du monde, comment auriez-vous fait pour « l'ouvrir » face à ce fabuleux contradicteur à la puissante voix de tribun ? Son organe est musclé, sa capacité thoracique conséquente, et sa mauvaise foi sans bornes.

Vous, face à lui, vous n'aviez que votre raisonnement, votre désir de mieux faire. Vous ne faisiez pas le poids devant la haute technicité verbale de votre époux mal-aimé !

Malgré tout, vous avez essayé plus d'une fois, mais vous a-t-il seulement entendue ? En tout cas, il ne vous a pas écoutée. Il a attendu que vous vous découragiez.

Chaque fois que vous faisiez des efforts surhumains pour sortir du bocal aux parois lisses et gluantes, et que vous retombiez dans la poisse, il a assisté au spectacle ; il vous a regardée vous débattre sans jamais vous donner un coup de main, jusqu'à ce que, complètement épuisée, vous ne bougiez plus.

L'OTAGE, OU ÇA COMMENCE

Bien qu'il sente venir la fin, il a les moyens de vous tenir encore un peu en dépendance.

Si, après une scène d'une rare violence, il parvient à vous faire avouer, à vous qui êtes dans le trouble le plus avéré, que vous ne l'aimez plus, alors il se tient coi. Tel un enfant irresponsable, privé d'amour, il s'arrête. Il ignore les siens. Il se désengage. Un avant-goût de ce qu'il fera lorsque vous serez séparés.

Cela reste confortable pour lui, puisqu'il passe la journée au lit. Vous êtes ainsi privée de votre chambre…

Comme si, lorsqu'il a disparu de longs mois et qu'il vous a dit au bout du fil : «Je ne t'aime plus, mais alors plus du tout!», vous aviez cessé de vous occuper des enfants, alors tout petits.

Voilà encore le chantage en voie d'exécution. En effet, combien de fois vous a-t-il dit : «Si on divorce, je ne verrai plus tes mômes»? Pas les siens, les vôtres bien sûr!

Il y a des femmes qui restent pour moins que ça!

«T'as qu'à les vendre, tes mômes, y en a qui n'en ont pas et qui cherchent à en louer le week-end!» Voilà ce qu'il vous propose, parfois, l'air le plus sérieux du monde! Le pervers ne manque pas d'idées «originales», avouons-le.

LE PERVERS METTEUR EN SCÈNE

Il n'est pas très décidé sur ce qu'il va faire si vous persistez à vouloir le quitter.

Premier scénario :

Lui, dans le rôle principal, façon desperado : «De toute façon, la vie ne m'intéresse pas. Elle ne m'a jamais intéressé. Ce n'est pas ta faute… donc, après la séparation, je vais me tuer. Je me suis raté une fois. Cette fois, pars vite avant d'être accusée! Il va y avoir un commissaire de police ici…»

Il essaie donc de vous apitoyer.

Deuxième scénario :

Façon tueur en série : «Je vais tuer d'abord tes enfants, et toi, je vais t'estropier et je me tuerai après, comme ça tu souffriras toute ta vie!»

Troisième scénario :

Façon Borgia : « Je vais t'empoisonner, mettre de la mort-aux-rats dans ta nourriture, tu vas crever ! »

Si vous aviez une opinion à émettre, vous opteriez pour le quatrième scénario, celui qui va se dérouler d'ailleurs. Il va se pendre certes, mais au cou d'une fille dès que vous aurez plié bagage.

Bon, après vous avoir parlé de ces trois projets, il vous demande de lui faire une tisane. Tueur, mais amateur de boissons pour vieilles dames. Il a vu le film *Arsenic et vieilles dentelles,* ou il a trop lu Agatha Christie. Vous refusez. Il vous colle sur le bras la bouteille d'eau glacée qu'il sort du réfrigérateur.

Il renonce à la tisane.

Il a toujours fait comme ça, il préfère se priver que de le faire lui-même.

À la réponse : « Fais-la toi-même, cette tisane, excuse-moi mais je suis occupée », il a toujours répondu : « J'aime quand c'est toi qui la fais ! » avec un air d'enfant.

Partisan du moindre effort. Ça marchait bien, avant. Après s'être lavé les mains, il vous éclabousse : « Je te baptise ! » Puis, il dit aux enfants : « Quel mauvais caractère elle a, votre mère ! Vous voyez comme elle est méchante ! »

Alors, malheureusement, vous explosez devant votre progéniture, qu'il a commencé à prendre à témoin : « Comment pourrais-je être gentille alors que tu m'as dit que tu voulais m'empoisonner avec de la mort-aux-rats ? »

L'inéluctable survient, votre petite fille s'écrie : « Il a dit ça, papa ? Moi, ça m'aurait pas plu non plus. Maman, moi je ne veux pas que tu crèves. Si papa veut t'empoisonner, moi je ne l'aime plus… »

Vous avez l'impression de nager en plein délire ! Et c'est ce que vous faites.

Ce sont là des paroles, des petites agressions sans gravité apparente, mais porteuses de violence et d'humiliation.

Là, vous le sentez, il ne veut pas aller trop loin, mais ce n'est pas l'envie qui lui manque de vous donner une raclée ! Le viol conjugal, il sait que c'est dur à prouver... Les coups et blessures, c'est plus tangible et vous feriez un scandale. Et le PO n'aime pas le scandale.

Pour en revenir au langage du pervers (le pervers et la violence des mots), on constate qu'en phase de séparation, le pervers se surpasse verbalement: «Je vais t'estropier!» Ça (et c'est la moindre des choses), c'est un mot, une phrase à lui.

À lui encore: «Je vais te crever les yeux!» Jusque-là réservée à un enfant, l'expression n'est appliquée aux adultes que lorsque la proie échappe.

Car il s'est toujours permis, avec les enfants, des violences et des abus verbaux qu'il n'ose que rarement avec les adultes. Les petits, sans défense, sont les victimes de son arbitraire.

Le petit Loïc refuse mordicus de se laver les dents. Le pervers pédagogue réagit: «Tu te laves les dents ou je te pète la gueule!»

Le petit Loïc à sa petite sœur, devant le lavabo de la salle de bains: «Sors-toi de là ou je te pète la gueule!»

C'est le pervers qui se succède à lui-même au travers de son fils!

ANGÉLISME

Lui est un ange mal-aimé qui n'a rien à se reprocher, et vous, vous n'êtes qu'une rancunière quand vous lui expliquez qu'il n'est pas un saint.

«Tu me quittes parce que tu ne m'as jamais aimé, pas parce que je t'ai trompée. Au fond ça t'a bien arrangé cet adultère!»

En fait, il a commis l'adultère parce que «vous ne baisiez pas», sans doute à cause de votre mère. Et il se demande si vous n'avez pas une relation lesbienne.

Voilà le pervers psy qui s'adonne à une interprétation sauvage, ou comment retourner encore et toujours la situation à son avantage. Tout vient de vous et de votre histoire!

Ou encore: «Tu vas arrêter, salope, de me parler de cet adultère!»

Tout ça parce que vous ne faisiez que répondre à l'une de ses sempiternelles attaques, alors qu'il vous faisait un tas de reproches sur ce que sa conduite vous avait amenée à faire. Et que vous lui faisiez simplement remarquer : «Tu n'es pas blanc non plus, mon chéri!»

Le pervers vous reprochera toujours de vous livrer aux extrémités auxquelles il vous a acculée.

LA CONVOCATION

Ça y est, malgré le programme des réjouissances qu'il vous promet, vous avez décidé de le convoquer.

Par l'intermédiaire de votre portable, vous lui demandez de venir discuter avec vous. Dans un endroit neutre. Vous avez choisi un jardin public.

Il dit : «Donne-moi les grandes lignes, je n'ai pas de temps à perdre.» C'est le PO pressé, mais naïf, qui ne s'attend pas, mais alors pas du tout, à ce qui va lui tomber sur le coin de la figure.

Il attaque le premier : «Je sais ce que tu veux, tu veux reprendre tes études, qu'on te foute la paix, tu veux un mec pour te garder tes mômes, mais tout ça, ça se négocie, ma belle, il faut payer, ma belle!

– Non ce n'est pas ça que je veux, surtout pas ça!

– Qu'est-ce que tu veux, alors?

– Je veux une séparation, un divorce, j'ai subi trop de violences verbales, morales et physiques depuis des années.

– Tu veux ça? (Dans sa voix, vous entendez de l'incrédulité : comment peut-on avoir envie de le quitter?) Mais moi je ne veux pas divorcer! Va te faire foutre! Va te faire foutre!» Et il raccroche.

Vous rappelez.

Il décroche (par pure curiosité) : «Qu'est-ce que tu veux me dire? Que tu veux me faire l'amour?» Vous n'êtes pas prise au sérieux. Il tente de retourner la situation une fois de plus.

Il demande où vous êtes.

«Au jardin public.

– Avec les sans-abri, les Noirs et les Arabes? Bravo!» L'agression, toujours. L'agression et le mépris. Vous avez nié longtemps avoir épousé un raciste, un extrémiste de droite refoulé! Vous saviez qu'un jour cela finirait comme ça.

Il vient quand même. Vous lui réitérez votre décision.

Il dit que vous êtes maboule, que vous êtes rentrée dans une secte, que dans quinze jours il sera aux Caraïbes, qu'il ne gagnera plus un rond, que vous vous démerderez toute seule avec vos mômes, et puis, rebelote dans le violon de l'autosatisfaction: «Moi, tout va bien, je t'aime, j'aime mes enfants, si tu veux partir, c'est à toi de partir!»

Et re-rebelote encore, dans le tam-tam du dénigrement: «Regarde-toi! Tu veux divorcer, toi? Qu'est-ce que tu vas faire après? Tu ne ressembles à rien, t'es une pauvre, une pauvre fille! Mais qu'est-ce qui te prend? Tu fermes ta gueule pendant des années et maintenant… (Nous y voilà!) De toute façon, je ferai ce que je voudrai, c'est pas une femelle qui va me dicter sa loi.»

Vous vous demandez ce que peut bien avoir votre corps pour lui inspirer un tel mépris. Jusque-là, il trouvait cela plutôt bien, non? Ces derniers temps, il vous coinçait dans les coins, ne supportant pas que ce corps lui échappe. Maintenant que vous partez, vous êtes devenue rien, moins que rien, une sous-merde.

Trente minutes après l'épisode du jardin public, vous vous retrouvez tous les deux à la maison, sans que vous le vouliez. Il vous dit: «Dis donc, tu n'as pas peur de moi, toi! Pour ce que tu m'as dit dans le square, j'aurais pu te frapper ou te violer! Dorénavant, ne passe pas à moins de trois mètres de moi! (la menace).»

Et encore: «Ça m'étonnerait que tu aies été voir un avocat, tu es trop radine pour faire un chèque, mais tu crois que tu as la science infuse, comme ton père, qui dit qu'il connaît tout et qui ne connaît rien. (Pauvre papa qui se voit mêlé malgré lui à votre disqualification!)»

Quel art d'habiller les autres de ses propres défauts! Avant, quand le compte était joint, vous étiez trop dépensière, maintenant que les comptes sont séparés, vous êtes devenue radine!

Les représailles ne se sont pas fait attendre. Le lendemain matin, il n'a pas conduit les enfants à l'école comme à l'habitude, et il a lancé en partant : « Tu ne sais pas ce qui t'attend, ma petite ! »

Petits détails non innocents, qui portent loin leur venin.

Si vous n'aviez pas eu d'enfants avec lui, il aurait moins d'arguments, moins de prise sur vous, mais vous avez commis l'erreur (grave) d'en avoir, tant pis pour vous, et malheureusement pour eux !

Au fait, vous n'avez jamais su quel prix il aurait fallu payer pour reprendre vos études et qu'il vous garde les petits afin que vous puissiez assister aux cours. Dommage !

LE PERVERS DANS L'EXPECTATIVE

Il faut reconnaître que le pervers est quand même un peu abasourdi par ce qui lui arrive. Pourtant, rien dans son attitude ne trahit la moindre remise en question.

Il se peut d'ailleurs qu'il ait repéré la nouvelle proie depuis un moment et attende d'être sûr que c'est définitivement « cuit » avec vous pour lancer l'appât. Il a déjà jaugé la nouvelle victime, il a un instinct infaillible en la matière !

Il est sûr de son succès. Il sait qu'une fois la stratégie mise en route, il ne peut qu'aboutir. Mais comme il est paresseux, il patiente encore un peu… Et quand il n'y a plus de solution de rechange, il fonce.

Il vous prévient parfois, en guise de clôture, d'un coup de fil assez ignoble : « Ta salope de mère a gagné, elle doit être contente ! »

Le PV est si spontané en amour !

DERNIERS TESTS

Même quand il a compris la force de votre détermination, le pervers tient tout de même à vérifier si vous n'auriez pas encore, malgré tout, un petit reste de réflexe pour le servir.

Jusqu'au dernier moment, il va multiplier ces petits tests destinés à vérifier s'il peut encore tirer quelque chose de vous.

Il vous dit, par exemple: «Tu ne m'invites pas à prendre un café?»

À quoi vous répondez: «Je t'invite à te servir toi-même!»

Ou encore: «Je ne sais plus comment faire un espresso…»

À quoi vous rétorquez, d'un air idiot: «Moi, je sais, mais je n'en ai plus le goût aujourd'hui.»

«Tu n'as pas lavé mes chemises?»

Réponse: «Je t'en prie, la machine est au sous-sol.»

Le pervers est triste, ça sent la fin. La fin de l'emprise, cette belle emprise qui a duré si longtemps.

Vous cessez de voler à son secours. Consciente enfin qu'il n'a jamais volé au vôtre. Vous avez fini par vous en rendre compte! Mais vous avez mis le temps! Vous vous consolez – si l'on peut dire – à l'idée que, pour certaines, c'est bien pire, cela dure toute la vie!

Voilà le pervers condamné à aller chercher ailleurs. Il lui faut se greffer sur une autre plante. Vous le lui avez dit, d'ailleurs, un jour de grande fatigue: «C'est fini, je me suis épuisée à te servir, maintenant c'est à moi d'être servie… par moi-même, mais c'est un bon début.»

«Bon, alors il faut que j'en trouve une autre, beaucoup plus jeune!» a-t-il répondu du tac au tac.

Il le fera, il a besoin de sang neuf, de substance juvénile. Vous étiez déjà largement plus jeune que lui, et après toutes ces années, la suivante sera nécessairement nettement moins vieille que vous!

Un conseil à toutes les femmes dans votre cas: partir avant d'être décatie, parce que c'est le genre de bonhomme qui vous plante à soixante ans, sans état d'âme, sans regrets ni scrupules! Il n'a d'ailleurs pas le temps d'en avoir, occupé qu'il est à combler les rêves de celle qui vous remplace. Non, de celle qu'il a choisie pour mieux vous oublier.

Il prend soin de vous donner des détails: «C'est formidable, elle a toujours envie de moi, je n'ai même pas besoin de demander.

Eh oui, tu vois, mon eau de Cologne, mes rondeurs et ma disponibilité sont très appréciées. » Parce qu'un jour, sur la fin, vous lui avez dit que le mélange dont il s'aspergeait, et dont il était très fier, sentait le pépé !

11 ET 22 SEPTEMBRE

Il tombe une pluie acide sur vos culottes et votre lingerie intime ; vous n'avez pas rangé la vaisselle, et la maison est en rupture de papier hygiénique pour la deuxième fois dans le mois.

Rien ne va plus. L'heure de la tourmente a sonné…

C'est vrai, ce n'est jamais bon d'entamer ce genre de guerre, on sait qu'on va être perturbée pour un moment, que ce n'est bon ni pour l'organisation du quotidien ni pour le boulot… On n'ignore pas qu'on va y perdre une sacrée énergie, qui aurait pu servir à autre chose.

Il faut vraiment vouloir sauver sa peau, et qu'on ne puisse pas faire autrement. Et voilà que, comme un fait exprès, c'est aussi la guerre au-dehors, et que tout explose ! D'abord, ce sont les tours de Manhattan, pulvérisées le jour même où je lui annonce ma volonté de le quitter et, la semaine suivante, l'explosion de l'usine qui détruit la moitié de ma ville. J'échappe de justesse au carnage.

Dans un cas comme celui-là, vous vous dites que la conjoncture est pourrie et vous vous demandez s'il est bien raisonnable de vous passer de mari lorsque le monde menace d'être à feu et à sang. Si la troisième guerre mondiale éclate, vous aurez besoin de lui pour un semblant de protection face à des hordes déchaînées, et pour faire du ravitaillement pour les enfants.

Sur la ville plane un nuage toxique ; l'eau du robinet est devenue impropre à la consommation…

Vous vous demandez ce que ces signes veulent dire, et comment il faut les interpréter.

Faut-il tout arrêter, vous faire toute petite, parce qu'une séparation, c'est trop fort pour vous, surtout par les mauvais temps qui courent? Ou, au contraire, continuer puisque l'univers entier conspire à vous prouver qu'il y a pire qu'un divorce?

Vous persistez. Il est trop tard pour arrêter la machine, elle est emballée, elle ira jusqu'au bout de l'horreur.

L'HOMME QUI VOUS A TOUT APPRIS

Voilà un homme qui est convaincu de vous avoir tout appris, ou presque. Comme il a tout appris à ses «ex», qui n'étaient, selon lui, que des «suiveuses», des «wagons».

C'est à cause de cela, de tout ce qu'il a à vous apprendre, qu'il s'autorise à vous utiliser sur une grande échelle!

Au début, cela vous a paru parfaitement justifié: «Que serais-je sans toi? Que ce balbutiement...» comme le chante notre ami Ferrat.

C'est vrai que le PV débarque dans la relation avec sa panoplie d'habitudes, de savoir-faire, et qu'il vous entortille là-dedans avec quelques passes habilement dispensées.

> Au final, de l'enseignement tiré de ce PO, il ne vous reste pas grand-chose, si ce n'est la suprême précaution: faire gaffe à ne pas en rencontrer un autre. Car de deux pervers, on ne se remet pas!

Que dit mon psy préféré? (à la longue, on s'attache!) Rencontrer un premier pervers et se marier avec lui est une grave erreur. Vivre avec un deuxième, un oubli dangereux, mais se hasarder avec un troisième... c'est de la folie pure!

Une autre chose qu'il vous a apprise (et vous seriez une ingrate de ne pas rendre à César ce qui est à César), c'est (à part manger le saumon avec les blinis) à le combattre en permanence ou à esquiver ses attaques. C'est sacrément important, et cela explique qu'aujourd'hui vous soyez presque bonne pour la réforme!

L'ÉTERNELLE PROMESSE

Jusqu'à votre départ, ou presque, il essaie de vous déstabiliser.

«Crois-moi, arrête de te comporter comme une petite fille capricieuse, tu vas te détruire toute seule, fais-moi confiance, tu verras, tu seras très surprise de tout ce que nous avons encore à vivre ensemble…»

Vous lui répondez que, des surprises, vous en avez déjà eu suffisamment comme ça, que vous recherchez surtout la fiabilité, la paix, un tout petit coin de bonheur oublié par les autres.

Ou encore, il vous susurre: «Viens, crois-moi, je vais t'emmener dans ma vie, l'année qui va venir sera merveilleuse!» Il aurait dû s'y mettre avant!

C'est comme pour la femme de ménage: «C'est pas la peine d'en prendre une, on le fera ensemble, le ménage!» Vous l'attendez toujours, le coup de balai magique qui vous aurait soulagé de quelques poussières…

Là, c'est le même principe, en matière de ménage ou d'un projet de vie ensemble: promesses non tenues.

Vivre avec quelqu'un qui ne «tient» rien de ce qu'il annonce vous met dans un état d'insécurité permanente. Aussi, après, vous serez tout étonnée lorsqu'un homme tiendra parole. Vous trouverez cela trop facile!

Si vous, depuis le temps, n'y croyez plus, lui-même n'y croit pas davantage! Il est l'heure qu'il aille s'exercer ailleurs, qu'il fasse illusion sur une autre. Au demeurant, c'est déjà fait! Pour votre plus grand soulagement (et votre chance), il a trouvé vite.

Mais pour finir sur une note valorisante, pour sauver la face, sur le fil du rasoir, il décrète: «Si je voulais, je te ferais chavirer le cœur, là, tout de suite, mais je ne le ferai pas…»

Vous avez commencé à vaciller, un tout petit peu. Vos yeux, surtout, trahissent votre surprise et votre curiosité. Quel lapin va-t-il encore vous sortir du fond éculé de son cœur?

Mais non, il n'en prendra pas la peine. Comprenez que cela n'en vaut pas la peine, ou plutôt que c'est vous qui n'en valez pas la peine.

Il est sûr qu'ailleurs ce sera plus simple, et qu'il pourra jouer sur l'effet de surprise et de nouveauté… C'est le mytho libéré, prêt à organiser une nouvelle arnaque!

Le pervers mytho n'aime pas trop la difficulté, il vous l'a déjà dit lorsqu'il a fugué la première fois: «Je ne peux pas revenir avec toi, parce que je commence à te connaître: tu vas mettre la barre trop haut…»

C'est le pervers fatigué de tous ses propres tours!

L'ART DE LA RÉCUPÉRATION

Vous en êtes à discuter du montant de la pension alimentaire. Tout à coup, il a envie de vous emmener voir une exposition ou un musée, ou faire du shopping.

Il est rare qu'un musée l'intéresse. Le dernier musée remonte au premier week-end que vous avez passé ensemble, il y a des milliers d'années… Mais que ne ferait-on pas pour amadouer la belle avec des recettes périmées!

Le souk marocain

Lui: «Si tu ne me fais pas les conditions dont je t'ai parlé, je refuse de divorcer, tu devras attendre six ans!»

Vous: «Mais alors, tu me devras secours et assistance!»

Lui: «Ben oui, puisque j'habiterai avec toi!»

C'est le pervers charmeur et qui persévère!

Durcissement

Vous: «Tu devrais augmenter la pension alimentaire pour les enfants.»

Lui: «Ça, ça se négocie… avec une petite fellation, c'est possible. Ça vaut bien ça, non?»

Vous: «C'est trop cher payé, je n'ai plus le goût… »

Ultime humiliation… à laquelle vous échappez, cette fois-là!

Le summum du manque de respect, c'est lorsqu'il vous appelle avec un claquement de langue, comme si vous étiez un petit animal.

LE DIVORCE : « LA LOI, C'EST MOI », OU FERMÉ À DOUBLE TOUR : L'IMPOSSIBLE DIALOGUE

25 septembre
Ça y est, c'est le grand jour ! C'est une première (et une dernière, je l'espère !).

Quelle drôle de journée, à ne pas renouveler trop souvent ! La première consultation ensemble avec l'avocat… qui l'a choisi ? Vous, bien sûr…

Rendez-vous, donc, chez l'avocat, à neuf heures, dans un quartier très chic. Vous arrivez essoufflée.

Il est là lui, ponctuel, comme toujours. Organisé, prévoyant. Pas si perturbé que ça. En fait, pas du tout perturbé. Vous ne voyez que lui dans la salle d'attente. Vous ne répondez même pas au salut d'un inconnu, dont l'existence vous échappe complètement dans l'immédiat, et qui, une fois détectée, se résume à des mocassins noirs que vous ne cessez de fixer, comme obnubilée.

Lui, l'immanquable, vous a à peine regardée, vous vous demandez même s'il l'a fait. Vous connaît-il vraiment ? Non, pas encore.

C'est drôle de retrouver là, dans cette salle d'attente feutrée et cérémonieuse, un homme qu'on a croisé, même si ce ne fut vraiment que croiser, au petit-déjeuner, en slip, il y a deux heures à peine.

Vous quittez des yeux les mocassins pour aller faire pipi. Trop de thé, de café, après une nuit de sommeil trop courte.

À cinq heures trente, votre inconscient vous a réveillée. C'était le grand jour. Vous avez remarqué que l'autre partie était enrhumée. Hier soir, il a éteint les feux à vingt et une heures. Vous avez craint qu'il ne joue la maladie diplomatique. À six heures trente, ça bougeait. Vous étiez rassurée.

L'avocat reconduit son premier client. Tout en ouvrant la porte, il adresse un salut à votre mari, il scrute son visage. Vous vous dites qu'il prend la température. Ce visage, vous ne le voyez pas, mais celui de l'homme de loi en gros plan vous en renvoie le reflet au travers d'un prisme inédit, celui de l'habitué à voir défiler un tas de couples et notamment de maris en tous genres.

C'est un homme replet au nez bourbon, qui a un faux air du richissime Paul-Loup Sulitzer... La note d'honoraires sera à l'avenant.

Nullement blasé, visiblement ouvert aux découvertes et curieux de ses semblables, l'avocat psychologue témoigne d'un vif esprit d'observation et d'une curiosité intense. Ses yeux perçants, dilatés, émergent de ses joues grassouillettes et bombées. Il a les traits ouverts et tendus. Le tout teinté de surprise amusée, comme ce début d'émerveillement ressenti par celui à qui on offre un spectacle étonnant, et qui ne veut rien en perdre, sans en croire ses yeux pour autant.

Vous, vous êtes transparente, vous n'existez pas. Manifestement, c'est le mari, le «futur ex» qui l'intéresse.

En tout cas, son examen scrupuleux lui a sûrement permis de tirer quelques conclusions. Vous, vous êtes en mesure de parier sur la fermeture hermétique des traits de votre mari. Il y a cinq minutes, vous lui avez montré le compte de ce que coûtent les enfants, histoire de lui prouver que vous n'exagérez pas, pour la pension alimentaire... Il a écarté le papier, façon karatéka, et fait sur ses lèvres le signe de croix du mutisme. Vous avez compris, on ne parle pas. *Omerta*.

C'est vrai qu'il s'est acheté le coffret des trois cassettes du *Parrain* et qu'il les regarde depuis plusieurs semaines. Vous devez respecter son silence. Vous avez devant vous, en chair et en os, Vito Corleone : *a man of respect*.

Vous ne tirerez de lui aucun son, aucune attention, pas même un regard. Il ne parlera qu'en présence de son avocat, qui, même s'il est aussi le vôtre, n'est pas le même (vous saisissez?).

Les larmes vous montent aux yeux, d'être ainsi niée… Vous avez eu peur d'éclater en sanglots devant l'homme de loi. Vous vous dites : «Tu vas avoir l'air d'une cruche, tu ne seras pas prise au sérieux.»

L'avocat s'éclipse puis réapparaît au bout de cinq longues minutes.

Cette fois, on dirait que vous avez retrouvé votre densité puisqu'il s'adresse à vous.

« Bonjour, madame ! »

La requête conjointe ou le mythe de l'accord parfait

Vous le suivez, tête basse, mais poitrine cambrée. Vous vous asseyez, comme d'habitude avant que l'on vous y autorise, c'est votre petite dissidence à vous.

«Asseyez-vous, monsieur, madame… Alors, je vous reçois ensemble, à votre demande. (Il insiste, on a compris qu'on était dans le cadre de la requête conjointe, même si ça fait rire !) Je suis présentement là pour vous fournir des explications. Alors, quelles sont vos questions ?

Le muet semble également sourd.

Vous : «Je voudrais connaître le processus à suivre pour un divorce par consentement mutuel, sans guerre d'usure. Quel est son déroulement ? »

Vous essayez d'avoir le verbe à la hauteur des dorures du cabinet de l'avocat richissime.

Lui, il parle de la nécessité de parvenir à un accord total pour la requête conjointe, que le juge ne fait qu'entériner. Alors, vous montez au créneau : «Impossible, monsieur ! – vous n'aimez pas dire "maître" – nous ne sommes pas d'accord sur le montant de la pension alimentaire pour les deux enfants. Je pense que (vous bafouillez la somme) ne serait pas de trop… »

Le muet retrouve la parole : «Nous nous étions mis d'accord, maître, et il y a deux jours la somme a doublé. Madame a des prétentions léonines.»

Il y a plus de deux jours. Le PB n'a jamais eu la notion du temps, surtout quand cela ne l'arrange pas.

Vous rectifiez : «Il ne s'agissait pas de consentement, mais d'un montant imposé.» Ou a-t-il vu cela, le pervers, que c'était d'accord, sa pension de sous-développé?

Ce qui ne l'empêche pas d'ajouter : «De toute façon, je ne comprends pas qu'elle veuille divorcer. Les enfants sont complètement traumatisés, ils ne savent pas ce qui leur arrive!»

Il faut préciser que le pervers a déjà divorcé une fois et a abandonné ses premiers enfants.

Vous : «On ne divorce pas comme ça, par fantaisie.»

Par fantaisie, non. Pour survivre, si!

De qui tient-il le conseil d'employer pareille stratégie? Vous avez votre idée.

Il paraît que sa mère, en semblable occasion, était arrivée devant le juge, un jour de marché, avec un cabas plein de légumes, queues de poireaux dépassant et embaumant le cabinet, un gamin à chaque main. Histoire de prouver combien elle était bonne mère et de démontrer l'incongruité de la demande en divorce du mari. Et de déclarer à l'homme de loi : «Ah, mais tout va bien pour moi, monsieur le juge. Je ne comprends pas ce que veut mon mari, je suis avec mes enfants, j'ai tout acheté pour leur faire la soupe, lui aussi aura sa part, je ne l'ai privé de rien, vous pouvez me croire, monsieur le juge…»

Vous ne savez pas si le père a eu honte ou si le juge s'est apitoyé, mais une chose est sûre, votre belle-mère est toujours mariée.

L'avocat a vite compris qu'un accord était impossible. Il lui faut maintenant clore le débat au plus vite. Il ne peut en aucun cas entendre vos griefs respectifs, sinon, après cela, dans un autre type de procédure, il ne pourra plus être l'avocat d'aucun des deux.

« Voilà, il ne reste plus alors, et toujours dans le cadre d'une procédure à l'amiable, que le divorce demandé par l'un et accepté par l'autre. Quant à la séparation, elle peut être volontaire ou demandée au juge en cas d'urgence…»

Urgence? Non, il n'y a plus le feu. Le pervers a accepté le principe et ne menace plus de tuer les enfants ni de vous «estropier» pour que vous jouissiez de la vie quelque temps encore, afin de pouvoir admirer le désastre!

Vous avez émigré dans la chambre de votre fils, dont vous avez pris le lit, et vous l'avez envoyé dormir avec sa sœur, ce qu'il ne vous a pas pardonné! «Mais c'est mon lit, c'est ma chambre! – Oui, mais c'est la guerre, et en temps de guerre, on réquisitionne!»

Ouf! Vous n'avez pas pleuré comme vous le craigniez au départ! L'autorité et la pondération du tiers annulent, cassent la relation déviée, la tentative de déstabilisation, l'effondrement souhaité. Retour à une communication «normale», ou presque.

D'ailleurs, avec le PA (*Pervertus Abominablus*), vous avez fini par comprendre que, toujours, il vous faudra un médiateur pour lui faire entendre raison et interrompre ce mode de fonctionnement hystérique et colérique sur lequel sont fondés tous ses comportements.

> Oui, il faut la présence d'un tiers écran, à tout moment!

Mais attention, dès que le tiers tourne le dos une fraction de seconde, il en profite pour vous malmener, pour vous humilier; il met les bouchées doubles.

L'avis du psy? Pas la peine. L'analyse est bonne.

Vous m'en voyez flattée!

Il faut dire que l'avocat psychologue a le mot de la fin, une parole d'or: «Vous n'êtes pas obligés de rester mariés.» (Dieu merci!) Comprendre: Madame a le droit de demander que cela cesse. Merci aussi à vous, monsieur l'avocat, vous ne volerez pas vos honoraires si vous parvenez à lui faire entrer ça dans le crâne. «Vous êtes jeunes (il ne dit pas "encore jeunes") et dans la pleine possession de vos moyens, vous avez la vie devant vous. Si votre situation est artificielle, il faut agir.»

Artificielle. Le mot est comme une révélation, il a mis dans le mille, le bougre !

Il faut dire qu'il ne faut pas être un génie pour savoir que vous n'êtes pas les seuls dans une situation conjugale aussi merdique (le mot est faible !). Combien de couples branlants qui ne tiennent que par le ciment craquelé des traites de la maison et des enfants à élever !

Dehors, sur le trottoir, mélange d'indignation et de supplication de votre part : « Tu peux dire quelque chose ! »

Mais le PB a tourné les talons, il est déjà loin. Pourtant, il lance : « C'était les conditions... Tant pis pour toi ! »

C'est sa sentence... Intimidation, toujours. Vous tremblez, vous téléphonez à une oreille compatissante pour libérer l'émotion.

Vous découvrez que vous avez oublié le dossier avec tous les documents sur le banc du square, vous courez le chercher... Divorcer d'un pervers, c'est du sport !

Le soir, vous retrouvez le « *Pervertus Ordinarius* » à la maison. Lui fait comme si de rien n'était. Pour lui, voilà un orage de passé. Il y est tout de même allé, ce matin, chez l'avocat. Il a craint de se désister face à lui. Et puis il essaie de sortir le moins d'argent possible, il espère bien vous le faire payer, l'avocat unique, au cas où vous persisteriez. Comme toujours, il cherche à s'en tirer au meilleur compte.

Il n'est plus l'homme fuyant et muet de ce matin, ce n'est plus son intérêt. Il est mort de rire devant la télé. Son fils lui sert son repas au lit, car, on l'a vu, monsieur a un petit rhume. Vous, quand vous avez un rhume, personne ne vous sert quoi que ce soit... C'est trop « inzuste », vous avait dit votre petit dernier quand il avait trois ans et zézayait encore !

Une fois les enfants au lit, il refuse tout dialogue. Il a une technique infaillible : quand vous entrez dans la chambre, il vous repousse jusqu'à la porte, menaçant de vous frapper, et vous la claque au nez !

Ce refus de tout dialogue... quelle hyperviolence ! Mais ce n'est que l'expression exacerbée de ce que vous avez vécu au quotidien depuis des années. Alors... le blindage commence à faire ses preuves.

Le front du refus, c'est ça qu'il a vu, l'avocat, sur la tronche de ce type !

L'avis du psy : Dès le début de la relation s'est mis en place un système relationnel qui dure depuis des années. Il est illusoire de penser qu'au moment du divorce un autre pourrait s'y substituer, que la relation sera autre, fondée sur le dialogue, par exemple... On n'a pas pu se mettre d'accord pour vivre ensemble, quelle erreur ou quelle naïveté de croire qu'on va pouvoir se mettre d'accord pour se séparer...

> C'est vrai, on n'a pas pu se mettre d'accord pour s'accorder ensemble, c'est un enfantillage de croire qu'on va pouvoir se mettre d'accord pour se désaccorder !

Autrement dit, il continue à vous imposer, dans la séparation, sa volonté, comme il l'a fait tout au long du mariage. Vous ne pourrez pas davantage discuter, ni vous exprimer librement ni être entendue.

Il vous l'a dit : « Tu auras ça et pas plus ! C'est bien suffisant pour quelqu'un qui s'en va ! »

Ce sera son leitmotiv : « C'est mon tarif pour avoir perdu une femme et des enfants ! » Qui lui parle de perdre ses enfants ?

26 septembre
Le lendemain de l'épisode requête avorté, comme vous ne parlez pas, il vous lance :

« Tu en fais trop !
– Tu parles de toi ?
– J'étais malade !
– Et chez l'avocat, tu l'étais aussi ?
– Oui.
– À quoi ça sert de parler, de toute façon ? J'ai compris qu'avec toi le dialogue était impossible.

– Ah bon ? »

Il fait l'étonné, l'ahuri.

« Comment dialoguer avec quelqu'un qui m'empêche d'accéder à la boîte aux lettres ?

– Tu accéderas à la boîte aux lettres quand tu paieras le loyer !

– Ça, tu peux attendre ! C'est toi le chef, non ? Le chef de famille, l'homme qui paie, non ? L'homme n'est pas celui qui se greffe sur les autres !

– Tu parles comme ta mère !

– Elle dit ça, ma mère ? Elle a raison ! »

Il vous regarde des pieds à la tête.

« Tu as maigri, c'est pas terrible ! »

Vous pensez : à qui la faute ? Vous répondez :

« Je sais, je suis une sylphide, merci de l'avoir remarqué ! »

C'est vrai, quand c'est la guerre, chez vous, c'est comme ça. Chez d'autres, ce sera l'inverse. Certaines gonflent, d'autres dégonflent. On ne se refait pas…

Ouh, ouh ! Teresa, où êtes-vous ? Répondez-moi, si vous m'entendez ! Je viens voir si vous existez toujours. Je vais me pencher un peu au-dessus du puits, pour voir… Mais dites-moi, vous êtes *au fond* !!! Qu'est-ce que vous avez fait tout ce temps, vous étiez endormie ? Je ne le crois pas ! Allez, je vous lance une corde ! Vous allez vous en sortir ! Vous êtes entière, apparemment, rien ne vous manque ! Allez ! Oh ! hisse ! Oh ! hisse ! L'avenir est devant vous, Teresa !

C'est vrai, vous jouez depuis si longtemps à être une autre, une femme soumise, écrasée. Ce n'est vraiment pas vous, ça ! Vous allez mourir, si vous continuez !

L'AFFAIRE DE LA BOÎTE AUX LETTRES, OU LA TENTATIVE DE REPRISE DE CONTRÔLE

(En détail !)

Il y a des choses qu'on ne peut admettre, qu'on ne doit pas faire, même en temps de guerre.

Non, tout n'est pas permis! Surtout si c'est dans l'espoir que l'autre reste, qu'il vous aime à nouveau. Mais à moins que ce soit un grand maso… Non, ce n'est pas possible, puisqu'on le bafoue! C'est se soumettre ou se démettre.

Là, le PE vous joue à nouveau un de «ses» petits tours à sa façon qui va fortifier votre décision de le fuir.

Voici le topo. La clef de la boîte aux lettres a disparu de votre trousseau. Au début, vous avez pensé que vous aviez perdu votre trousseau principal et que celui que vous aviez en main n'était qu'un double, sans clef de boîte aux lettres. Distraite comme vous êtes, c'était tout à fait possible!

Mais quand il a refusé de vous prêter la sienne pour que vous la dupliquiez, vous vous êtes demandé si ce n'était pas lui qui l'avait subtilisée. Ce ne serait pas la première fois qu'il nierait un vol, il en a nié de plus évidents que ça.

Mais cette fois, c'est un détournement de courrier, et ça, c'est pire que tout! Il vous traite comme une moins que rien, comme une femme de Cro-Magnon que le mâle tire par les cheveux.

Cette fois, c'est fini, fini, s'il a fait ça! Même s'il a réparé avec un zèle inattendu le tuyau cassé de la douche et si, pour une fois, il n'a pas traité les enfants de tous les noms, à cette occasion, se contentant de lancer à la cantonade:

«Je me demande qui a fait ça?» Avec décodeur: quels sont les cons qui ont fait ça? (Les coupables possibles ne sont pas légion.)

> Avec les six bons numéros du loto, la gouvernante et le chauffeur: exit le pervers!
> Sans les six bons numéros du loto, sans gouvernante et sans chauffeur: exit quand même, le pervers!

Oserez-vous dire que cette histoire de clef vous rappelle celle d'un verrou, quelques années plus tôt? Ou avez-vous peur de passer pour une andouille? Que celles qui ne se sont jamais fait avoir par un PO vous jettent la première pierre! J'attends!

Le *Pervertus Banalus* (PB) était parti sans prévenir. Des semaines se passent, puis des mois. Vous finissez par le débusquer chez une blonde pulpeuse, sur le retour, une «ancienne» du Crazy Horse…

Bref, un vieux cheval de bataille qui a une bouche de singe, pour être plus précise. Fâchée, vous décidez que l'infidèle sera désormais interdit de visite. Et de faire poser un verrou très onéreux qui fait un vilain trou dans votre belle porte d'entrée en bois des îles que même l'artisan qui la perce en est attristé.

C'est alors que le fugueur réapparaît et, un quart d'heure plus tard, repart... avec la nouvelle clef.

Comment voulez-vous qu'après cela le pervers vous craigne? Il vous a toujours fait chavirer, il a toujours fait capoter ce que vous entrepreniez pour vous en libérer. Pour lui, vous n'étiez qu'une rigolote, mais vous avez décidé que cela allait changer, vous vous en êtes fait le serment.

Déjà, le soir, vous avez osé lui faire comprendre qu'il était inadmissible qu'il parte sans débarrasser la table, même pas son assiette. Vous lui avez dit, alors qu'il était déjà affalé devant la télé (dans son fauteuil en cuir délavé depuis longtemps, comme votre amour): «Merci pour la table!», utilisant ainsi sa manière de parler, indirecte, retournée.

Il a explosé, est entré en fusion, en rage folle, en furie. Vous aimeriez ajouter d'autres vocables à la série pour rendre compte de cette réaction cataclysmique, mais c'est impossible, cela ne rendrait même pas compte de la réalité! Vous comprenez pourquoi vous ne l'avez pas fait avant (lui demander de débarrasser la table).

Vous auriez dû le mettre au pas tout de suite, dès le début de la relation, mais, souvenez-vous, il était déjà très violent, verbalement, et, à l'époque, il aurait bien menacé, pour si peu, de s'en aller pour toujours!

Oui, je sais, je l'ai déjà dit, le langage du pervers est d'une violence inouïe, en dehors même des insultes qui fusent en situation de crise. Vous vous êtes toujours dit que si vous lui parliez de la même manière, ne serait-ce que le quart de la moitié de la manière dont il vous parle, il vous tuerait!

Au fond, il avait raison, le magnétiseur (il a au moins trouvé ça sous ses doigts!), vous deviez avoir une image à ce point dégradée des hommes que vous pensiez qu'ils étaient tous comme lui, ou pire, et que vous avez tout accepté de peur de ne pas en trouver un qui soit mieux!

27 SEPTEMBRE (LES JOURS SE SUIVENT ET SE RESSEMBLENT)

Ce matin, vous avez piqué une crise de nerfs à la hauteur de votre indignation, toujours à cause de cette boîte aux lettres de malheur.

Votre coup de sang a eu un résultat inattendu: le PO s'est rendu à une partie de vos conditions pour le divorce, conditions que vous aviez revues à la baisse pour trouver un terrain d'entente. Un terrain d'entente avec un pervers! Quelle blague!

Vous comprenez qu'il a vite fait ses comptes et a pigé que c'était un moyen de s'en tirer au mieux!

C'est un de vos copains qui fait la transaction, qui sert de médiateur. (Il n'est plus votre copain d'ailleurs. On ne sait pas quel (double) jeu il a joué, peut-être celui de vous mettre à poil dans le but de vous glisser ensuite dans son lit... Mais cela n'a pas marché!) Enfin, passons!

Le soir du retournement de situation, vous avez tenté la question bête: «Qu'est-ce qui t'a fait changer d'avis?»

La réponse est équivalente et néanmoins sans égal.

«Toi. Ton attitude de ce matin. Je ne veux pas que tu te suicides, que tu deviennes folle!»

Celle-là, elle est grandiose! Voilà le déni de toute responsabilité en ce qui concerne l'état dans lequel vous a mis son acte scélérat. C'est vrai qu'il y a de quoi rendre fou n'importe qui. Alors, vous êtes une folle! Et que votre colère justifiée (et saine) ait fait trembler les murs, pour une fois, dénote que vous êtes une hystérique, de surcroît suicidaire. Donc, grand seigneur, il consent à divorcer. Merci, mon Maître.

En fait, comme vous avez ameuté le quartier et que vous ruez dans les brancards, il craint le scandale. Il vient de comprendre que vous ne vous laisserez plus dominer.

Les actes du pervers sont inadmissibles, mais ce sont les autres qui sont fous.

Nombre d'entre eux, lors d'une procédure de divorce, commettent des exactions pour pousser la victime à la faute, et ils se plaignent ensuite à l'avocat. La victime se trouve ainsi dans la situation d'être tancée, parfois sans ménagement, par l'avocat du pervers, ce qui est un comble !

LA BOÎTE AUX LETTRES, SUITE ET FIN

28 septembre
Vous êtes allée chez un quincaillier du quartier, aussi serrurier de son état.

La veille, quand vous avez expliqué à un ami que cette situation vous mettait au bord de la crise de nerfs, il vous a donné ce conseil : «Prends un marteau et démolis la boîte aux lettres. Ne laisse pas cette situation s'éterniser !»

Certes ! Mais ce n'est pas dans vos mœurs, ce genre de dégradation. Vous décidez de respecter davantage l'esprit que la «lettre» de ce conseil. Vous pensez à un positionnement clair, à une reprise de votre dignité, sans trop d'histoires, comme d'habitude, méthode *soft*, compréhension passive tous azimuts…

Le quincaillier vient avec sa quincaillerie, un tournevis, et commence à… démolir la porte de la boîte aux lettres, et la serrure par la même occasion. Sur quoi, le propriétaire de la maison et de la boîte aux lettres sort de chez lui.

Heureusement, vous l'avez déjà mis au parfum des agissements du PB. Consterné par cet acte de barbarie qu'est le détournement de courrier d'une petite femme sans défense, il vous a donné l'autorisation d'intervenir sur le corps du délit.

Aussi, c'est au bonhomme quincaillier qu'il s'adresse : «Si vous cassez cette boîte aux lettres, il faudra la remplacer !»

Plus quincaillier que serrurier, l'homme interrompt son entreprise de démolition et laisse les choses en l'état. C'est-à-dire que la boîte est toujours fermée, mais avec une serrure inutilisable, même pour le porteur de l'unique clef.

Porteur de clef qui, rentré tôt dans l'après-midi, vous appelle au bureau. Appeler n'est pas le mot, hurler est mieux : « Qu'est-ce que tu as fait ? Tu t'es attaquée au pied-de-biche à la boîte aux lettres ! Tu as vu ce que tu as fait ! On s'était mis d'accord ! Eh bien, si tu veux le savoir, tout ce qu'on a convenu est remis en cause, espèce de conne ! » Et il raccroche.

L'accord, c'est le marché de dupes auquel vous avez finalement consenti pour renouveler la requête conjointe, avortée une première fois.

Coup de fil dix minutes plus tard.

« Qu'est-ce que tu as fait ? »

Le *Pervertus Abominablus* essaie de comprendre.

Vous : « Je n'ai rien fait, moi, je l'ai fait faire par le serrurier. Je voulais effectuer un échange standard. Dans notre accord, il n'était pas convenu que tu rendes la clef. Je n'allais tout de même pas rester des semaines sans pouvoir prendre mon courrier ! »

Lui : « Tu mens ! Ce n'est pas possible, c'est toi qui as fait ça ! Imbécile, je venais t'apporter un double puisque nous étions d'accord. »

Une rouerie de plus du PA pour vous culpabiliser.

Donc, sans « accord », il ne vous aurait jamais rendu la clef. C'est surréaliste.

Et là, vous commettez l'erreur de vous justifier.

« Tu n'avais qu'à me le signaler ce matin, que tu me la rendais la clef. Je ne pouvais pas le deviner. Vous êtes deux responsables de l'état de la boîte aux lettres : toi et le serrurier, mais sûrement pas moi ! Toi qui as eu un agissement inadmissible qui m'a contrainte à cette extrémité, et lui qui n'est pas doué, vraiment ! »

Lui : « Tu vas faire installer une nouvelle boîte aux lettres, ma belle ! »

N.B. : Le « ma belle », dans sa bouche (« Mais oui, ma belle ! »), est pire qu'une insulte. Il équivaut à votre (à une nuance près) « mon ami », qu'il ne supporte pas.

Encore une illustration de cette manie de vouloir tout le temps vous faire payer. C'est comme cela depuis le début, et ça l'est plus que jamais aujourd'hui. Il est bien décidé à vous soutirer tout ce qu'il peut encore soutirer, jusqu'au bout!

Encore une fois, que veut-il vous faire payer en réalité?

Help, le psy! Non! Fichons-lui un peu la paix, je crois qu'il dort...

Lui: «Qu'est-ce que tu as dit au propriétaire?»

Le PV craint pour sa réputation. Il veut bien commettre des actes anormaux, mais il ne faut pas que cela se sache.

Là, vous limitez les dégâts, vous ne partez pas sur ce front, vous ne montez pas aux créneaux, trop consciente de ce que cela va occasionner: une couche supplémentaire de fureur sans borne de sa part, la colère du fautif mis à nu.

Il a le toupet de se justifier à ses propres yeux et avoue ainsi n'avoir rien dupliqué du tout: «Je ne refais pas une clef pour une maison que je vais quitter.»

C'est le pervers pingre et de mauvaise foi. *No comment.*

Lorsque vous rentrez, vous jetez un coup d'œil au *casus belli*. La porte de la boîte aux lettres est battante, avec un trou noir à la place de la serrure.

La boîte à secrets est enfin ouverte. Vous êtes soulagée: le symbole de l'interdiction, de la punition, de l'asservissement, de l'humiliation, tout ça dans une petite porte de fer, a cédé.

Il a donc fait revenir le serrurier.

L'explication du pervers: «Tu sais, il était désolé. Il dit que c'est la faute au propriétaire, qui l'a empêché de travailler. Tu le connais, lui... quand on touche à son bien... C'est un drôle de type!»

Une chose est sûre: le drôle de type a été votre allié et vous a donné l'autorisation de vous attaquer à son bien!

N.B.: C'est comme dans les encyclopédies médicales où l'on «se trouve» toutes les maladies. À lui aussi, notre PO, on lui trouve tous les symptômes, toutes les déviances possibles. Car enfin, en narrant cet épisode, vous aboutissez à une drôle de prise de conscience. Plus qu'un pervers, notre homme est un malade mental endémique, aux portes de la folie.

Vous l'avez déjà dit quand on a évoqué le cas du *borderline*. C'est très étrange, quand on songe qu'on parle du père de ses enfants... mais c'est comme ça, et de toute façon, ses mioches, qui sont aussi les vôtres, ils s'en sortiront quand même. Vous le voyez déjà dans la façon dont ils rêvent leur vie.

L'avis du psy: Il ne faut pas perdre de vue que, de toute façon, les parents – oui, les parents – ce n'est pas la meilleure des choses pour les enfants! Ils s'en sortent bien mieux sans eux. Relisez les biographies des hommes célèbres...

Ne dites surtout pas cela au pervers, il va s'engouffrer dans la brèche!

Lors de la signature de la requête, il a remis ça, il a encore imposé son point de vue en disant: «De toute façon, c'est comme ça, sinon je ne signe pas. Ce n'est pas moi qui veux divorcer.»

Vous avez accepté son marché de dupes, volontairement, heureuse (provisoirement) de vous laisser escroquer pour récupérer votre liberté et votre quiétude – quiétude qui ne sera réellement acquise que des années plus tard, quand vous aurez enfin digéré toutes les frustrations consécutives aux conditions malhonnêtes qu'il vous a imposées.

SPLEEN POST-REQUÊTE

Vous avez, malgré tout, l'estomac à hauteur des amygdales. Serré. Serré à ne plus pouvoir rien avaler.

C'est comme ça quand la décision est vitale, a dit monsieur le psy. Un divorce est une épreuve au long cours.

Cette sensation de voler en éclats, d'être détachée de son corps (de dé-corporation), de marcher à côté de lui, à côté de ses pompes, c'est cela, sans doute, qu'on appelle la rupture.

Bon Dieu, que c'est dur de se respecter!

QUAND LE PERVERS A HÂTE DE NE PLUS VOUS VOIR

Le pervers n'est pas *fair-play*, il vous a prévenue: «Moi je suis parti, c'est à toi maintenant!»

Un point partout. Sauf que lui l'a fait sauvagement, sans tambour ni trompette, pour aller vivre avec quelqu'un d'autre. Vous, vous êtes une mère de famille qui doit partir seule avec ses enfants, dans le but de vous respecter désormais! Ce n'est pas grandiose, ça!

30 septembre
«Tu es là?» demande-t-il.

Vous êtes dans la salle de bain.

«Oui.

– Quand comptes-tu déménager? Je n'ai plus de place pour mes vêtements dans la chambre!

– Dès que j'aurai trouvé quelque chose de pas trop cher...

– Et pour le déménagement?

– Je vais voir...

– Dépêche-toi de trouver quelque chose.»

Il vient de vous signaler qu'il ne vous aidera en rien. Vous répliquez que, pourtant, il pourrait être chevaleresque, beau joueur.

Un pervers chevaleresque? Ça n'existe pas.

«Si je pars avec tout ce barda, après tout, c'est bien pour les petits! Tu n'as aucune grandeur d'âme!»

Vous alors, vous avez le chic pour enfoncer le clou, décidément, ou pour (vous) lui mettre le nez dedans!

«Eh bien, ça confirme ce que tu penses!»

Alors là, cela vaut la peine de s'arrêter une minute, parce que nous sommes face à un ressort très caractéristique et très coutumier du pervers. «Puisque tu penses que je suis une ordure, eh bien, je vais me conduire comme telle, pour ne pas te désavouer (quelle délicatesse!). Finalement, c'est de ta faute si je me conduis comme ça. Si tu avais une meilleure opinion de moi, je me conduirais mieux!»

C'est le chien qui se mord la queue!

Help, le psy! On dirait que le psy n'a pas fini sa sieste! Il brille par son absence... Il vous laisse vous dépatouiller toute seule.

Suite de la conversation:

Lui: «Tu ne vas tout de même pas faire mettre dans la requête en divorce une clause disant que c'est le con qui doit porter les meubles!»

Le «con» n'a jamais porté, il a toujours pris un déménageur!

Le PE (*Pervertus Extraordinarius*) craint toujours d'être pris pour un «con», de se faire exploiter. Car lui-même, on l'a vu, prend tous les autres pour des cons, donc... Et n'oublions pas qu'il ne donne rien sans être payé de retour.

Tous les hommes qui gardent les enfants, préparent les repas, massent les pieds de leur femme, bricolent, travaillent au jardin sont de «braves cons» exploités par leur bourgeoise, et qui s'exécutent parce qu'ils ont peur de «finir seuls».

«Tu crois pas que tu vas me faire bosser comme ta mère a fait bosser ton père!» vous a-t-il souvent hurlé.

Ça ne vous a pourtant jamais effleurée.

TROMPEUSES APPARENCES

Les apparences laissent à penser que c'est vous qui l'avez jeté, mais à bien y regarder, vu son empressement à vous voir plier bagage, on constate que non seulement il a tout fait pour que vous partiez (et donc rien pour vous retenir), mais qu'il vous a remplacée à la vitesse du son.

Il a juste eu besoin d'un tout petit peu de temps pour se retourner, pour trouver à pomper ailleurs.

Le PB prend souvent les devants dès qu'il sent que le vent tourne à son désavantage. Il vous l'a dit, d'ailleurs, après la séparation, quand vous lui avez demandé quand il prendrait les enfants : « Attends un peu, je suis en train de faire un truc. » Ou : « Après, quand j'irai mieux, je pourrai m'occuper d'eux. »

Il va le trouver, son « truc » : une femme, autrement dit quelqu'un qui va l'aider à « garder » les enfants un week-end sur deux.

LE BOIS QUI BLESSE

Le partage des meubles et du reste :

Qu'est-ce qui est à toi ? (Quand tout est à moi.)

Qu'est-ce qui est à moi ? (Quand je t'ai tout donné.)

Faites le calcul, il ne reste pas lourd.

Vous aviez envisagé naïvement de vendre quelques meubles, croyant qu'ils vous appartenaient et pensant ainsi alléger les honoraires de l'avocat sans ponctionner votre pécule de survie…

> 18 h 30. Lui : « Si ton mec se pointe ici, tu vas voir ce que tu vas voir ! »
> 19 h 30. L'acheteur est devant la porte.
> Vous : « Excusez-moi, monsieur, je vous ai fait venir pour rien, j'ai un conflit avec mon mari, il n'est plus d'accord pour vendre les meubles… »
> 20 h. Lui : « Va te faire mettre ! »

Vous avez, enfin, au bout de toutes ces années, la solution du rébus larvé qui vous taraude : tout est à lui, depuis toujours !

Eh bien, maintenant c'est établi, la maison, bien sûr, les meubles que vous avez astiqués au baume des antiquaires, les bibelots petits et grands, les tableaux, et tout ce que vous avez gagné.

Dire que vous vous asseyez depuis des années sur des fauteuils en cuir qui ne vous appartiennent pas! C'est vous qui les avez voulus, ces fauteuils, contre sa volonté apparente. Il trouvait que, l'été, le cuir colle aux fesses. Mais voilà, lui et ces fauteuils sont devenus inséparables. Ah non, tout de même, ne soyez pas ingrate, il vous laisse quelque chose, le meilleur de lui-même: les mômes!

C'est drôle, parce qu'il lui arrivait souvent de fanfaronner: «Moi c'est comme ça, quand ça ne va pas, j'écrase ma cigarette et je me tire en laissant tout!»

Et maintenant qu'il ne fume plus, il exige tous les meubles!

Pourtant, vous n'avez pas rêvé, vous l'avez bien entendu dire, encore tout récemment: «Moi, j'aimerais vivre à l'hôtel, sans meubles. Pas la peine de déménager, pas la peine de faire le ménage!»

Libre de toute contrainte matérielle, pas aliéné par un tas de trucs inutiles.

Quels changements, quels retournements dans les goûts, dans les choix de vie d'un homme acculé au divorce! Vous direz peut-être que les hommes agissent fréquemment ainsi au moment de la séparation, que cela active des comportements pervers même chez ceux qui ne le sont pas. Malgré tout, avec un PA, la séparation est encore plus gratinée.

Soudain, il a un regain d'attachement inattendu pour son père, qu'il haïssait jusque-là: «C'est la salle à manger de papa!» (un cadeau de mariage) crie-t-il d'un ton déchirant.

Ou: «C'est le canapé que j'ai payé avec mes primes!» Car il faut que vous compreniez que les vôtres, de primes, elles sont passées dans le lait pour bébé et les Pampers. Mais c'est tout ce qu'il y a de plus normal. C'est, on l'a vu et on en reparlera si on a le temps, l'habituelle répartition des gains dans les ménages…

Au fil des jours, d'ailleurs, il cède de moins en moins de terrain, il va jusqu'à réclamer à corps et à cris une commode hideuse.

Et il vous met sérieusement la puce à l'oreille lorsqu'il dit: «Il va falloir que je trouve une nana pour s'occuper de tout ça!»

Quel respect de la femme! Femme utilitaire, mais femme meublée! Le PO ménage ses arrières! Il ne veut pas débarquer sans rien, tout de même... Il ne veut pas passer pour un profiteur... Une commode, même hideuse, ce n'est pas rien, ça positionne!

Le problème, c'est qu'il vous a bien choisie, vous êtes respectueuse des accords passés, et scrupuleusement honnête, juste le contraire de lui. Vous n'avez aucune chance, vous allez vous faire avoir! C'était écrit!

Au fait, comment faire avec un pervers qui vous prend pour une idiote? Le lui laisser croire pour qu'il ait l'impression de remporter quelques victoires? Oui, mais comme ça, il raflera tout! Au jeu de l'andouille, il est plus fort que vous.

Alors, inévitablement, il arrive un moment où vous êtes en rage parce que vous ne lui avez pas résisté. Vous regrettez de ne pas avoir tout volé, tout vendu en cachette. Mais c'est ainsi, vous ne luttez pas à armes égales!

Que dit le psy? Que le rapport de force n'était pas à votre avantage, qu'il faut savoir céder (plier) si on ne veut pas être brisé. Il est bien, ce psy. Je crois d'ailleurs que c'est un homme! Si c'était pour dire ça, il pouvait continuer à dormir!

N.B.: Notre avis sur le psy:

Ne soyez pas étonnée d'éprouver parfois des sentiments contradictoires à l'égard de votre psy préféré. Tantôt vous l'adorez, tantôt il vous agace (c'est ça, le transfert!).

Mais revenons à nos moutons, ou plutôt à notre peau de vache! Il faut reconnaître que le PB est tellement fort sur le thème. Il excelle dans l'art de noyer le poisson. Il se montre gentil, câlin, caressant lorsqu'il s'agit de sujets peu importants à ses yeux, mais dès qu'il s'agit de choses matérielles, d'argent, le ton change! Quand vous lui demandez de vous restituer un meuble pour compenser celui qui, tout de même, vous était destiné et que vous n'avez pas pris finalement, parce qu'il ne rentrait pas dans le camion, il en demande deux en échange.

C'est l'équité selon le pervers. Il essaie toujours de tirer partie de la situation.

«C'est ça ou rien! hurle-t-il.

– Ce ne sera ni ça ni rien!» répondez-vous.

Lasse de vous humilier à faire des demandes dans le but de rétablir la justice et d'essuyer des refus, vous renoncez à ce qui aurait dû vous revenir, pour ne pas finir à l'hôpital psychiatrique!

Il a tellement utilisé le chantage, au fil des années, que vous croyez qu'il faut acheter sa collaboration en renonçant à beaucoup de choses. Erreur, erreur, il ne collaborera jamais!

En fait, c'est un pauvre garçon qui vous a tout pris! Vous le pensez pauvre d'esprit... Sa dépendance vous consterne? Vous le plaignez, pauvre poire!

> Au grenier, le pervers est grand seigneur, il dit: «Tu peux prendre ce que tu veux!»
> Et au passage, il vous arrache l'argenterie des mains...

L'HOMME QUI VOUS A TOUT PRIS

Les meubles... Oh, si ce n'était que les meubles! Mais il vous a dérobé le respect de vous-même durant des années.

À tel point qu'un matin, vous regardant dans la glace, vous ne supportez plus ce que vous voyez. Et vous décidez de quitter cette chose-là. C'est-à-dire vous, cette loque.

> Le véritable travail, mais cela vous le découvrirez plus tard, n'est pas tant de le quitter, lui, mais de vous retrouver... de vous réconcilier avec celle que vous étiez avant, puis d'aller doucement à la rencontre de celle que vous allez devenir.

Comme le disait notre ami Jean-Paul: «Deviens qui tu es», ce qui est impossible avec le pervers!

> Le véritable travail, c'est aussi, une fois seule, d'accepter vos faiblesses et votre vulnérabilité.

LE VOLEUR VIOLEUR, OU C'ÉTAIT ÉCRIT

Depuis que vous avez parlé de harcèlement moral, le PO tremble. Il lit et subtilise tout ce que vous écrivez. C'est bien la preuve qu'il n'a pas la conscience tranquille.

Le pervers est un violeur d'intimité. Mais là, c'est le bouquet, il vous a piqué les quatorze dernières pages de votre journal intime. Deux fois sept, chiffre mythique, symbolique.

Désormais, il sait ce que vous pensez de lui. Il en a pris pour son grade : quatorze pages qui tuent.

Il n'ignore pas que vous allez vous en apercevoir. Il n'empêche, quand vous exigez qu'il vous restitue les feuillets volés, il dit : « Je ne sais pas de quoi tu veux parler… » Et bien sûr, il veut faire l'amour. « Puisque tu ne m'aimes plus, qu'est-ce que ça peut te faire ? » rétorque-t-il quand vous lui demandez pour qui il vous prend.

Avec lui, rien n'est grave. Et vous, vous n'êtes qu'une pisse-vinaigre qui fait des histoires pour trois fois rien. (Qui sait… peut-être une mal baisée ?)

COURAGE, FUTON

Depuis que vous avez pris position, vous n'avez plus de position, plus de repère, plus de chambre, plus de lit. SDF, SCF (sans chambre fixe). Une espèce de transfuge, de *boat people*.

Parce que, ne vous y trompez pas, si vous signifiez à un PV que vous ne voulez plus dormir avec lui, l'homme ne sera pas *fair-play* au point d'investir le canapé, non, il vous chassera de la chambre conjugale, sa chambre, comme une répudiée, et gare à vous si vous vous avisez de vouloir y rentrer !

Le voilà donc enfermé dans la chambre où vous êtes devenue *persona non grata* (*ingrata* plutôt, selon lui).

Il a ainsi constitué une espèce de territoire, en autarcie, la cuisine, la salle de bain avec WC, et la chambre jointe.

Maintenant que le PO a décidé de garder la chambre, il se met au ménage, il passe l'aspirateur, mais uniquement dans celle-ci, dans son espace réservé.

Il a conscience néanmoins que ce qu'il fait n'est pas bien, mais il le fait quand même, et quand vous lui dites qu'il est violent, il demande : « Parce que j'ai pris la chambre ? Mais tu ne sais pas baiser, tu ne sais pas ! »

Donc, si vous saviez baiser, il vous aurait laissé la chambre ?

La vérité, c'est qu'il ne veut pas être dérangé, ne veut rien déranger... rien déménager, rien changer à sa vie, c'est à vous de partir !

Votre fils demande : « Maman, où va-t-on aller ? J'ai peur qu'on n'ait pas de maison parce que papa, il dit que puisque c'est toi qui veux partir, il restera ici ! »

Le PO veut garder la maison, mais il n'a pas parlé de garder les enfants, bien sûr !

LE NOM POUR AVOIR LE OUI

Vous : « Ne t'inquiète pas, ton nom, je te le rends. »

Lui : « Oh, les noms composés, ça se fait : tu peux t'appeler Trucmuche-Patacaisse sans choquer personne... »

Vous : « Non ! Comme ça tu ne pesteras pas chaque fois que tu feras le chèque de pension alimentaire, comme avec ta première ex. » (« Celle-là, dire qu'elle a gardé mon nom ! »)

Là vous avez fait mouche : le pervers est triste parce que, non seulement vous ne voulez plus être sa chose, mais vous ne voulez plus de son patronyme, ce signe d'attachement coutumier de la femme au mari qui remonte à la nuit des temps.

Il aimerait bien, lui, quand même, que vous gardiez une petite trace de votre aliénation passée. C'est une idée qui lui plaît d'avoir, comme cela, dans le monde, voire tout autour du monde, des femmes qui portent son nom et ont porté ses enfants. Ça lui donne de l'importance... Non, franchement, vous n'êtes pas gentille !

C'est que le nom, ce n'est pas rien pour lui. Souvent, il fait référence à ses origines et là, il ne vous l'a pas envoyé dire : « Un Tartampion ne se laisse pas traiter comme ça par une femme ! Ça fait deux mois que tu es insupportable ! »

Lui, ça fait... Vous ne comptez plus ! Comme quoi sa résistance n'est pas d'aussi longue durée que la vôtre.

Et ce n'est pas le nom de son père mais celui de jeune fille de sa mère qu'il cite, ce qui prouve bien qu'on est pervers de mère en fils et que c'est la femme qui fait l'homme.

Il n'est pas à une contradiction près. Il ne sait surtout plus comment faire avec vous. Qu'à cela ne tienne, il saura quoi faire avec une autre.

LE PERVERS LÂCHE PRISE EN TRENTE JOURS OU QUAND IL N'Y A PLUS RIEN À GRATTER

> « Ma chérie, mon refus de divorcer te rendrait si malheureuse ! »
> « Tu es tellement convaincante, ma chérie, quand tu me dis que tu veux divorcer ! »

Dès que le pervers trouve mieux, il lâche prise. Ça ne dure pas longtemps, sa résistance au divorce !

L'homme est un opportuniste qui devient de plus en plus calculateur avec l'âge. La première fois que vous lui avez demandé (il avait disparu depuis des lustres) s'il voulait divorcer, il a répondu : « C'est comme tu veux ! »

Aujourd'hui que vous lui rappelez que votre décision est sans appel, il dit : « Si tu cèdes à mes conditions, c'est d'accord, sinon je ne divorce pas ! »

Il faut dire que la dame pour laquelle il vous a faussé compagnie « créditait » moins (comprenez : gagnait moins bien sa vie) que vous, qui « créditez » moins que la nouvelle, celle qui va prendre votre succession... Je ne sais pas si je me fais bien comprendre...

Ce n'est pas tout, quand le PE a compris votre détermination à divorcer et qu'il a réussi à s'en tirer au meilleur compte, il cherche encore à préserver une bonne image de lui-même.

Le pervers raconte partout, à vos amis et à des membres de votre famille que, bien qu'il soit très malheureux, il a accepté le divorce aussi vite parce qu'il vous voit tellement malheureuse, vous aussi... Et comme il veut depuis toujours votre bonheur, même s'il s'inquiète de ce que vous allez devenir... (En fait, il craint d'«hériter» des enfants au cas où vous craqueriez.)

Le PB qui vous veut du bien vous tient, sans témoin, un tout autre langage: «J'espère que tu le regretteras toute ta vie, de toute façon, tu es une ratée!»

Ça, c'est le pervers à découvert. Il ne souhaite qu'une chose, c'est que vous vous ramassiez. Il ne vous reste qu'une chose à faire: lui prouver le contraire, non pas contre lui mais pour vous.

LA PRÉSÉPARATION, OU LE DÉSISTEMENT

Vous ne voulez plus de lui et vous vivez encore sous le même toit? Le PV a les moyens de vous punir tout en tirant parti de la situation, car un pervers tire toujours parti d'une situation, même si elle lui est a priori défavorable, ainsi que je n'arrête pas de le rabâcher. Comme lorsqu'il restait au lit toute la journée, après une dispute sévère.

Lui: «Qu'est-ce que tu regardes à la télé ce soir?»

Vous: «Rien, ce sont les enfants qui la regardent...»

Lui: «Tu n'as pas d'autorité. Pourquoi tu ne regardes pas ton film?»

Vous: «Je privilégie les enfants puisqu'ils ont invité leur petit copain...»

Les enfants vont en effet regarder la télé du salon, tandis que le pervers, qui a réquisitionné la chambre, a aussi réquisitionné la télé qui va avec. Il ne vous propose pas de se sacrifier. Cela vous étonne?

Lui : «Tu devras éduquer mieux tes enfants.» (C'est le pervers investi dans son rôle de père et qui ne cherche pas à vous culpabiliser, oh non!)

Vous : «De toute façon, je suis celle qui passe toujours après (façon Mère Courage), l'éternelle pigeonne.» Et vous lui montrez son assiette sale qui traîne sur la table. «Tu vois, ton assiette n'a même pas trouvé le chemin de l'évier. Comme toujours, tu ne donnes pas l'exemple!» (Oh non! Vous ne cherchez pas à le culpabiliser non plus!)

Lui : «Tu m'as viré, c'est fini tout ça!»

Comme s'il n'avait jamais débarrassé une table! Voilà un homme qui, pendant toutes ces années, ces milliers de jours, a réussi l'exploit de ne jamais laver une assiette. Admirable constance!

Vous, petite abeille laborieuse, vous avez toujours (brave pomme! on peut remplacer, sans faire de contresens, le «p» par un «c») préféré ne rien dire, faire silence plutôt que de risquer le conflit en lui demandant de l'aide. C'est plus simple.

Débordée, il vous arrivait de craquer, et vous lui disiez : «Quand on aime sa femme, on l'aide!» Le cri de la bourrique dans le désert!

Il ne bougeait pas. Vous aviez votre réponse...

Voyez, on est loin des débuts! Encore que, on l'a vu, jamais cet homme ne vous a aidée en quoi que ce soit. Un moulin à vent, c'est tout!

Moralité

Il n'y a aucun bénéfice à être digne, modérée, dévouée, et à sauvegarder les intérêts (de l'autre) et les apparences de la famille (réussie).

Car, avec le pervers, le dévouement le plus sincère (mère Teresa!) conduit inexorablement au dénuement le plus calculé (Calcutta!).

LE DÉSISTEMENT (SUITE)

Il vous envoie depuis son portable un petit message écrit: «Je ne rentre pas ce soir, tu t'occupes des enfants demain matin.»

(Signé: l'animal intelligent. Il se moque de vous.)

Vous: «D'accord pour ce soir, mais à l'avenir prévenir et aussi pour les week-ends. À ce propos, prévoir disponibilité pour dans quinze jours.»

Lui: «Pourquoi pas?»

Réponse sibylline, c'est le pervers joueur.

Le principe général, c'est que c'est vous qui gardez les enfants; lui, c'est l'exception.

LE MUR DE BERLIN, OU BONJOUR L'AMBIANCE

Votre fils vous annonce, quand vous lui dites que vous irez bientôt voir votre frère, que papa va y aller aussi.

Vous: «Chez tonton?

– Oui!

– Ah bon…

– D'abord, ça ne te regarde pas!

– C'est comme ça que tu vois les choses?

– Oui, papa a dit que ce qu'il fait avec moi ne te regarde pas, que je n'ai rien à te dire! Et tu ne sais pas non plus quelque chose d'hyper secret que je ne dois pas te dire… Tu ne le diras pas, hein? Eh bien, papa, il fait de la gym!

– Ce n'est pas un secret: ça fait des mois qu'il veut faire de la gym! Tu sais, chéri, les secrets concernant ton papa, ce n'est pas ce qu'il fait avec toi, mais sa vie privée, qui se passe en dehors de toi.»

Si on veut qu'un enfant répète tout, il suffit de lui dire que c'est un secret. Et si on lui dit que c'est hypersecret, c'est encore mieux!

Le PO s'amuse à ce petit jeu des secrets. Il excelle dans cet art. Il dit un tas de choses à l'enfant, puis lui interdit de les répéter, ce que le gamin s'empresse de faire!

L'enfant, incapable (vu son statut d'enfant) de ne pas rapporter, éprouvera une jouissance inouïe à dire et à braver l'interdit, jouissance mêlée de culpabilité, bien sûr.

Voilà de quoi perdre son innocence un peu plus tôt que prévu. Quand on sait le rapport qu'entretient le père avec le mensonge et le secret, pas de doute que les petits deviendront des orfèvres en la matière.

LE FOUTEUR DE MERDE

Samedi 27 octobre
Vous ne l'avez vu qu'en fin d'après-midi, mais en une heure il a réussi à «planter son souk», comme il dit, ou, dans votre langage à vous, à vous déstabiliser et à gâcher votre fin de journée. C'était le but principal de sa visite.

À son arrivée, vous lui avez lancé, avec une pointe de provocation : «Tu as vu, c'est super, il fait beau !» Et vous avez filé vous asseoir sur la terrasse, le visage tourné vers l'astre qui jetait ses derniers feux.

Puis vous l'avez entendu :
- s'envoyer les spaghettis laissés à son intention sur la table de la cuisine (vous avez signé la requête en divorce, mais il vous reste toujours le réflexe de l'épouse nourricière);
- marmonner entre ses dents : «Il fait beau... pfff... On arrive et elle parle du temps !»

Ça commence ! Pourtant vous étiez sincère, ce n'était pas pour parler que vous évoquiez le temps mais par réel plaisir.

Oui, oseriez-vous l'avouer, vous étiez heureuse... Sortant souvent le soir, pleine d'amis, pleine de projets ! Cela changeait tellement votre vie ! Avant même de le quitter définitivement, vous sentiez l'appel du large. Cette liberté nouvelle, si simple pour d'autres, vous tournait la tête. Vous étiez euphorique.

Radoucissement de sa part. Il semble que la guerre, pour cette fois, n'aura pas lieu : une boutique de vente par correspondance lui a offert du foie gras et du champagne pour son anniversaire. Grand seigneur, il vous invite à partager ! Ultime partage. Vous levez vos verres. Vous en avez tellement «bouffé» ensemble, du foie gras et du champagne (voir «Le pervers et la bouffe»). Vous avez toujours été en phase, pour ça, surtout pour ça. Alors pourquoi, tandis que tout était si bien parti, les choses se sont-elles gâtées à ce point ?

C'est lorsque vous lui dites que, puisque vous sortez chacun de votre côté, vous devriez partager les frais de la gardienne d'enfants. Là, vous venez de déclencher les hostilités.

Il hurle : «Tu n'as qu'à sortir quand je suis là ! Tu as un salaire, toi, à la fin du mois, moi je n'ai pas d'argent, c'est bien pour ça que tu t'en vas, non ? Eh bien, tu vois, c'est confirmé ! »

Qu'il est malin le pervers, qu'il est finaud ! Il a retourné une fois de plus la situation à son avantage.

Mais à pervers, perverse et demie. Vous regardez son blouson flambant neuf : «Pas mal, ton nouveau blouson !

– Non, c'est le même, c'est parce qu'il est fermé ! »

Vous faites : «Ah ! » Le «Ah ! » le moins convaincu que vous ayez fait depuis longtemps...

Il n'est pas désarçonné pour autant, il reste convaincu de la sincérité de ses propres mensonges. Il enchaîne sur le thème, regarde les provisions qui attendent d'être rangées sur le buffet de la cuisine. Il dit : «Tu dépenses moins de fric pour les courses. Tu es devenue économe, maintenant, tu comptes tes écus ? »

C'est fou comme vous êtes devenue riche depuis que vous avez décidé de le quitter ! Il ne cesse de vous le répéter. Arrivera-t-il à vous convaincre ? Une richissime qui s'ignore !

Vous enchaînez, pour porter l'estocade : «Je vais inscrire les enfants en classe de neige. Tu paieras la moitié puisque c'est à che-val sur les vacances, sur la période où tu dois les garder et celle où je dois les garder, moi. »

C'est le moment d'être claire, et pédagogue... Mais vous avez remis le feu à la mèche.

Lui : «Tu plaisantes. Tu as ta prime de fin d'année, paie ! »

Quelle obsession! Il est incollable sur le montant de vos revenus. Il en sait plus que vous sur le sujet.

Vous : «Alors, tu les mettras au centre de plein air et tu paieras, parce que tu dois les garder la moitié des vacances, c'est dans le contrat!»

C'est contagieux, l'envie de faire payer!

Lui : «Connasse! Tu les auras à 100 % tes mômes : c'est ton boulot!»

Vous avez touché un de ses centres nerveux : la garde des enfants. Plus question de faire dans la dentelle après le joli qualificatif dont il vous a affublée.

Vous renchérissez : «Et le chèque que ta mère a envoyé pour habiller les enfants? Moi j'ai acheté les vêtements, tu devais me le donner et finalement tu l'as gardé!»

Il tourne les talons. Il en a assez entendu. Arrivé dans l'allée, avant de franchir le portail, il baisse son pantalon et vous montre ses fesses.

Tous ces marchandages, ça ne vous ressemble pas. Mais avec un PB qui ne vous laisse rien, vous êtes acculée à de telles extrémités. Vous devez vous mettre au diapason…

QUAND LE PERVERS VOUS INVITE À DÎNER POUR MIEUX VOUS EXÉCUTER

Ce soir, vous avez tout faux. Vous ne devriez pas être là, mais voilà, votre soirée a été annulée et… il vous a invitée à partager un petit bout de saumon et trois crevettes. (La quantité laisse à désirer depuis que vous ne payez plus!)

Quelle sottise d'avoir dit oui! Vous êtes quand même allée au sacrifice. Ça a tourné très vite au cauchemar. Vous vous êtes retrouvée en tête à tête avec Satan, pas moins, sans enfants pour faire écran. Un vrai carnage! Il déverse sa hargne, ses sarcasmes, toute la famille y passe. Il faut dire que vous avez oublié son anniversaire. Décidément, vous cumulez les gaffes…

Touche pas à mon anniversaire !

Vous avez signé la requête en divorce quinze jours avant (son anniversaire) et voilà qu'il vous reproche d'être venue les mains vides.

Il vous dit que ce n'est pas normal, qu'il vous a fait des cadeaux, lui, pour le vôtre (avec vos sous, comme on le sait). Il regrette amèrement cette générosité envers une ingrate qui se fait la belle.

Alors, c'est ça qu'il veut, votre petit pervers ! Un petit cadeau de rupture ! Il paraît que ça se fait. Si c'est ça, pourquoi ne pas le rendre heureux une dernière fois ?

Pas question. Avec tout ce qu'il vous a ponctionné, il est votre débiteur jusqu'à votre retraite.

C'est vrai qu'il n'a jamais manqué aucun de vos anniversaires. Il y a, chez lui, on l'a vu, des choses qui sont sacrées. Le pervers peut être généreux. Certains le sont, on l'a vu, entre deux insultes. Lui est généreux le jour de votre anniversaire. On a des principes ou on n'en a pas !

C'est vrai que lorsqu'il a décidé de vous quitter, il y a quelques années, il vous a offert une grandiose fête de rupture (enfin, à sa mesure, donc pas si terrible que ça, tout de même !).

Comme pour se donner bonne conscience avant de vous plaquer, il vous a fait la « totale », le restaurant, la piscine, la balade en mer, le foulard Hermès, bref la panoplie de la parfaite cocue ! Comme le condamné à mort à qui on accorde les dernières faveurs. La cigarette de la condamnée.

Vous avez eu la sensation d'être à la fois bafouée et fêtée… peut-être comme une mère, dans le fond. Oui, c'est cela, c'était la fête des Mères, et non votre anniversaire, en fait.

Là, aujourd'hui, c'est vous qui partez et vous ne lui offrez rien. Franchement, vous n'avez aucune élégance !

Sinon, avec un pervers (le mien), les cadeaux d'anniversaire étaient plutôt de nature utilitaire…

«Chérie, j'ai envie de te faire un beau cadeau qui va te faire plaisir. Avec une femme douée comme toi, on ne lésine pas, on achète ce qu'il y a de mieux en matière de cuisinière. Je vais t'offrir une cuisinière!

– Ah, une cuisinière… Je jouis!

– Je croyais te faire plus plaisir.

– Oui, mais ta cuisinière c'est tout un symbole, celui de la femme aux fourneaux, au foyer…»

Mais au moment de la séparation, quand il vous voit emporter la cuisinière, il gémit: «Quand même, une cuisinière qui n'a pas deux ans! Tu es sûre que tu en as vraiment besoin?»

C'est vrai, quoi! Il a fait cet investissement et voilà que la cuisinière se barre avec le piano! C'était son bien aussi, cette cuisinière, même s'il n'a jamais su comment allumer le four!

LE PERVERS MACHO, OU QUAND LE PERVERS VEUT ÊTRE SERVI

Ou encore:

LE PERVERS QUI MÉLANGE TOUT : FRIC, BOUFFE, CUL

Ce soir, vous sortez et il est de garde («de chiots»). C'est l'exception.

Vous l'avez prévenu quinze jours avant, vous lui avez fait une demande en trois exemplaires. Ce sont les mesures transitoires, en attendant que vous trouviez votre appartement.

Vous lui faites un casse-croûte de pain et de jambon. Il est apparemment bien disposé. Il commence à picorer le jambon, puis demande un couteau. Comme l'enfant larbin ne s'exécute pas, vous lui tendez le vôtre. Là, c'est l'étincelle, prétexte pour la mèche!

«On est vraiment chez les pauvres! persifle-t-il.»

Réplique instantanée de votre part: «Ça, c'est trop marrant dans ta bouche. Tu fréquentes les riches, maintenant?

– C'est sale, ici, c'est tout collant, c'est incroyable! dit-il d'un air de dégoût avec la grimace de rigueur.

– Normal: tu ne fais pas le ménage! C'est chez toi, ici. Je ne suis plus chez moi, ce n'est plus mon travail.»

Cette phrase, il aurait pu la prononcer. Mais il ne supporte pas quand vous employez ses méthodes.

Lui: «Pour qui tu te prends?»

Vous (amusée): «Pour moi, c'est-à-dire une reine. Et les reines ne font pas le ménage!»

La réplique est nulle, mais vous en êtes malgré tout assez satisfaite.

Lui: «Tu oublies tes origines, tu viens d'un milieu ouvrier!»

Il continue à vous rabaisser, il enfonce le clou.

Vous: «Non, non, je suis une reine, je t'assure!»

Lui: «Va te faire "tringler"! Ça te fera du bien...»

On le voit, il est à bout d'arguments. Il vous insulte. Ultime recours du pervers: la vulgarité effrayante. Il éprouve une certaine jouissance à humilier une femme «diplômée», comme il dit. Mais vous n'auriez pas de diplômes, ce serait pareil.

Vous: «Je ne me fais pas "tringler", moi!»

C'est dans sa bouche que vous avez entendu le mot pour la première fois, ce vilain mot à la sonorité qui évoque vous ne savez pas trop quoi, mais sûrement un truc sadomaso plutôt abominable.

Mais il s'obstine, il remet ça, il vous répète une fois de plus que votre orgasme, c'est votre imaginaire.

Cette fois, c'en est trop. Vous lui criez: «Je n'ai aucun problème, ni d'orgasme ni de désir... J'avais seulement un problème de partenaire qui va se résoudre très vite!»

Et vous attendez l'avalanche.

Rien.

Voilà pour le règlement de l'affaire du frigidaire ambulant!

Encouragée par sa soudaine apathie, vous voulez avoir le dernier mot du dernier mot: «Les femmes de ma catégorie socioprofessionnelle ont toutes une femme de ménage ! Sauf lorsqu'elles épousent un minable comme toi ! »

Voilà pour le règlement de l'affaire du ménage ! (Vous vous sentez mesquine, sordide, mais il n'y a pas de petits bénéfices !)

La boucle est bouclée, question tâches ménagères. Tout au début de la relation, il disait à qui voulait l'entendre que, quand il se levait le matin, le fait de voir la cuisinière sale, ça lui donnait la nausée.

Dans la soirée, il vous laisse un message sur votre portable. Il dit que vous n'avez pas été sympa, que vous l'avez agressé !!! L'agresseur agressé.

Les précipices de son inaptitude à analyser une situation, ou plutôt de sa mauvaise foi, sont sans fond.

QUAND LES OREILLES COMPATISSANTES SE FONT RARES, OU LE PERVERS RATTRAPÉ

L'homme vous a tout pris, mais il n'empêche, pour son énième divorce (et pas le dernier !), le pauvre est en droit d'espérer qu'on le plaigne un peu, au moins du côté de sa famille… Mais à part maman, il n'y a pas grand-monde qui le plaint par les temps qui courent !

Les enfants de son premier mariage ont senti que l'heure de la revanche avait sonné pour leur mère. Ils ne se sont donc pas apitoyés.

Alors, il a téléphoné à son frère pour lui narrer ses déboires, mais l'autre est lui aussi au tribunal pour son propre divorce. Son ex n'a jamais voulu quitter la maison, qu'il continue à payer, alors qu'il voudrait la vendre pour s'installer avec sa nouvelle femme.

Voilà la femme qu'il lui aurait fallu à notre pervers, un alter ego en jupon, une femme « à qui causer » !

Bref, le bonhomme n'était pas non plus disposé à entendre les problèmes de son frérot.

RÈGLEMENTS DE COMPTES

Il dit (éternelle victime) que ses enfants ont été élevés dans la haine par sa première femme. Vous répliquez que tout ce petit monde a manqué de moyens et que ceci explique cela.

Lui : «Cette fille (comprendre l'ex-épouse) a toujours été suivie de près ou de loin par mes parents!»

En résumé, ce sont les grands-parents qui «paient» à sa place. Il ne se sent pas concerné par ses propres enfants.

À propos de sa fille devenue majeure qui n'a pas fini ses études, il se demande s'il doit continuer à régler la pension alimentaire pour «cette fille-là». Vous, bonne pomme, lui répondez que oui. Vous êtes sa conscience, son surmoi.

Il dit qu'il y a un prix à payer pour la liberté. Donc, s'il ne paie pas la pension alimentaire et si son ex-femme en bave, elle «paie», elle, le prix de sa liberté. Lui ne «paie» aucun prix, il s'en sort au moindre coût. Ou l'art de se déresponsabiliser.

Il reconnaît ainsi que l'union avec lui est une prison.

Mais de quelle liberté parle-t-il, puisque son ex-élève seule, sans son aide, ses enfants, ce qui lui pose quelques problèmes pour refaire sa vie? Quel étrange raisonnement! Comme si une femme n'avait d'autre alternative que d'être mariée et dans les chaînes, ou séparée et dans la misère financière.

Ainsi, le PC est un farouche défenseur de la prostitution bourgeoise!

Il y a deux boutons sur lesquels il faut appuyer pour se débarrasser du pervers, deux mots magiques à prononcer: «payer» et «garder» les enfants.

Vous (à votre fils): «Si tu es désobéissant, tu iras vivre avec papa. Je ne vais pas crier après toi tout le temps. Si je n'ai pas assez d'autorité sur toi, je ne vais pas me ruiner la santé!»

Lui (le pervers): «C'est malin de dire ça à un enfant! Dégage, tire-toi, ça suffit!»

Deux minutes avant, il vous disait que vous étiez ravissante ce soir…

LE PERVERS ET LA CONCILIATION

La veille de la conciliation, le PE vous laisse un message. Rien à voir avec ceux des jours précédents.

Il n'est plus enragé, sa voix est cajoleuse, vous reconnaissez le bel organe qui vous a séduite. Le pervers serait-il déprimé?

Non, vous savez bien que c'est impossible, un pervers n'est jamais déprimé, ou alors très brièvement.

Non, il se dit simplement que demain vous allez voir la juge et que, comme vous ne lui avez pas caché que vous comptiez révéler à la brave dame que le sieur n'est guère empressé auprès de ses enfants, il est pris soudain d'une envie vespérale irrépressible de s'occuper de sa progéniture!

Quelle surprise va-t-il vous sortir de sa boîte à malices?

Le jour même, n'en parlons pas, il se montre extrêmement aimable au téléphone. Une heure avant le rendez-vous, il vous appelle pour vous donner l'itinéraire jusqu'au tribunal. Un court instant, vous croyez qu'il va proposer de passer vous prendre!

En fait, il souhaite tout simplement que vous rajoutiez une clause dans la requête conjointe. Clause destinée à vous faire payer quelque chose en plus.

Au tribunal, il vous fait asseoir à côté de lui. Et là, il essaie de vous amadouer une fois de plus pour que vous ne soyez pas trop virulente à son égard devant la juge. Peine perdue! Il a droit à un rappel à l'ordre de l'autorité, qui lui explique ses devoirs de père. Il en tombe des nues, il est offusqué, meurtri. Mais il se ressaisit vite.

Quand vient votre tour de rentrer dans le bureau de la femme de loi, vous voyez sur le visage du pervers l'expression de l'homme contrit et prêt à rentrer dans le droit chemin.

«Oui, madame la juge, je sais, j'ai compris, je ferai de mon mieux.»

Soudain, la loi, ce n'est plus lui, et il tient à garder une apparence de légitimité respectable face à sa représentante.

> Avec un PO, on l'a vu, vous avez tout intérêt à agiter le spectre de la justice.

L'avis du psy: Il faut très vite mettre un tiers (la loi) entre un pervers et vous, pour contenir (ou faire dévier) ses pulsions destructrices!

Le psy me l'avait dit il y a déjà quelques lustres, mais je n'avais pas entendu…

> Dans le couloir du cabinet de la juge, le pervers vous demande:
> « Ça ne te manque pas, un beau mec comme moi?
> – De qui parles-tu? »

Et il n'hésite pas à résumer ainsi vos années de vie commune: « Tu m'as fait perdre mon temps! »

Puis, en opportuniste professionnel, il essaie de rattraper sa bévue: « Je viendrai te courtiser quand tu auras réussi. »

LA « RATITUDE », OU LE SCÉLÉRAT

Quand on pense à sa pingrerie au moment du divorce, on a envie d'inventer un nouveau mot, juste pour lui, pour la qualifier.

Car l'homme est un vrai rat, dont la « ratitude » (pardon à monsieur Larousse et aux petits rongeurs en général!) le rattrapera.

Ô sainte justice immanente, fais ton ouvrage, rappelle à l'ordre l'irresponsable, le pervers, les avares et les avaricieux!

L'IMMORAL, OU L'INCITATION AU VOL

« Maman, tu en as besoin, de cette nappe? »

Votre fils vous montre la nappe qui recouvre la petite table de jardin (autant dire un guéridon) qui fait office de table de cuisine.

« Oui, tu le vois bien!

– Papa voudrait la récupérer!

– Comment? Il a gardé la table que j'ai achetée avant de le connaître, et il veut aussi la nappe?

– Elle est pas à toi!

– Comment, elle n'est pas à moi, je l'ai achetée l'année dernière!

– Oui, mais c'est papa qui l'a payée!

– Mais non, chéri, j'ai toujours gagné ma vie!

– De toute façon, il m'a demandé de ne rien te dire et de te la piquer. Mais j'ai dit non. Alors il a dit: "Fais ce que tu veux." »

Ah, quand même, un zeste de moralité au fond de la cuve! Vous vous dites: «Cet homme est fou, il m'a tout pris… Que veut-il encore? »

Ses paroles vous reviennent à l'esprit, lancinantes: «Tu ne devrais rien avoir, rien avoir! »

Il le pensait si fort qu'il le pense encore!

Vous voilà niée dans vos besoins, dans votre rôle de mère qui a la garde des enfants. Il n'a aucune pitié, vous êtes l'ennemie. Vous n'avez pas été assez dépouillée. Si vous pouviez l'être davantage, ce ne serait que mieux.

La haine, la malveillance, les coups bas sont toujours à l'ordre du jour, par l'intermédiaire d'un morceau de tissu et par enfant interposé. Votre fils, petit macho en culottes courtes, est convaincu que tout ce qui est dans la maison «est à papa, parce que c'est papa qui a tout acheté»!

Vous avez toutes les peines du monde à rétablir la vérité, vous déployez des trésors de pédagogie pour lui faire comprendre que vous êtes une maman qui gagne sa vie convenablement et que, bien souvent, vous avez gagné plus que papa.

«Alors, chéri, peux-tu me dire où est passé tout l'argent que maman a gagné, si c'est papa qui a tout acheté? »

Vous lisez dans l'œil de votre petit toute l'incertitude du monde. Il confond peut-être «acheter» et «payer». À son âge, c'est moins grave qu'à l'âge du père!

Le problème, c'est que, régulièrement, le père va vouloir récupérer des choses par fiston interposé. Normal, c'est à lui! Vous avez intérêt à faire acte de présence à votre domicile et à ouvrir l'œil, et le bon!

L'ART DE RETOURNER LA SITUATION À SON PROFIT

Après la séparation, il arrive presque à vous convaincre que c'est vous la femme intéressée. Il veut dire: bassement intéressée.

« Jamais je n'aurais cru que tu en arriverais là!»

Ou: «Tu vois, on peut vivre des années avec une personne sans se rendre compte qu'elle est radine!»

Dispute, acte IV

Vous (au téléphone): «J'ai eu un dépassement imprévu pour le ski des enfants. Le trousseau m'a coûté plus cher que prévu. Alors, si cet été je les envoie encore en colonie, comme je dois réserver maintenant, j'aimerais que tu t'engages à participer aux frais.»

Lui: «Alors, chaque fois que tu vas payer quelque chose aux enfants, tu vas me demander la moitié? Alors je vais faire pareil, je vais amener la petite chez le coiffeur et te demander de payer la moitié de la coupe!»

Vous: «Mais ça n'a rien à voir! C'est une dépense importante, ce n'est pas de l'entretien courant!»

Lui: «Tu es bien comme ta mère, tu ne penses qu'à l'argent! Tu me déçois profondément!»

Vous raccrochez. Il est extra, cet homme, il valait la peine d'être connu!

Le pire, c'est qu'il est convaincu et presque convaincant – si ce n'est que dans votre salon vous êtes assise sur des caisses à savon et que, hormis vos deux enfants, vous ressortirez les mains complètement vides de ce mariage! Vous vous demandez vraiment ce qui serait arrivé si vous n'aviez pas été une femme intéressée!

LE PERVERS DANS L'INCONFORT

Il arrive que le PB se plaigne : « Tu te rends compte de ce que tu me fais en m'imposant cette séparation ? Tu m'obliges à tout recommencer, à mon âge ! J'en ai marre de recommencer ma vie tous les dix ans !

– Je comprends ton embarras, mon chéri, il va falloir que tu remontes sur scène pour refaire ton numéro, ce n'est pas de tout repos ! Désolée ! Fallait y penser avant de tailler en pièces notre relation ! »

Il arrive aussi, version plus dynamique, qu'il vous dise avec cette belle franchise qui, on l'a vu, n'est pas rare chez certains pervers : « Avec toi, je me suis reposé, maintenant je vais recommencer à faire des choses ! »

Mais oui, tiens, mon œil ! N'oubliez jamais ceci : avant vous, il était un parasite (il ne vous l'a d'ailleurs pas caché) ; avec vous, il a été un parasite, et après vous, il restera un parasite !

Ne vous faites pas de souci pour lui, vous ne l'avez pas changé et personne n'y arrivera ! C'est sûr, il faut qu'il se remette au boulot, et c'est fatigant, la stratégie de séduction !

C'est également votre chance si, comme moi, vous êtes tombée sur un pervers *Parasitus Gigolus*. Celui qui, lorsqu'il n'y a plus rien à tirer d'une femme, va se greffer ailleurs.

Cela vous évitera certaines dérives post-séparation, notamment de le retrouver au petit matin endormi sur votre paillasson et d'être tentée (ultime faiblesse !) de faire rentrer le cheval de Troie dans la citadelle.

L'HOMME QUI N'APPREND RIEN

Ce n'est pas me contredire que d'avouer que, malgré tout, j'ai pensé un moment (eh oui, preuve que je n'avais encore rien compris, que je restais toujours aussi naïve) que cette épreuve allait peut-être lui donner l'occasion de grandir, qu'elle allait lui permettre de faire du chemin.

N'auriez-vous pas eu cette idée folle, vous aussi ? C'est vrai, maintenant qu'il est au pied du mur, face à ses réalités intimes. D'une certaine manière, vous lui avez même fait un cadeau.

Les draps à peine refroidis, alors que vous êtes séparés depuis quinze jours, votre fils, de retour du premier week-end avec papa, vous annonce que celui-ci va faire un cinquième enfant à une femme qui a vingt ans de moins que lui.

Tout ça pour affronter un bout de réalité désagréable. Ainsi, sa première ex-épouse lui réclame un arriéré de pension, il vous en doit une à vous depuis peu… et il se prépare à en verser une autre dans quelques années. Mais, entre-temps, il va se donner les moyens d'affronter un petit bout de réalité. Car il arrive toujours un moment où elles (ses ex) se retournent contre lui, contre ce semeur de bombes à retardement. Alors, il finit par payer (mais le minimum).

De toute façon, au moment de l'addition de sa mauvaise conduite, il est la victime. Le martyr. Le voilà rattrapé par toutes ces chiennes à qui il a fait des enfants, toutes ces garces qui n'en veulent qu'à son pognon, qui veulent «lui bouffer le cul et les couilles», comme il dit, qui réclament des pensions alimentaires pour ces chiards qu'elles ont voulus !

En résumé, pour tenter, nous disons bien tenter, de tenir une femme, le pervers vieillissant lui colle un ou deux mouflets dans les gencives ou ailleurs !

Il épouse, aussi. Il dit : «Moi, j'épouse, je ne reste pas en concubinage !» Voilà un homme qui a des traditions !

On ne sait pas jusqu'où ira le jeu, qui l'arrêtera, si les victimes seront toujours aussi consentantes, mais enfin, cela entretient la tension, cela maintient dans la vigilance.

Et vous vous demandez à compter de quand il va commencer à exécuter la nouvelle. (Pour la petite histoire, vous avez eu vent très récemment que le PO l'a fait pleurer trente jours après l'avoir rencontrée…)

Relativité:
Voyez cet amour, ce bel amour, comme il a fait long feu! Il m'aimait très fort en septembre, et en octobre il ne m'aimait plus. Allez savoir... Entre-temps, je me suis réveillée...

LA PHASE DE CONDITIONNEMENT

Vous savez maintenant comment cela fonctionne. Le processus a déjà été évoqué dans la première partie du livre.

Il tend ses rets, puis sa proie bien hameçonnée, il lui sert doucement mais fermement ses conditions: il est libre, entièrement libre. Il a le divorce bien en main.

Libre, mais père, à savoir de deux enfants en bas âge, un week-end sur deux et la moitié des vacances. Jusque-là, l'ex-femme et les ex-enfants sont en attente, en attente de la promise, car il n'est pas question qu'il s'occupe seul des enfants.

Quelques signes vous parviennent: il a ferré, c'est bon pour lui. Il lui sert les enfants (justement, elle les adore). Mais il découvre qu'elle voudrait, elle aussi, un enfant. Un seul, pour l'instant...

L'HOMME QUI NE SUPPORTE PAS LES ENFANTS

Nous en avons déjà parlé... Mais je ne crois pas vous avoir dit que chaque fois qu'il croise une mère de famille dans la rue, il s'exclame: «C'est terrible, ces femmes, on leur fait deux enfants et elles ne ressemblent plus à rien!»

Charmant, de vous prévenir ainsi à huit semaines de votre première grossesse! Voyez ce qui vous attend, mademoiselle...

En attendant, pour notre prince, adieu les dimanches au lit. Le répit sera de courte durée avant l'arrivée du nouveau-né.

Sauf qu'avec le temps, le PC affine un peu mieux le tir. Les parents de la fille habitent juste à côté, elle a déjà une maison très confortable et elle envisage de construire plus grand. Pour lui?

Hélas, tout se passe comme si la malédiction continuait à s'acharner sur le pauvre pervers. Il dit: «Elles sont toutes pareilles, on leur dit bonjour dans la rue et elles veulent un môme, puis deux, et puis une maison!»

Et c'est pareil quand il rencontre une quasi-ménopausée qui lui réclame dans le mois qui suit un bébé et un toit: elle n'a pas de temps à perdre... Pauvre vieux! Il n'a pas de chance, lui qui se plaint d'avoir une indigestion de barboteuses! Mais à force de vanter sa marchandise, il n'y échappe pas.

Il faut dire que ses enfants sont sa vitrine. D'ailleurs, il le déclare tout net, ce n'est que grâce à lui qu'ils sont si beaux... Il les amène chez le coiffeur pour qu'ils soient plus présentables pour leur future belle-maman.

Le nœud caché du problème? Il ne souhaite pas faire vie commune avec une femme qui a des enfants. Déjà qu'il ne les supporte pas quand ce sont les siens, comme il dit (qui resteront de toute façon les vôtres!).

Ce qu'il raconte est une chose, la réalité en est une autre.

Au fond de lui, il sait que c'est le droit de passage à régler: s'il veut avoir le reste, une prise en charge financière, il doit passer à la casserole, je veux dire baiser pour féconder. (Ma parole, je deviendrais triviale, moi aussi...)

Vous ne pouvez vous empêcher d'être suffoquée par cette parfaite identité de scénario qui se déroule sous vos yeux. C'est votre tour d'être à la place de l'ex, et quelque chose vous dit que vous devrez batailler dur pour que vos enfants aient un père... si c'est possible...

QUAND L'ENFANT EST UNE ARME, OU DU BON USAGE DE L'ENFANT

Vous ne connaissez pas la nouvelle élue, mais vous en avez entendu parler par vos enfants, qui passent la fin de semaine chez leur père, c'est-à-dire chez elle!

Vous imaginez votre PV employant sa tactique infaillible à l'égard de la belle. Regard dans le vague, il lui assène, l'air de rien : « Tu sais, on ne cesse pas d'aimer son ex comme ça. On ne fait pas deux enfants à une femme par hasard ! » Et vlan ! Le *Pervertus Abominablus* a encore frappé.

Il sème là une première graine vivace, qui n'aura de cesse de germer. Mais ce faisant, il travaille à son succès et à sa perte. Car la nouvelle est jalouse illico qu'il puisse avoir aimé une autre femme au point de lui avoir fait deux enfants. Elle a bien tort, évidemment, (quand on sait comment cela se passe après !), mais elle l'ignore. Elle est encore jeune et amoureuse.

Il n'empêche, elle n'aura de répit que lorsqu'elle s'en sera fait faire un, peut-être même deux pour ne pas être de reste. Pour accéder au même niveau que l'ex, au même niveau de légitimité, afin de n'être plus cette pièce rapportée, et de porter elle aussi les enfants de l'Homme. Si elle n'était pas pressée de procréer jusque-là, son désir d'enfant flambe à coup sûr !

L'arme suprême de ce pervers-là, ce n'est pas son talent professionnel, ce n'est pas sa position sociale, sa tendresse et sa délicatesse sans bornes, non, c'est ce que sa mère a si bien compris et lui a inculqué… (Voir, p. 128, la queue du poulet, non, je veux dire le cou de poulet.) Il ne sait faire que ça !

Donc, l'enfant est une arme dont il se sert : « Je t'en fais, je t'en fais pas… »

Il y a de quoi rendre folle la femme en âge de se reproduire la plus… « cérébrée » ! C'est le moyen qu'il utilise pour asseoir son emprise.

Mon humble avis (sans l'aide du psy) : Il fait monter les enchères, car il adore être aimé. Cela le rend important à ses propres yeux, cela restaure son « estime de soi », qu'il a à la fois très forte et très dégradée. Et surtout, il sait qu'en faisant un enfant, il rentre dans le nid, comme le coucou.

L'avis du psy: Chercher l'origine (et les conséquences) de ce fantasme de l'étalon. Il en est à cinq enfants connus, il doit bien y en avoir deux ou trois de semi-connus!

Peu avant la date prévue pour votre séparation, il est rentré tout guilleret d'une soirée où il était invité. Le lendemain, il vous a demandé, comme vous étiez sortie de votre côté, si vous aviez été courtisée. Il ne demande ni où, ni quand. Pourquoi? Parce que ce n'est pas de vous qu'il parle, mais de lui. C'est sa façon de vous informer qu'il l'a été, lui, courtisé, tout au long de cette soirée, qu'il ne savait plus où donner des yeux et de la tête.

Si votre réponse est elliptique, la sienne est sans équivoque: «Il y a un tas de femmes diplômées, à des postes de haut niveau, qui veulent avoir un enfant...»

Traduction: Elles cherchent un étalon!

Rassuré sur son avenir, notre pervers sifflote toute la matinée.

RÉGRESSION, QUAND TU NOUS TIENS!

Il est possible que vous pleuriez de temps en temps (au début). Je vous l'ai dit: l'impression d'être passée à côté de quelque chose... N'oublions pas que vous êtes quand même un peu maso et que cela ne se guérit pas comme ça.

> Alors, mettez fin à cette illusion ou à ce désir excessif d'avoir une emprise sur la vie, cessez de jouer les apprenties sorcières. Renoncez à cette volonté de toute-puissance qui vous fait croire que vous auriez pu le faire changer de comportement.

Ne vous dites surtout pas: «C'est dommage! Il suffisait d'un poil pour qu'il rentre à peu près dans le rang!»

Souvenez-vous plutôt qu'il suffit d'un rien pour qu'il se transforme en M. Hyde, plus souvent qu'il n'est supportable. Ce qui explique pourquoi vous avez été si docile et persévérante pendant des années.

Vous avez quand même raison, cela donne le vertige, cette infinitésimale limite où tout bascule d'un extrême à l'autre. Il en joue à volonté, avec son arsenal de menaces.

Oui, il est bien possible que vous pleuriez franchement.

Comme la belle Victor Lazlo, vous pourriez lui chanter :

Adieu, gueule d'amour
Cette fois c'est fini
Je pars
J'en ai pleuré des rivières
Oui, pleuré des rivières
À quoi ça sert ?

Il n'empêche, vous êtes une andouille, une vraie, pas une andouille de Vire, mais une andouille quand même ! Et vous pleurez, vous pleurez, vous ne savez pas pourquoi vous pleurez comme ça.

C'est incroyable, voilà qu'il vous manque depuis que vous l'avez vu dans sa nouvelle vie ! Décidément, ce n'est pas la même chose de « savoir » et de « voir » ! Vous aviez pensé qu'il allait un peu porter le deuil, oh, pas longtemps, mais un peu tout de même.

Mais, là, il est venu chercher les enfants à bord de la grosse berline de la copine, avec un gros boxer derrière (lui qui abhorre les chiens), cheveu bouclant dans le cou, lui qui se rasait la nuque trop court à votre goût. Et il n'est même pas gêné.

Faut dire qu'à l'âge de la belle, à l'époque, vous rouliez avec lui en 2CV… Preuve que les restrictions, c'était pour vous, enfin pas vraiment, puisque ce n'est pas le pervers qui paie et aujourd'hui moins que jamais.

Il a fière allure, dans la grosse bagnole, à l'œil. Pas fou : avantages en nature et pas de factures ! Quel homme, quand même ! Il n'y a qu'avec vous qu'il se contentait de peu.

Quelques pensées salvatrices vous traversent l'esprit et vous sauvent. Il aurait bien pu débarquer en décapotable, dans un costume Cerruti, avec sa belle gueule, le contenu aurait été le même.

Il ne sera jamais qu'un béotien, un bouché de la communication, un nul. Ah, ça fait du bien de le percevoir tel qu'il ne s'est jamais montré, c'est-à-dire tel qu'il est!

Vous êtes obligée de combattre ce retour de sentiment (pas de flamme) par quelques pensées méchantes, pour ne pas perdre pied! C'est quoi, ce sentiment, ce retour de cœur? Un reste de possession pour un homme dont vous avez longtemps partagé la couche? Humain, non? Du dépit? De l'attachement? De l'amour? C'est compliqué tout ça!

Vous vous remémorez tous les bons moments que vous avez eus avec lui.

Help! help! le psy: Jusqu'ici, vous avez survécu à la séparation en le démystifiant, en restant centrée sur lui. Voyez tout ce que vous avez écrit sur lui. Et voilà que, d'un coup, vous avez à vous rencontrer, vous. Vous avez à apprendre à vivre avec vous, sans lui!

Ça passe mal! Vous ne dormez plus, vous ne mangez plus, votre tube digestif est en feu de bas en haut.

Osez vous l'avouer: vous vous arrêtez sur toutes les aires d'autoroute pour lui «balancer» des messages sur son portable.

Tandis que vous vous dédoublez, une voix intérieure vous dit: «Tu fais une crise de démence!» mais il vous faut agir, quitte à vous couvrir de ridicule, à passer pour une hystérique.

Vous vous dites que ça va passer, que ce n'est pas possible autrement, que ce sera aussi court que c'est fort (ce n'est pas la première fois que ça vous arrive), sinon vous allez vous crever comme une chambre à air.

Un coup d'œil dans le rétroviseur... Vous avez l'air d'une pomme ratatinée et humide avec un sillon imprimé entre les deux yeux. Ah non, surtout pas! Il serait trop heureux de vous voir dans cet état de décomposition avancée!

Ouf, ça va mieux! Vous vous êtes remémoré tous les mauvais moments passés avec lui!

Que dit encore le psy? Il faut toujours faire le deuil d'une relation, même si elle a été désastreuse. C'est douloureux. Après tout, vous l'avez aimé ce pervers, non?

Euh, oui, oui… enfin je pense, mais alors, encore une fois, je me demande bien pourquoi…

Il faut dire que vous n'avez pas perdu les pédales tout d'un coup, sans raison, alors que tout allait pas trop mal jusque-là! C'est simple, on l'a vu, tout a commencé quand les enfants sont revenus du premier week-end passé avec leur père…

Vous étiez plutôt guillerette, ce jour-là. Vous aviez passé trois jours à savourer une tranquillité neuve et inconnue, et vous vous disiez, avec un zeste de culpabilité indécrottable, que cela a du bon, le divorce, avec un week-end sur deux en perspective, dont vous disposeriez pour faire ce que vous n'aviez jamais pu faire dans le cadre du mariage.

C'était compter sans le PB et ses coups bas!

LE RÊVE PRÉMONITOIRE

Souvenez-vous, vous aviez fait un rêve prémonitoire avant de prendre votre appartement, alors que vous viviez encore sous le même toit.

Vous l'avez vu, lui, dans une grande maison avec jardin et piscine, une maison remplie de beaux meubles, comme s'il vivait avec une héritière. Il était entouré d'amis, autour d'un gigantesque barbecue qu'il semblait avoir organisé lui-même (incroyable!). Très convivial, le monsieur, très à l'aise, «heu-reux» comme un pape en Avignon!

Dans votre sommeil, vous vous êtes fait la réflexion: «Le salaud, voilà que tout ce dont j'ai rêvé et qu'il m'a refusé, il se l'octroie!»

Eh bien, le rêve disait vrai. Mais ce que le rêve ne disait pas, c'est que c'est une autre qui paierait. Les rêves ne rentrent pas dans les détails.

Aucun regret! Jamais, avec vous, il n'a fait le moindre effort pour vous faire la vie belle. Vous l'avez pressé sous toutes les coutures, agité de bas en haut, retourné dans tous les sens : aucun écu n'a jamais sauté de ses poches retournées comme des chaussettes!

Le rêve vous annonçait tout simplement que vous aviez passé la main, que c'était une autre qui prenait le relais.

LA VÉRITÉ SORT DE LA BOUCHE DES ENFANTS

Vous avez des enfants qui s'expriment volontiers et disent facilement l'indicible, des enfants qui ne gardent pas pour eux les non-dits.

Vous êtes d'ailleurs assez fière de cette liberté de parole qui règne entre vous et eux, mais là, vous aimeriez qu'ils retiennent un peu… Cela ne fait même pas deux semaines que vous êtes séparés…

Votre fils vous lance, non sans un certain plaisir :

« Tu ne sais pas quoi, maman…

– Quoi ?

– Eh bien, maintenant, papa aime la campagne. Oui, il a dit qu'il allait acheter une maison avec une piscine, avec la jeune fille qui a passé le week-end avec nous. Elle habite à la campagne! Et puis, tu sais, maman, il aimait pas les chiens avant… Eh bien, maintenant, c'est lui qui garde le chien de Noémie pendant qu'elle fait du shopping, et il lui donne même à manger. Il s'en occupe tout le temps, il vit chez le chien, alors… Bon, c'est vrai qu'il n'est pas très content quand il ramasse ses crottes et son vomi, parce qu'il est souvent malade, ce chien, mais il dit rien… même quand il lui bave sur les jambes de ses pantalons qui sont toutes mouillées! Il a changé, tu sais, maman, depuis qu'il ne vit plus avec toi, c'est un autre homme, c'est mamie qui l'a dit.

– Ah bon.

– Et puis, tu sais pas ? C'est papa qui a fait la cuisine ce week-end. C'est Noémie qui lui a demandé… J'avais jamais vu papa faire ça. Il fait le ménage, il passe l'aspirateur, la serpillière, et il "essuie" les meubles, oui, oui, maman, je t'assure, il les essuie ! »

L'émerveillement de votre fils de onze ans traduit bien la métamorphose de ce père qui lui disait : « Aide ta mère ! » quand vous lui demandiez à lui de vous donner un coup de main. L'enfant, alors, s'insurgeait : « Et lui ? Pourquoi il ne fait rien, lui ? »

Mais le coup de grâce, c'est la plus jeune qui vous le porte : « Et puis, il faut qu'on te dise le principal : papa et Noémie, ils sont amoureux, ils vont faire un bébé, mais tu ne dis pas à papa que je te l'ai dit, parce que c'est interdit. S'il le sait, il va me tuer ! »

Deux semaines que vous avez quitté la maison ! Dès le lendemain, il y en avait une autre ! (Sous la couette que vous lui avez laissée.) Alors qu'il a tout fait pour vous culpabiliser et vous faire endosser la responsabilité de la rupture ! Cela explique son empressement à vous voir partir !

Et vous, quelle dinde ! Décidément, c'est vrai, vous auriez dû tout piquer avant de partir, dans ces conditions ! Ah, le pervers a bien manœuvré, mais c'est un pléonasme ! Sûr qu'il vous a fait tous ces coups pendables pour vous dégoûter et vous faire partir de votre plein gré, toute seule, comme une grande !

« Et tu sais pas aussi, maman…

– Tu sais, ma chérie, c'est beaucoup pour une seule soirée, je ne sais pas si j'ai vraiment envie de savoir…

– Ça fait rien, je te le dis quand même. Noémie, elle va passer à la télé parce que sa famille, c'est la première en Europe pour construire des… comment il dit, papa ? Des *pool*… des *pool*…

– Des *poolhouses*…

– C'est ça ! Et elle est en train de se faire construire une maison de 500 mètres carrés !

– Ah bon, je suis rassurée… Merci, ma chérie. On peut passer à table. »

Encore une belle histoire d'amour. Notre PO est bien tel qu'en lui-même. Cette fois, c'est sûr, vous en êtes débarrassée, et le débarras est proportionnel à la fortune de la fille.

Ce n'était vraiment pas la peine de puiser au tréfonds de vous-même l'énergie nécessaire pour vous laisser pomper par lui, quand on voit la facilité avec laquelle il exploite maintenant un autre filon bien plus juteux.

Mais ce n'est pas tout.

Cette fille, disent les enfants, est très gentille. Ça, vous n'en doutiez pas, le PC ne chasse pas en terrain escarpé ! Le pervers s'est une fois de plus planté dans un bon terreau, c'est sûr !

Bêtement, vous vous étiez imaginé qu'il attendrait un peu pour la présenter à ses enfants ! Vous ne tirez pas les conséquences de l'histoire. C'est que vous n'avez toujours pas compris, c'est que tout cela fait partie de la stratégie habituelle et récurrente du PV.

Vous êtes nunuche ou quoi ? Il a fait exactement comme cela avec vous. Sotte que vous êtes, vous devriez vous taper dessus vous-même, mais vous n'êtes plus assez souple !

Le plan se déroule comme prévu et les « enfants » sont, comme à l'habitude, mêlés à l'affaire.

Le pompon, c'est lorsqu'ils sont rentrés du week-end « chez papa » avec des mets que le pervers a préparés de ses petites mains attentionnées pour leur dimanche soir.

Message destiné à la nouvelle femme : « Quel bon papa je fais, non ? On rêve d'avoir un enfant d'un homme tel que moi, non ? Je suis le mari et le père idéal. Tu en as de la chance de m'avoir rencontré ! »

Le pervers est reparti pleins tubes dans la phase de séduction.

Message à l'ex-femme : « Tu vois à quel bel amour tu as renoncé, toi ? Il y en a de plus jeunes que toi qui ne font pas autant la fine bouche ! »

Eh oui, c'est la moindre des choses, je sais, je radote encore, le PB se sert des enfants pour faire passer les messages, après avoir pris soin de leur interdire de répéter, c'est plus sûr ! Il continue à vous humilier à distance.

Mais il a du mal à tenir le rôle dans la durée.

Son enfant dit : « Il ne veut pas jouer au père qui frappe devant sa nouvelle femme ! C'est interdit de pleurer devant elle ! Heureusement qu'elle était là quand j'ai fait une bêtise, sinon je serais mort ! »

C'est comme lorsque vous êtes revenue chercher des affaires après votre déménagement. La maison était chauffée à blanc. Plus de raison de « se foutre un pull ! » parce qu'il fait froid. Quel homme aux petits soins, maintenant ! Mais pour combien de temps ?

Malgré tout, à vous, ça vous tord un peu les boyaux, cette fausse transformation. Ça vous rappelle vos galères ménagères. Et vous écrasez une larme furtive en vous disant ce que vous savez déjà, que vous n'avez jamais été aimée ! C'est un doux euphémisme ! Il était temps de s'en rendre compte. Comme quoi il faut attendre des questions très... ménagères pour toucher la vérité du doigt !

LA RÉVISION DE LA LISTE (DE TOUT CE QU'IL N'AIME PAS), OU LES DEUX COLONNES

Le paresseux qui, jusque-là, considérait le travail comme accessoire, se retranche derrière pour échapper à ses devoirs de père. « Je ne peux pas aller chercher les enfants à l'école, je travaille, moi ! »

Si ce n'était que cela ! Jusqu'à présent, on l'a vu, il n'aimait pas les promenades en forêt le dimanche après-midi...

Maintenant, c'est là qu'il fait courir le chien de la fille. Rappelons qu'il ne supportait pas les clébards non plus.

Vous, en réaction, aux enfants : « Vous n'aurez jamais d'animaux ici, quand je vois le sort que vous faites aux poissons rouges. De toute façon, vous en avez chez papa. Il garde les chiens, moi je garde les enfants. Chacun son truc ! »

Que dit le psy ? Vous mettez, sans vous en rendre compte, les enfants et les chiens sur le même plan. Attention, la perversité est contagieuse...

Touché! Mais, ce psy, ça ne lui arrive jamais d'être en réaction?

Le PO dit: «C'est comme ça quand on vit avec quelqu'un, il faut accepter tout, la famille et les animaux.» Et la grande maison aussi.

Voilà que notre pervers devient sage avec l'âge!

Je crois qu'il a surtout dressé deux colonnes, avec, d'un côté, les avantages et, de l'autre, les inconvénients. Deux colonnes qui s'équilibrent. D'où sa grande tolérance envers sa nouvelle copine.

AVANTAGES:	INCONVÉNIENTS:
argent	Balades en forêt le dimanche
argent	Crottes de chien
argent	Tabagisme
argent	Sorties onéreuses
argent	Vacances chères
argent	Barboteuses, couches, biberons
argent	Invités le dimanche soir
argent	Beaux-parents
argent	Campagne
argent	Etc. (et tous ces cons)

N.B.: ... que Noémie, c'est la femme de Noé, sa mie, sa moitié, comme tout le monde le sait. Que Noé, c'est celui qui a dit: «Après moi, le déluge!» Et que c'est celui qui a sauvé dans son arche... tous les meubles!

L'HOMME QUE LES FEMMES AIMAIENT,
OU LA MÉGALOMANIE

Tout cela n'a pas manqué (comme à vous) de lui donner à penser, à notre pervers. Mais, comme d'habitude, il a tourné le raisonnement à son avantage.

Il vous explique qu'il n'en revient pas d'être aimé comme ça! C'est sans doute pour cette raison qu'il a battu tous ses records de vitesse et surtout d'accélération. À son âge, c'est méritoire.

Il dit qu'il est très touché qu'on le « veuille » comme ça. Il vous l'affirme avec beaucoup d'élégance: « Il y a celles qui me veulent d'une manière inconditionnelle (ça le change de vous. Vous, ça vous a passé); celles qui m'entretiendraient pendant vingt ans (sont-ce les mêmes?); et celles qui me voient en gentleman farmer. »

Gentleman farmer! Elles ont la berlue. Vous l'avez essayé, le coup de la maison de campagne avec lui, et il ne vous en reste que des photos. Il faudra qu'elle lui en fasse, des pipes, pour qu'il plante un arbre... Heureusement qu'elle a les moyens d'avoir un jardinier!

Souvent vous l'avez entendu dire, dans un accès de sincérité: « Pour vivre avec moi, il faut payer! »

En résumé, l'homme ne sait pas dire non à toutes ces belles. Trop flatté qu'il est et n'ayant de cesse de prouver à ses enfants combien il est aimé fort, au point qu'on en veuille un de lui (un autre enfant) tout de suite, dès les premières semaines.

C'est vrai que faire un enfant donne une consistance, une contenance, une légitimité au gigolo, en plus de la sécurité!

Mais vous vous dites encore une fois que la meilleure chose qu'il puisse vous faire, c'est de se mettre un fil si solide à la patte qu'il ne puisse jamais venir vous relancer.

Et là, je le répète, il a battu tous ses records (mais ce n'est peut-être pas le dernier). Incroyable (à faire pâlir tous les play-boys de la planète) comme il a trouvé vite une autre victime qui vit en ce moment un rêve qui immanquablement finira en cauchemar.

Ce type de pervers là aime les jeunes filles. Il a trouvé une petite « Barbie » qu'il chouchoute, pour l'instant, mais qui sera piquée à son tour comme une poupée vaudou par ce drôle d'acuponcteur. Il fait nettoyer et parfumer sa voiture, il l'emmène à tous ses rendez-vous… Il se rend indispensable.

Le plan est en cours d'exécution, le piège est posé, ses grandes dents pointues, brillantes comme des lames en attente de la biche. Et quand la malheureuse sera en place, CLAC! Vous en frissonnez… Ce n'est pas du Stephen King, mais ça n'en est pas loin.

Sa seule chance, à la pauvre fille, c'est d'avoir des réserves financières. Son compte bancaire s'en remettra. Quant à son cœur… mais voilà ce dont on se fiche, vous n'allez pas encore faire dans la compassion, mère Teresa!

Ainsi, dans quelques années (peut-être même bien avant), vous direz, mademoiselle, tout comme l'a dit sa première femme : « J'ai commencé à vivre quand j'ai divorcé. » Vous aviez trouvé cette déclaration plutôt louche, mais vous en avez réellement saisi le sens que bien plus tard…

Dans le fond, le pervers n'a pas de problème, puisque les gens sont interchangeables. Du moment qu'il garde ses petites habitudes, ses repères, il recommence. C'est une bête d'habitude.

Que dit le psy? Que le pervers est toujours rattrapé par sa perversité. Elle se retourne inévitablement contre lui, car il est obligé de prendre des décisions très rapides qu'il ne contrôle plus, qu'il subit.

Au fond, le pervers a un problème… celui d'être pervers. C'est vrai qu'on dirait qu'il finit toujours par couper la branche sur laquelle il est assis! Pauvre homme!

PERVERS MALGRÉ LUI

Une fois digérée l'histoire de la grosse berline et du boxer, des crottes et de la bave de chien, vous constatez que si le PE (*Pervertus*

Extraordinarius) fait tout pour vous pourrir l'existence après la séparation, il ne fait rien pour vous manquer, non, loin de là.

Si vous êtes traversée néanmoins (vous aussi êtes indécrottable!) par quelque vague nostalgie du passé et que vous écrasez une larme ou deux, il suffit que vous l'ayez au téléphone à propos des enfants ou de la pension alimentaire, ce qui est en gros la même chose, pour que tout sentimentalisme vous passe radicalement.

Un bon petit coup de fil du pervers le matin, ça réveille! Vous raccrocherez, toutes vos cellules nerveuses en ébullition, chauffées à blanc, un peu comme si vous étiez tombée à la renverse sur un cactus.

> Il ne faut pas l'oublier, le téléphone, c'est l'outil de prédilection du pervers.

Là, il ne vous voit pas, il peut laisser éclater sa hargne et distiller son venin, vous tuer de ses mots, vous assassiner plusieurs fois d'expressions malignes, sans laisser de trace, un peu comme les flics qui tapent avec des annuaires. C'est le crime parfait.

Après avoir raccroché, vous êtes revenue à la case départ, vous avez dégringolé, vous êtes redevenue nulle, moins que rien. Quelques minutes ont suffi pour vous faire perdre le bénéfice de semaines et de mois passés sans lui!

C'est une de ses spécialités, un petit traitement de faveur entre lui et vous. Une autre dimension, où le respect de l'autre, le respect de votre personne n'existe plus. Ce qui ne l'empêche pas de vous déclarer, sans prévenir, qu'il faut nouer un dialogue constructif. Quand un destructeur vous exhorte au dialogue constructif, vous pouvez vous attendre au pire!

Ce matin-là, il vous a encore fait une belle démonstration de sa mauvaise foi. « Avec moi, il faut le faire à l'amiable! » hurle-t-il, alors que vous le rappelez pour la troisième fois (il vous a raccroché chaque fois au nez).

Comment discuter avec ce type? Par quel bout prendre ce bâton de poulailler recouvert de fiente? Vos réserves de patience, de tolérance, de diplomatie, de complaisance sont complètement épuisées, et il faudra quelques siècles avant qu'elles soient regonflées.

FAITES VOTRE MALHEUR VOUS-MÊME

Si vous voulez faire votre malheur vous-même, après la séparation, ménagez-vous quelques petites entrevues avec le pervers. Vous franchirez un pas supplémentaire vers l'horreur (eh oui, pas moins!).

Vous verrez qu'en moins de temps qu'il ne faut pour le dire, vous redeviendrez une humiliée. Cela commencera par le regard qu'il ne vous accordera pas, se terminera par les insultes qu'il ne saura pas retenir ou, inversement, par le refus de vous adresser la parole.

Dans ce dernier cas, qui n'est pas le plus bénin, vous avez le choix entre deux options.

Première option

Vous gesticulez devant lui, vous criez, vous tapez du pied pour qu'il mette fin à ce comportement méprisant, pour qu'il réponde à la question que vous lui avez posée ou pour qu'il vous confirme qu'il tiendra la promesse qu'il vous a faite et dont vous lui demandez compte (pauvre gourde!).

Devant son mutisme persistant, accompagné toujours du même signe de croix sur les lèvres, l'*omerta* (voir précédemment), vous finissez immanquablement par le traiter de «salaud» devant témoin… Et là, vous le faites jouir à coup sûr!

Deuxième option

Vous choisissez de ne rien dire pour ne pas être humiliée. Mais une fois rentrée chez vous, vous passez une nuit presque blanche à imaginer que vous louez les services d'un tueur à gages qui lui fera bouffer sa bague, au parrain! Là encore, il a gagné. Vous avez renoncé.

Car il ne vous est pas venu à l'idée, pas encore, ce qui suit.

Il faut limiter, renoncer à toute rencontre, à tout échange.

C'est pour cela que cet homme-là mérite le bâton! Oui, c'est ça, une bonne bastonnade pour lui apprendre à cesser cette mal-traitance.

La bastonnade juridique? me demandez-vous. Avec un per-vers? Vous n'êtes pas au bout de vos peines! Non, ce qu'il faut, c'est une vraie raclée, avec bâton à l'appui, à la Molière. Voilà qui coûtera moins cher, et sûr que ça vous fera du bien aussi! Sauf que ce n'est peut-être pas dans vos mœurs. En tout cas, ce n'est pas dans les miennes. Dommage!

LE PERVERS ARRIVE TOUJOURS À VOUS ÉMOUVOIR

Il vous connaît, il sait où il faut appuyer pour actionner le ressort – n'oublions pas que c'est sa technique de survie – et, bien que vous ayez démonté le mécanisme, il a de tels accents de sincérité et une telle manière de retourner encore et toujours la situation que vous tombez presque toujours dans le panneau…

Un petit exemple au hasard: un pervers parmi tant d'autres refuse mordicus la garde alternée pour vos[2] enfants, prétextant une activité professionnelle débordante (celle dont vous avez été témoin pendant votre vie commune: culture transat et chaise longue).

Il n'hésite pas à vous lancer, avec des trémolos dans la voix: «Si j'étais rentier, je prendrais tes enfants, tu me verserais quelque

---

2. Notez aussi que le pervers dit rarement «nos enfants». Il dit plus souvent «tes enfants», rarement «mes enfants», sauf si ça l'arrange, devant l'avocate par exemple.

chose et tu n'entendrais plus parler de nous. Comme ça tu aurais ta liberté!»

Vous ne débattrez pas, cette fois, mais tout de même, lorsque vous aurez raccroché, vous vous demanderez, croyant avoir rêvé: «Mais qu'est-ce que c'est encore que cette embrouille? Je ne demande pas ma liberté, je veux seulement qu'il remplisse son rôle de père! Et faut-il être rentier pour prendre ses enfants en garde alternée?»

Vous finissez par comprendre ce qu'il voulait dire… Que ce mode de garde engendrerait pour vous de la liberté et lui en enlèverait à lui, et que ça, ça l'ennuierait fortement. Mais la joie de ses enfants de le voir plus souvent, voilà qui ne l'effleure pas.

Il a encore bien retourné le truc, ou le débat, si vous préférez… Bref, il vous arrive encore de ne pas le voir venir. Il vous submerge.

Par sa rhétorique, il a réussi à vous refiler plusieurs journées de garde pour les enfants. Vous vous en êtes aperçue. Vous en souriez, mais tout de même, vous décidez qu'il ne vous aura pas sur toute la ligne. La seule méthode, pour cela, est d'adopter la même technique que lui: se faire plaindre. Mais se faire plaindre par un pervers, c'est les coulisses de l'exploit. Il n'a pas de pitié!

Même après la séparation, le pervers continue à s'immiscer dans votre vie privée – pour peu qu'il y ait pour lui un profit au bout du compte – en vous prodiguant des conseils ou en vous critiquant, comme si vous gardiez toujours les cochons ensemble, en s'appuyant sur tout ce que la vie commune lui a apporté d'informations. C'est le pervers condescendant.

Parfois même, il vous nargue, insidieusement. Il faut alors que vous lisiez entre les lignes, mais vous commencez à être experte.

VOYAGE, VOYAGE!

Il vous dit, par exemple: «Comment? Tu me dis que tu pars en stage quelques jours et que tu voudrais que je m'occupe de tes enfants ? Si au moins tu m'annonçais que tu partais faire un petit voyage au soleil ! »

Vous savez quel est le message subliminal qu'il faut lire là-dessous ? Eh bien, que lui, il le fait, ce petit voyage (aux Seychelles) pendant ces quelques jours, justement, et que vous, vous n'êtes qu'une pauvre fille qui l'a peut-être plaqué, mais qui n'est pas fichue de se trouver un mec pour l'emmener en balade !

Mais tout cela doit l'apitoyer, quelque part, parce qu'il finit par dire, la main sur le cœur : « Je t'assure, si je pouvais, je te les garderais, tes petits ! »

Ça ne lui coûte pas cher et tout le monde pleure dans la salle !

Sauf que le jour où vous lui annoncez que vous le faites, ce petit voyage, il vous dit : « Tu ne crois tout de même pas que je vais te garder tes mômes pour que tu puisses partir en vacances ! »

LES MOYENS MODERNES DE COMMUNICATION... ÇA AMÉLIORE L'EXISTENCE

C'est sûr ! Le téléphone portable rapproche les êtres, certes... mais aussi, parfois, il les éloigne... pour leur plus grand bien. Il permet de jouer au chat et à la souris, tout en maintenant le lien.

Si le pervers possède un tel instrument, il aura beaucoup plus de mal à se carapater. Vous pourrez le joindre partout et assurer ainsi une information minimum concernant les intérêts qui vous restent en commun, par exemple les enfants. Tout cela sans communiquer directement avec lui, mais par le biais du répondeur de la boîte vocale. Et il ne pourra pas rétorquer qu'il n'a pas décroché, qu'il n'était pas là, qu'il n'est pas au courant.

De plus, grâce à ces petits messages écrits à transmission instantanée, vous pouvez dialoguer avec lui sans parler, ni entendre sa voix, sans avoir le retour immédiat de sa colère ou de son mépris. Vous me direz qu'on peut très bien proférer des insultes par cet intermédiaire. Mais c'est plus rare et, de toute façon, dans cette histoire sans paroles, vous avez le texte sans la musique, c'est moins traumatisant même si, au fond, cela ne change pas grand-chose! Si vous préférez, en langage clair, cela vous évite de vous faire traiter de «salope» en direct! Et puis, c'est plus économique! Pour ce que cela vous rapporte de lui téléphoner!

Ne vous illusionnez pas, le pervers ne rappellera pas pour autant, lui qui se défend de réagir quand votre numéro s'affiche sur son téléphone. Mais vous saurez qu'il a reçu l'info, et c'est énorme. Il ne peut échapper totalement. Car une des caractéristiques de ce pervers subtil, c'est qu'il est là sans être là. «Moi, dit-il, je ne coupe jamais mon portable, je sais que j'ai des enfants!» Sauf qu'il ne les rappelle même pas.

Pourtant, il décide quand même d'équiper votre fils (à vos frais, bien sûr!) d'un portable personnel. Ainsi, il peut jouer les pères attentifs en l'appelant et en étant joignable, ce qui lui évite de «voir» l'enfant. C'est un «cordon ombilical» entre eux, comme il dit.

De cette manière, la nouvelle femme n'est pas importunée par la présence du chérubin… et le petit, complètement manipulé, a l'impression que son père s'occupe de lui (alors qu'il refuse de le prendre en week-end!).

Les inconvénients du cordon, ou le pervers harcelé:

Lui: «Il faut que tu dises à ton fils qu'il arrête de me laisser trente-six messages sur ma boîte vocale.»

Vous: «Ah ça, je n'ai pas à m'en mêler, c'est votre relation, c'est une histoire d'amour entre toi et lui.»

Lui: «C'est ça! Je ne suis pas un homosexuel, moi!»

TRÈS SOUPLE, LA GARDE DES ENFANTS!

Premier envoi

Vous: «Prévoir de garder les enfants la première semaine de juin. À confirmer rapidement.»

Lui: «NON.»

Vous: «Alors, dernière de mai.»

Deuxième envoi
Vous : « Une réponse rapide m'obligerait. »
Lui : « Non, c'est non. »
Vous : « Con, c'est con. »

Ne vous obstinez pas, aucune semaine ne lui conviendra.

Vous, vous gardez « ses » enfants toute l'année ou presque. Mais lui ne peut pas se libérer une semaine pour le faire. C'est comme ça, surtout si c'est pour vous permettre de partir pour un de ces voyages que vous n'avez jamais faits, ou alors avec un type enrhumé ou lombalgique !

« La garde souple », avait-il proposé dans la requête conjointe !

Il a des arguments massue du genre : « Je te paie une pension alimentaire et tu crois en plus que je vais te les prendre une semaine !

– Mais ils seront mieux gardés par toi que par une étrangère ! Tu n'as pas de cœur !

– Je suis une ordure, tu le sais bien ! C'est pour ça que tu es partie ! Et puis, arrête de moraliser ; l'essentiel, c'est de rester en vie ! »

Elle est bien bonne !

Ou encore, une petite variante, façon hindoue : « Je suis intouchable affectivement. Tu n'arriveras à rien, je me fiche de tout le monde… »

Et à votre demande (parce que vous êtes maso et que ça, vous ne l'avez pas encore essayé) de les prendre une nuit de temps en temps, en semaine : « Tu ne crois pas que je vais garder tes mômes pour que tu sortes avec n'importe qui ! » C'est le pervers en manque de ses enfants !

N.B. : Il y a tout de même quelque chose que vous ne vous expliquez pas : pourquoi cet homme vous a-t-il toujours fait peur ?

Parce que c'est bien de cela dont il s'agit. Ce terrorisme qu'il exerce sur vous. En fait, vous l'avez toujours craint, peut-être comme une figure parentale (mais une figure parentale genre peau de vache!). C'est pour cela que tout a si bien fonctionné. Il l'a bien senti, lui, dès le début. **Help, le psy!**

Souvenez-vous, il vous avait dit, il y a longtemps, au temps où vous étiez encore ensemble : «Quand on a des enfants, on n'est pas libre!» Mais il ne parlait pas pour lui, bien sûr.

Et enfin, quand vous l'avez quitté, il a prophétisé : «Tu veux ta liberté? Eh bien, tu l'auras à trois et sans moi!» Il vous punit d'une liberté qu'il vous refuse sans lui!

De toute façon, il raconte à tout le monde que si vous voulez la garde alternée, c'est parce que vous êtes jalouse, et que c'est une vengeance mesquine parce qu'il s'est mis en couple tout de suite avec une fille «friquée»!!!

C'est le pervers psychologue.

Loin de lui l'idée que son fils pourrait avoir, éventuellement, un réel besoin de lui et de le voir plus souvent. L'emploi du qualificatif «friquée» rend compte du respect qu'il a une fois de plus pour sa nouvelle femme...

Vous seriez tombée de haut, tout de même, si la suivante avait été au chômage.

Lui, il considère que vous le harcelez quand vous faites état des besoins matériels et affectifs des enfants. Le pauvre homme! Vous voulez l'empêcher de refaire sa vie, vous voulez la lui gâcher, oui, c'est ça. Voilà ce que vous voulez. Lui faire perdre la fille et sa dot! C'est le PB persécuté!

Le pervers, qui avait le projet de vous trucider avant la séparation, a maintenant peur que vous mouriez. Le pervers se soucie tout à coup de votre santé.

Il vous rappelle sur votre portable. Vous lui avez laissé un message sur le sien, à savoir que vous allez faire un petit voyage et qu'il laisse à cette occasion son portable «ouvert» au cas où les enfants auraient un problème à l'école. Il vous demande où vous allez : «Parce que, dit-il, comme tu es responsable des enfants, si tu meurs je veux savoir où tu es.»

Vous : «Quelle importance que je meure à New York ou à Sumatra! Ne t'inquiète pas, de toute façon tu en seras informé!»

Chaque fois que vous quittez le pays, le pervers tremble. De même, il craint la maladie incurable. Il n'a qu'une crainte, c'est d'«hériter» des enfants. Il ne rate pas une occasion de vous rappeler que vous êtes «responsable de ces enfants-là». Jusqu'au jour où vous avez une poussée d'allergie à la formule et à ce qu'elle signifie (les sous-entendus du pervers sont toujours efficaces), et que vous jugez utile de faire une petite mise au point: «Arrête de me faire de l'intox avec ça! On a l'autorité parentale partagée, et si j'ai la garde pleine et entière des enfants, c'est parce que tu n'en as pas voulu, même pas la moitié du temps!»

L'APRÈS-SÉPARATION, UNE HISTOIRE SANS FIN

Tenez, ce livre, jamais vous ne le finirez! Aussi longtemps que vous aurez des rapports avec le pervers, c'est-à-dire au moins jusqu'à la majorité des enfants, vous aurez des chapitres à rajouter. Jamais vous n'en sortirez...

Il continuera à vous empoisonner l'existence à plus ou moins haute dose, mais avec un minimum d'impact, tout de même.

Comme on ne sort jamais complètement indemne de la folie à laquelle on a échappé, on n'a pas fini d'être exposée aux turpitudes du pervers quand on s'est reproduite avec lui.

Lui aussi est devenu «l'autre», et cet autre est un pollueur.

Même si vous êtes complètement «accro» à vos enfants, vous vous surprenez à rêver que vous n'en avez pas avec lui, et que vous n'aurez plus jamais rien à voir ni à faire avec cet individu.

D'accord, il vous a pompé la substance, sucé le bulbe, nettoyé le portefeuille, et, après son passage, vous vous retrouvez en string. Mais vous êtes prête à passer là-dessus, tant pis, même si votre situation est pleine d'épines et vos fesses fragiles.

Avec volupté, vous imaginez que vous jetez son nom aux oubliettes, que vous le vouvoyez dans le cabinet du juge pour, finalement, oublier ce triste sire après le divorce, frappée d'amnésie totale!

Mais non! Car vous n'êtes pas au bout de vos peines. Vous allez boire le calice jusqu'à la lie!

Et comme, bien sûr, vos enfants n'en finiront pas de vous rapporter ses faits et gestes chaque fois qu'ils reviendront de chez lui, vous rêverez de gagner à la loterie pour lui faire cadeau de sa pension alimentaire de misère et vous offrir une gardienne d'enfants.

LE PERVERS AUX FOURNEAUX ?

Après la séparation, il se plaint aux copains (qui, bonnes âmes, ne manquent pas de vous le rapporter) que, pendant toutes ces années, vous ne pensiez qu'à ça, «faire à manger». C'est drôle comme vous avez des souvenirs différents. Vous n'avez pas rêvé: vous l'avez entendu se lamenter du contraire, les derniers temps surtout.

«Je n'ai mangé que deux sandwiches, aujourd'hui!» disait-il.

Sûr qu'avec sa nouvelle femme, son budget restaurant ne variera pas à la baisse, car une courge comme vous, il n'en trouvera pas une deuxième! Dur pour le pervers de mettre les mains à la cuisine!

Son zèle en la matière ne durera pas longtemps. C'est déjà votre fille qui n'a pas dix ans qui passe au four les boîtes de raviolis.

Le PV ne se mettra jamais aux fourneaux. Mais ce qu'il exigeait de vous, il ne pourra pas l'exiger d'une autre!

LE PERVERS AMAIGRI

Plus vous étiez conciliante avec le PB (*Pervertus Banalus*), plus il se montrait agressif.

Plus vous épargniez son narcissisme, plus vous vouliez éviter de le blesser, et plus il vous prenait pour une gourde! Et plus il vous méprisait!

Combien de fois lui avez-vous demandé de manière indirecte de maigrir. «Ce n'est pas pour le look, je t'aime comme tu es (ça, c'était pas vrai), c'est pour ta santé (ça, il s'en fichait).»

Il aurait fallu lui dire: «T'es gros et moche et si tu ne maigris pas, je te plaque!»

À la vérité, ce laisser-aller physique vous a rapidement déplu. Finalement, vous l'avez trop ménagé.

Alors, pourquoi cela vous dérange-t-il autant que le PC ait maigri pour sa nouvelle conquête? Parce qu'il ne l'a jamais fait pour vous. Vous vous sentez bafouée, mal aimée, rétrospectivement.

Au fond, il n'a jamais voulu vous plaire, ou alors il se trouvait bien assez beau pour vous. Pourtant, des gens l'ont mis en garde: «Attention, tu as une jeune et jolie femme!» Ou bien c'est parce qu'il s'est fait «jeter» et qu'il sent qu'il faut faire des efforts pour ne pas que cela lui arrive à nouveau! Pensez, même vous, vous êtes partie!

Non, ne jouez pas les Caliméro: «Personne ne m'aime! C'est trop inzuste!» Non, s'il n'a pas perdu de kilos avec vous, c'est parce que vous n'étiez pas suffisamment riche: «T'es une pauvre!» Il vous l'a assez dit.

Il n'y avait que cela pour qu'il fasse quelques efforts pour maigrir: être non plus entretenu par une pauvre, mais par une riche!

Ça valait le coup de se serrer la ceinture.

LE DÉLAI DE VIDUITÉ

Lui, on l'a vu, fait les choses dans les règles, du moins dans les siennes, celles qui l'arrangent.

Aussi, il est sûr que le suicidaire, une fois le divorce éclair prononcé, va convoler illico pour ne pas vivre dans le péché.

Il faut dire qu'il a grandement intérêt (financier) à bloquer rapidement la proie avant qu'elle ne s'échappe, parce que ça lui coûte cher de jouer les gentils et qu'à la longue, il fatigue. S'il traîne, il finira par se montrer tel qu'il est.

Une fois qu'il aura convolé, il pourra se reposer. D'autant plus qu'il aurait tort de s'en priver, il n'a pas à respecter le délai de viduité, lui.

Le délai de viduité... Voilà qui sonne joliment, n'est-ce pas? Mais ça veut dire quoi? Vous connaissez peut-être cet article du Code civil napoléonien qui oblige la femme à respecter un certain laps de temps avant de se remarier après un divorce – neuf mois, comme par hasard.

Voilà une précaution qui permet de s'assurer que ladite dame n'est pas enceinte des œuvres de son ex-mari, qu'elle est vide, en somme! Tout cela pour protéger le nouvel époux, afin qu'il n'assume pas une paternité dans laquelle il n'est pour rien, le pauvre.

Lui, le PO (*Pervertus Ordinarius*), c'est sûr qu'il est vide, on l'a vu, mais de toute façon, en raison de son genre masculin, il n'est soumis à aucun délai. Dire qu'il a fallu attendre une loi de 1975 pour pouvoir s'en exonérer en fournissant, après le prononcé du divorce, un certificat médical prouvant l'absence de grossesse!

MAUVAISE MÈRE

Ça y est, ça n'a pas manqué, vous êtes devenue une mauvaise mère!

À partir du moment où vous avez refusé d'être dominée par lui, vous êtes devenue une mauvaise mère, qui n'amenait pas les enfants à l'école le matin et qui ne s'en occupe plus. Alors qu'auparavant il vous faisait, bien sûr, le reproche inverse. Mère poule.

Tout ce qu'il ne fait pas pour eux, voilà qu'il vous le reproche à vous, toujours par cette curieuse espèce d'inversion.

Culpabiliser, toujours culpabiliser. Et pour cela, se servir des enfants, qui restent, pour lui, l'outil de votre asservissement.

Lui: «Tu m'as demandé d'amener ta fille à l'école parce que tu ne pouvais pas; eh bien, il a fallu que je fasse la queue pour lui acheter un cahier de brouillon, puis pour lui acheter un pain au chocolat! Parlons-en de ta garde!»

Si vous avez affaire à un PE (*Pervertus Extraordinarius*) qui paie la pension, il vous surprendra souvent par son côté inventif: «Je suis sûr que tu gardes la pension alimentaire pour toi et que tu ne les nourris même pas, tes mômes! C'est pour ça que tu as divorcé, hein? Reconnais-le! Pour t'acheter des fringues avec l'argent que je te donne!»

Vous saisissez le rapport entre la bonne maman du début et la mauvaise mère de la fin? Cet homme-là cherche bien une mère pour ses enfants et pour lui! On l'a déjà dit et cela se vérifie!

Vous avez compris que le PE a l'intention de vous faire une réputation d'enfer auprès de vos enfants et de votre entourage. Mais si vous restez avec un PA (*Pervertus Abominablus*), non moins inévitablement, vos enfants vous reprocheront d'être devenue ce que vous êtes devenue, une pauvre chiffe molle.

C'est sans remède! Alors tant pis si dans l'immédiat votre gamin vous traite de «fausse mère», sur les conseils de son pervers de père.

PLUS ON EN DEMANDE AU PERVERS, PLUS IL SE VENGE

> Le psy: «Plus vous lui en demanderez, moins il vous en donnera.»
> Vous: «Alors, comment faire avec un pervers?»
> Le psy: «Il n'y a rien à faire, vous vous trompez de cible, si je puis dire. Faites vos demandes dans une autre direction.»

Où? Il en a de bonnes, le psy!

> C'est un fait: plus on attaque le PB, plus on active ses défenses perverses.

Avec un PO, il ne faut pas faire de demandes, il faut cesser de lui courir après, cesser d'avancer à découvert et de lui procurer la jouissance de vous opposer un refus.

Il faut attendre que ce soit lui qui vous en fasse, des demandes, ou qu'il ait l'impression que les initiatives viennent de lui; cela évitera les réflexions du genre: «Je ne peux pas céder à ta demande, tu es une hystérique, tu as vu comment tu te mets en colère et sur quel ton tu me le demandes!» Lui, il n'attend qu'une chose: que vous craquiez. Vous êtes irritée d'avance parce que vous savez qu'il refusera. Alors, dans votre demande, il y a implicitement la réponse négative, le refus, et ça l'arrange.

Le mot d'ordre est: rester calme.

D'ailleurs, il vous le dit: «Il faudra bien un jour qu'on arrive à se parler normalement!» Il est rigolo!

Pourtant, il refuse le plus souvent de communiquer directement avec vous. S'il le fait, c'est par l'entremise des enfants. Excepté quand il veut vous demander de l'argent. Là, il est doux comme un agneau.

LES CONSEILLEURS NE SONT PAS LES PAYEURS

«N'hésite pas à lui demander plus, et ensuite à lâcher un peu de lest. Par exemple, demande une grosse pension alimentaire, et puis consens un petit rabais.»

Elle est bonne, celle-là! L'homme qui vous a donné ce judicieux conseil au début du divorce n'est pas marié au pervers, on le voit bien!

Il ne faut pas oublier que votre ex a fait des chèques avec votre chéquier pendant des années et que c'est une habitude qui ne lui passera pas comme ça.

Il lui reste le réflexe de continuer à vous faire payer au maximum. Il ne supporte pas de vous verser une pension alimentaire, alors s'il peut vous la faire reverser, de préférence dans sa direction, il n'hésite pas, et par tous les moyens.

D'une manière générale, après la séparation, le mode de fonctionnement en vigueur pendant la vie commune va se perpétuer. Si vous avez affaire à un pervers pingre et menaçant, il vous comptera les centimes que vous lui devez.

Ainsi, s'il prend l'initiative de dépenses onéreuses pour les enfants et qu'il vous réclame la moitié de la somme (en réalité, plus de la moitié; c'est un voleur, ne l'oublions pas!), vous aurez droit à: «Paie. Si tu ne le fais pas, le séjour des enfants est annulé!» Sous-entendu: «Je leur dirai que c'est à cause de toi.»

> Un PV avec qui vous vous êtes reproduite vous tiendra toujours avec le chantage aux enfants.

Il est prêt à tout, d'ailleurs, pour vous faire payer, et même à établir des mensualités. Si, si, je vous assure, ça m'est arrivé! Car ce qui compte, ce ne sont pas les modalités, mais le résultat: vous faire payer, et au-delà de ce que vous lui devez.

Au fait, pourquoi avez-vous accepté de payer pendant toutes ces années? Vous aviez le sentiment de devoir payer, acheter quelque chose? *Help, le psy!*

Lorsque vous prenez conseil et que vous vous défendez, le PO vous dit que vous êtes très mal conseillée. Tant que vous vous laissez dévorer, vous êtes très bien conseillée, évidemment!

C'est pathétique de voir comme il se débat et enrage quand il n'arrive plus à vous manipuler. Comme il veut vous obliger à collaborer, vous et les enfants, à ses coups tordus. Et comme il s'ingénie à vous faire hurler au téléphone.

Mais quand vous restez ferme et calme, il a l'air désemparé (l'air seulement). C'est à votre tour de le voir s'enliser, s'essayer sans succès à creuser des brèches, espérant que vous le laisserez s'y faufiler.

Rassurez-vous, il vous la fera payer, votre attitude marmoréenne. Il a plus d'un tour dans sa gibecière de pervers!

La seule solution: mettre entre le pervers et vous un tas de gens, un tas d'hommes... (Pas pervers de préférence!)

Vous serez peut-être encore tentée, pendant de brefs instants, de vous dire que c'est parce que le pauvre est malheureux qu'il est si désagréable! Non!

Même quand c'est vous qui l'avez rejeté, le PV a la grande faculté, par son comportement, de vous confirmer dans votre impression que, finalement, c'est lui qui vous a larguée.

LE PERVERS ET LA NOUVELLE ÉLUE

Pourquoi tant de haine ?

Question qui a ponctué votre vie de couple, et qui devient récurrente après la séparation.

On l'a vu, la haine est déjà là, latente, pendant toute la relation. Et lors de la séparation, elle ne fait que remonter en surface de manière permanente, pour perdurer *ad vitam æternam.*

Avec un PV, c'est souvent vous qui, en apparence, prenez l'initiative de la rupture. Il vous en voudra à vie. Surtout si vous continuez, des années durant, à détenir une créance sur lui, une pension alimentaire, par exemple.

Cette haine imbibe ce reste de relation obligatoire qui demeure entre vous, si vous avez des enfants. Et tout est prétexte à ce qu'elle se manifeste. Mais c'est vraiment à compter du moment où il trouve une autre femme (victime) qu'il lui laisse libre cours. Jusque-là, il a besoin de vous. Et puis, souvenez-vous, il vous a aimée parce qu'il haïssait son ex-femme. Maintenant, il vous hait, vous, pour pouvoir aimer la future.

Tout se passe comme si, pour aimer quelqu'un d'autre, pour nourrir un nouvel amour, il fallait haïr l'ancien. C'est la chaîne des sentiments selon le pervers. Des sentiments renversés.

Et sa mère est pareille. Elle ne jurait que par vous et ne cessait de vous dire : «Tu ne peux pas savoir combien elle était bizarre, son ex-femme !» Pas besoin de dessin pour imaginer ce qu'elle dit de vous aujourd'hui. Pensez, une femme qui quitte son fils ne peut être qu'extrêmement bizarre.

L'amour du pervers, pour qu'il existe, doit être comme un îlot, cerné de haine tout autour.

Le PH (*Pervertus Habilis*) et sa nouvelle femme ont un ennemi commun : vous, l'ex-femme. Vous agissez désormais comme un ciment entre eux, vous êtes la « mauvaise » qui met en péril cette nouvelle union. Tous deux font front contre vous.

C'est pourquoi le pervers ne vous épargne pas, ni les enfants à travers vous. C'est surprenant, d'ailleurs, cette cloison étanche qu'il semble imaginer entre vous et eux. Complètement aveuglé par ce sentiment négatif qu'il éprouve à votre encontre, vous la diablesse, il est incapable de la moindre bienveillance vis-à-vis de votre personne et englobe ces innocents dans sa hargne dévastatrice.

Il vous spolie, vous escroque sans comprendre qu'il spolie et escroque ses enfants par la même occasion.

Peu importe, vous devez payer et vous retrouver dans des conditions matérielles difficiles ! « Moi, j'aime mes enfants, dit-il, mais elle… ! »

« On ne peut pas se conduire avec une femme comme un salaud et que cela ne rejaillisse pas sur les enfants ! » lui criez-vous, vibrante d'indignation.

Cette haine, on dirait qu'elle ne prendra jamais fin. D'ailleurs, il craint comme la peste le mariage de ses aînés. Il en parle des années à l'avance, parce qu'il va falloir qu'il se « re-tape » l'ex et sa belle-famille (on ne lui en demande pas tant !). Alors c'est décidé, il n'ira pas.

Il aime bien tourner la page, le PE, il n'assume pas le passé.

Et pourtant, la nouvelle conquête, loin de trouver louche le comportement du monsieur vis-à-vis d'une femme et d'enfants qu'il doit avoir aimés, voit dans cette dureté une sécurité pour son couple. Ce qu'elle ne réalise pas, c'est que le même sort lui pend au nez si elle décide un jour de se séparer du pervers.

On se demande une fois de plus s'il ne faut pas courir au secours de cette fille-là !

Dans la phase finale de ce nouveau couple, qui peut n'intervenir qu'au bout de longues années, vous reprendrez du galon, et vous serez parée de qualités et de vertus que vous ne soupçonniez pas. Il lui dira : « De toute façon, tu n'arrives pas à la cheville de mon ex-femme ! »

Merci quand même, par anticipation, pour cette reconnaissance, certes un peu tardive… mais très opportuniste.

MADAME ME QUITTE !

Le PA vous a fustigée lors de la séparation. Vous étiez une garce. «Madame voulait une maison avec piscine, c'est pour ça qu'elle s'en va!»

Madame a quitté Monsieur, et Monsieur a sa maison avec piscine (celles de sa nouvelle femme), et Madame, son deux-pièces bruyant juste au-dessus d'un carrefour très passant!

Chaque matin, Monsieur est réveillé par le chant des oiseaux (qu'il apprécie désormais), Madame, par le camion des poubelles.

Comme n'a pas manqué de le souligner un ami compatissant (qui n'est plus un ami, cela tombe comme au jeu de massacre à la Foire du Trône, les copains, depuis quelque temps!) : «Tu te rends compte le service que tu lui as rendu en le quittant! Il va pouvoir réaliser son rêve, arrêter de travailler.»

Le pire, c'est que c'est lui, le sous-développé (voir «Le pervers et la bouffe»), l'économiquement faible, qui garde la maison (dans un premier temps, avant de scotcher la copine) et qui a droit à l'allocation de logement parce que vous, vous gagnez trop!

L'avocate vous a prévenue : «Estimez-vous heureuse qu'il ne vous réclame pas une indemnité compensatoire parce que votre divorce lui cause un préjudice financier…»

Avec votre vécu, cette phrase raisonne comme une incitation au meurtre!

Que monsieur soit propriétaire d'un appartement et qu'il ait des actions en compte n'est d'aucun poids dans la balance! Ce ne sont pas des revenus! Que voulez-vous, ce sont les hommes qui font les lois, la loi!

LE PERVERS ET VOS AMIS : DÉCALAGE

Quand vous aurez les yeux ouverts, vous vivrez en décalage avec toutes vos connaissances. Et il y a fort à parier que vous ne garderez pas les amis que vous aviez en commun, auprès de qui le pervers vous dégomme allègrement.

Cela vous énerve à mort, tous ces ex-amis, ces gens qui ne le voient pas tel qu'il est, qui croient que vous déraisonnez, que la frustration vous aveugle, que vous vivez mal la séparation. C'est vrai qu'il se débrouille toujours pour vous faire ses coups sans témoins. Ils sont comme vous l'étiez avant, sous l'emprise, sous le charme maléfique. Ils ne vous croient pas et cela vous agace, d'autant plus lorsqu'il s'agit de personnes qu'il a déjà maltraitées, et qui sont malgré tout heureuses de le voir revenir vers elles. Cet homme a quelque chose de diabolique !

Tout cela s'explique aussi par le fait que le PV n'aime pas être plaqué et que cela se sache…

Alors, le plus vite possible, il présente à vos amis communs cette femme plus jeune et plus riche qui roule maintenant pour lui. On dirait qu'il clame à la cantonade : « Vous voyez, elle est partie, mais c'est d'elle que venait le problème ! Voyez comme je suis heureux aujourd'hui, comme je m'en sors mieux qu'elle ! »

Il a trouvé un moyen efficace de vous déconsidérer aux yeux des autres, de se rehausser aux siens et à la face du monde, et de vous isoler en vous écartant de tous ceux qui, jusque-là, vous apportaient aide et soutien. C'est la stratégie du rond de sorcière, qui perdure au-delà de la séparation ! Pour ce faire, il n'hésite pas à renouer avec des personnes avec qui il avait rompu… quand vous étiez ensemble.

De toute façon, en matière d'amitié, vous allez prendre un nouveau cap : les faux amis vont s'éliminer d'eux-mêmes. Le cocotier va se secouer tout seul et je ne vous conseille pas de dormir dessous, gare aux chutes !

Et puis, comme vous avez accumulé un nombre incalculable de conflits dans tous les domaines depuis que vous le connaissez (vous en avez pris au moins jusqu'à la retraite), vous espérez bien faire baisser la moyenne avec ce qui va vous rester de relations.

Quant aux nouvelles amitiés, vous allez pouvoir les vivre pleinement, joyeusement, selon votre propre style.

N.B. : Vous verrez aussi que certains amis de la gent masculine, s'apercevant que, même libre, vous ne voulez toujours pas coucher avec eux, se détourneront de vous après vous avoir fait une cour plus empressée ! Ils n'ont pas de temps à perdre, eux non plus. Ils vont même aller jusqu'à soutenir le pervers ! C'est vrai, quoi ! Une fille qui ne veut pas coucher avec eux a forcément un problème… sinon, pourquoi refuserait-elle ? Vous vous dites alors qu'il n'y a rien comme un pervers pour comprendre un autre pervers, et qu'ils se soutiennent toujours entre eux ! Vous l'avez échappé belle.

Nous l'avons déjà dit, le PO tient à sa réputation. D'ailleurs, il vous l'a confirmé : « Je sais que tu ne pars pas pour un autre homme. » Cette petite satisfaction d'amour-propre suffit à le consoler.

Qu'en sait-il, après tout ? Mais cela ne lui viendrait pas à l'esprit. Il croit que vous êtes trop cloche pour trouver un autre homme.

Et surtout, il est irremplaçable, n'est-ce pas ? C'est sa mégalomanie habituelle. Il y en a d'autres que cela inquiéterait de se dire que vous ne partez pas pour quelqu'un mais à cause d'eux. Pas lui… Lui, c'est le père (vers) tranquille…

Et puis, on le sait, il n'a pas de temps à perdre à s'interroger sur la raison pour laquelle on le quitte, trop occupé qu'il est à jouir… avec l'argent d'une autre.

NE PAS RÉVEILLER UN PERVERS QUI DORT

Cela marche très bien, son système.

« Que veux-tu faire ? Il est comme ça, tu n'as qu'à te résigner ! »

De bonnes âmes, parmi ces merveilleux amis précités, qui vous soutiennent (vraiment !), vous conseillent de ne pas lui en demander trop, ni meubles, ni argent, ni garde d'enfants, au risque de le dégoûter, de le décourager !

Vous rétorquez : «Mais je ne demande que ce qui est juste!»

Eh bien, non, on ne peut pas demander ce qui est juste à un PB (*Pervertus Banalus*)! Ce n'est pas sa faute, il est pervers.

Même l'avocate et ses grandes manches, qu'il a mise dans la sienne (de manche), et peut-être même dans son lit (on ne sait jamais, avec lui), vous le confirme.

Il faut dire qu'à celle-là, le PO lui a mis un tel coup… de Stradivarius, que la dame a eu du mal à retenir ses larmes devant ce pauvre homme laissé sur le carreau par sa cruelle épouse. Eh oui, elle aussi a eu droit à un récit de légende!

Nombreux sont ceux qui sont convaincus que l'homme est plus un inconscient qu'autre chose, preuve qu'ils n'ont rien compris et que le système de défense de monsieur fonctionne à merveille.

Ah ça! Qu'on prenne de la manipulation pour de l'inconscience arrange très bien le PE! Irresponsable majeur. Comme c'est pratique!

Il menace de partir au bout du monde si on lui demande des comptes :

«Tu ne me verras plus si tu fais ça!

– Mon chéri, ce n'est pas moi qui ai besoin de te voir, mais nos enfants!»

C'est ainsi qu'il vous tient. Il fait vibrer à fond la même corde, celle de ces enfants qui sont à vous, bien entendu… une vraie rengaine.

Vous : « Alors, il n'y a aucun recours contre un pervers? On ne peut rien faire, sous prétexte qu'il est comme ça?»

Le psy : « Non, il n'y a rien à faire, si ce n'est de ne jamais avoir aucun rapport avec ce genre de personne.»

Face à la perversion, c'est la même chose que face à la connerie, le seul salut est dans la fuite, si on ne veut pas devenir con… à son tour.

LA COLLE

Votre fils vous pose une colle, ce matin :
« Maman, quand est-ce que papa et toi vous serez amis ? »
Vous vous grattez la tête, perplexe.
« Bof, dans un million d'années... peut-être... À moins que je n'accepte de me laisser à nouveau manipuler et berner, et que je renonce à mes opinions. »
Vous ne savez pas si le petit a bien saisi... parce qu'il a répondu :
« Tu n'es pas gentille !
– Si, seulement avec moi-même, de temps en temps. »

Vous en avez lu des livres sur la question, vous savez qu'il faut vous entendre pour vos enfants, que le lien parental doit être maintenu le plus harmonieusement possible pour que vos petits ne culpabilisent pas à cause de la séparation.

Mais avec cet homme-là, c'est plus qu'un tour de force, et vous cherchez désespérément quelle potion magique avaler pour le supporter et lui parler avec calme !

L'humiliation, ça ne s'oublie pas, et il aura toujours sa langue de vipère. Alors...

LA LIBÉRATION

La présence et l'emprise du PO vous empêchent de penser, vous bloquent l'esprit.

Il n'y a que lorsque vous serez vraiment partie que vous le réaliserez, que vous y verrez de plus en plus clair. Tout vous apparaîtra comme sur un écran géant, mais ce sera trop tard... Pas pour tout, heureusement !

Parfois, vous vous dites que c'est vous la perverse, qu'il y a quelque chose d'indécent à être ainsi soulagée de vivre sans lui... N'oublions pas que, même si vous l'avez quitté, vous conservez cette propension à la culpabilité. On ne se refait pas.

Et puis, c'est cela le propre de la non-perversité, c'est de toujours craindre de tomber dedans. Et si l'on tombe, de s'en rendre compte.

Tout de même, la question vous chatouillera l'esprit : pourquoi n'avoir jamais joui de cette liberté, même avec lui ? Pourquoi ne pas l'avoir organisée alors que vous étiez ensemble ?

Vous vous posez la question, et pourtant vous avez déjà la réponse. C'est à cause de cette emprise terriblement efficace qui vous en empêchait et, surtout, pour échapper à la lutte éreintante qui en aurait découlé. Il vous voulait tellement toute. Quelle drôle d'alchimie entre vous deux, qui vous le faisait voir différent de ce qu'il était, comme si vous aviez son image imprimée à l'extérieur des yeux !

LES JOIES DE L'APRÈS-PERVERS

Hmm... le bonheur d'avoir votre petit désordre à vous, votre «joyeux petit bordel», comme il disait, de savoir que son œil ne va plus traîner sur vos affaires, vos écrits, vos objets, qu'il ne va plus les déplacer, qu'il ne va plus s'interroger, vous interroger, pénétrer dans tous les recoins de votre intimité, pour ensuite s'en moquer.

Non, ce n'est pas que vous ne supportez plus les hommes, comme il le claironne à qui veut l'entendre, c'est que vous ne supportez plus «cet» homme, ce type d'homme.

Il prétexte qu'il n'y est pour rien, que tout était là, à sa portée. Mais vous connaissez des hommes qui ne fouillent pas, qui ne trouvent pas, quand bien même cela s'étalerait sous leurs yeux.

Pire, vous n'avez jamais vu quelqu'un qui allait, comme lui, droit au but. Droit sur ce que vous désiriez lui cacher, même en période de non-crise, même en période de croisière, quand tout allait bien.

Il voyait tout, la moindre chose qui dépassait d'un angle droit, le moindre papier déplacé et remis légèrement de guingois, parce que vous ne savez pas ranger «au carré». On aurait juré qu'il avait un radar, un sonar. Même si vous n'aviez pas d'arrière-pensée, vous auriez aimé qu'il ne trouve pas, parce que c'était *votre* intimité.

Rappelez-vous le jour où vous avez eu enfin quelque chose à lui cacher, un désir étranger. Vous n'aviez pas fait trois pas que la Gestapo vous arrêtait, qu'on braquait sur vous le faisceau du mirador. Vous vous êtes fait piquer avant même d'avoir commis la faute.

Pourtant, vous l'aviez consciencieusement planquée, la boîte de préservatifs, mais il a fallu qu'il mette la main dessus. La cache n'était certes pas une trouvaille… De toute façon, dissimuler la boîte ailleurs n'aurait rien changé, il l'aurait dénichée.

On dirait que le champ de vision de ce genre d'individu est équipé d'une cellule photosensible branchée en permanence, comme si la position de chaque objet était paramétrée dans le cerveau du bonhomme. Au moindre mouvement, un signal d'alarme retentit dans son crâne. Comme si tous les emplacements étaient gravés dans sa mémoire, au millimètre près.

Comment, dans ces conditions, ne pas avoir l'impression de vivre sous l'œil de Big Brother? Un violeur d'intimité.

Vous avez l'impression d'être une femme à tiroirs secrets, dont on n'a pas cessé, pendant des années, de forcer toutes les serrures.

LA BOÎTE AUX FACTURES

Vous regardez la boîte métallique, la «boîte aux factures». À l'intérieur, des sujets d'angoisse, des contraintes financières et administratives, la gestion d'une petite société, celle que vous formez avec des associés chers à votre cœur, vos enfants. Un tas de choses à payer, à prévoir. Vous fonctionnez sans filet. Avant, vous n'aviez que l'illusion d'avoir un filet.

Cette boîte, c'est la boîte à liberté, le prix à payer pour être libre de vivre et de penser ce que vous voulez!

DERNIÈRE LIGNE DROITE

Vous avez reçu la requête conjointe réitérée (la semaine prochaine, c'est le grand jour final!) et l'avocate a eu la bonne idée de vous l'envoyer directement pour que vous la signiez, en vous demandant de la faire passer à votre mari pour qu'il y appose son auguste paraphe! Comme si vous étiez les meilleurs amis du monde, comme si c'était la *love story*!

L'avocate dilettante n'a cependant pas omis d'annexer sa feuille d'honoraires. Pas du tout dilettantes, eux. Très professionnels ou, si vous préférez, totalement prohibitifs!

C'est cher pour un travail de secrétariat, sachant que dans ce faux divorce à l'amiable, avec avocat commun (pure hérésie avec un pervers!), le mari a dicté sa loi et que l'on n'a pu changer un iota de ce qu'il avait décidé dès le début.

On n'a jamais vu cela, une avocate qui ne convoque pas les deux protagonistes en même temps pour signature dans son cabinet. Un fait exprès pour provoquer la bagarre.

Vous pressentiez l'anicroche. Ce fut Pearl Harbor! Vous allez lui envoyer vos honoraires, à la prêtresse du barreau, pour ce que vous avez dû encaisser à l'occasion de cet échange de «formalités» avec votre futur ex, votre «mari», comme elle dit! En guise de représailles, vous allez la régler avec trente-six chèques d'un montant minuscule, parce que cette avocate avait toujours, à la question: «Peut-être est-ce que je pourrais éviter un tout petit peu de me faire arnaquer sur ce coup-là?», la même réponse: «Ah non! Vous ne pouvez pas! Vous devez vous faire arnaquer totalement!»

Invariablement, vous raccrochiez, assurée de ne rien pouvoir faire de plus et de renoncer à réactiver le PA. Escroquée mais rassurée. Cette fois, piquée au flanc par on ne sait quel insecte, vous voilà animée d'un dernier soubresaut de combativité, autrement dit de folie, et vous profitez de l'occasion que vous procure cette signature de requête pour reparler au PV des meubles qu'il a promis de vous restituer en échange de ceux que vous n'avez pu emporter.

Trop lourds ils étaient, les meubles. Les copains s'étaient dégonflés, les lâches, à la perspective de devoir monter quatre étages. D'ailleurs, ce ne sont plus vos copains; des copains comme ça, on les conseille à ses ennemis!

Help le psy! (Où est-il passé, celui-là? Ce n'est pas le moment de dormir. C'est le dernier baroud!)

Dites-moi donc pour quelle raison je replonge, après tout ce que j'ai écrit sur lui? Pourquoi suis-je mesquine, pourquoi est-ce que je lésine comme lui? Je ne suis pas mesquine. Je ne l'ai jamais été.

D'accord, j'ai tout perdu, mais je me tire d'un si mauvais pas, je cesse de vivre avec un si «méchant» homme, alors quelle importance, ces quelques meubles? Pourquoi en faire tout un symbole? Comme si je voulais absolument remporter cette misérable victoire, pour mon amour-propre, pour ma conscience, pour dire que je n'ai pas tout «paumé», que j'ai réussi à le faire plier au moins un peu, sur des vestiges dérisoires.

Le psy: C'est normal, cette réaction, vous avez envie de gagner sur lui, au moins une fois.

Ah, merci! Le psy a enfin fini sa sieste, et lui aussi, il n'en peut plus!

Que dit-il encore?

Vous aurez du mal à guérir des blessures laissées par cette histoire, parce qu'il y a eu humiliation. L'humiliation vient du refus du dialogue, du refus de la prise en compte de l'autre... Il a dit: «La loi, c'est moi! C'est comme ça ou c'est rien! Ne discute pas!» Vous avez été niée. S'il y avait pu avoir discussion, même une discussion-négociation très dure, très âpre, les choses auraient été différentes. Tout cela va laisser des traces, et elles resteront tant que vous ne prendrez pas le risque de restituer symboliquement les violences qu'il vous a fait subir.

C'est vrai, un homme comme lui vous met d'emblée la camisole de force.

Pourtant, je rêve qu'un jour, enfin apaisée, je puisse dire : « Ce n'était pas le bon mari pour moi, voilà tout ! » Je pense que ce sera long. Et cela n'arrivera peut-être jamais à cause de cette humiliation dont parle le psy.

Ce qui est sûr, c'est que viendra quand même un jour où je cesserai de le vouer aux gémonies. Peut-être...

Pour l'instant, je refuse qu'il m'impose sa loi de A à Z, sur les choses essentielles comme sur les broutilles.

Ça commence par son horaire au sujet des enfants. Tout est à sa guise, à sa guise... Dans son esprit, on jurerait que je ne travaille pas, qu'il est le seul à avoir des occupations professionnelles.

Tout est organisé dans son intérêt à lui. Je suis niée comme avant, comme toujours. Quand je fulmine, quand je proteste tandis qu'il dicte ses conditions à un enfant au téléphone, il dit que je traumatise les enfants, que je les prends en otage, alors que je lui demande simplement de respecter mon horaire de travail.

Une femme bien, pour lui, c'est une femme qui accepte tout !

Une femme désintéressée est une femme qui paie tout !

Je sais, je parle tout le temps d'argent. Comme lui. Il m'a contaminée...

Car le PB continue à être prévoyant avec vos sous, il dit : « Inutile que je te rende ces meubles, il y en a des pas chers chez Ikéa. Et puis, avec tes primes de fin d'année, tu peux t'acheter des meubles ! »

Il continue tranquillement et sans culpabilité à disposer de vos revenus, à faire vos comptes, en tout cas à mettre le nez dedans (on ne perd pas si vite de bonnes et vieilles habitudes !).

Il retourne encore la situation, il trouve des arguments pour ne pas vous rendre ce qui vous appartient. C'est comme s'il vous disait : « Tu n'as pas besoin de ce qui est à toi. »

Il décide de l'emploi de votre argent, de ce dont vous avez besoin, de ce qui est suffisant pour vous. Il a gardé les meubles de prix, à vous les meubles minables. C'est le plus grand des voleurs, et ce n'est pas un gentleman! Exactement comme quand il les a achetés, ces meubles, en se servant de vos fiches de salaire pour faire le crédit, et en mettant la facture à son nom. Tout était écrit d'avance, dès le premier jour!

Cette prise de conscience de la manière avec laquelle vous avez été bernée dans les grandes largeurs est... un mélange de douleur et de rédemption.

« TU AS DIX SECONDES POUR TE DÉCIDER!»

Alors, il dit: «Si tu me parles encore de cette histoire de meubles, je ne signe pas la requête. Je m'en fous de divorcer ou pas. Tu as dix secondes pour décider, ou je la signe, ou je ne la signe pas.»

Vous ne savez pas s'il mettra à exécution cette menace, même s'il semble qu'il ait besoin de se libérer pour convoler avec sa nouvelle dulcinée. Mais c'est toujours pareil, vous n'avez pas envie de prendre le risque, c'est trop jouer avec vos nerfs, un peu usés d'ailleurs. Et puis, vous n'êtes pas de cette espèce-là!

Il a dit la même chose quand il est revenu de sa longue escapade: «Tu as dix secondes pour décider. Ou je reste, ou je m'en vais!»

Une manière, pour cet opportuniste, de toujours faire endosser à l'autre la responsabilité de la rupture ou de la réconciliation, et cela à l'infini. De ne pas exprimer de regret, de ne pas dire «je t'aime».

Partir, rester, n'a pas plus de valeur que cela! Un jeu. Pile ou face. Vous semblez décider, en fait vous n'êtes qu'un pion, une quantité négligeable. Dans les deux cas de figure, quoi que vous choisissiez, il y trouvera son intérêt, faites-lui confiance.

Pour vous, inconsciemment, comme je l'ai déjà dit, même s'il reste, c'est comme s'il était parti.

C'est de cette menace dont il joue depuis le début, on l'a vu. Et cela fonctionne et pourrait fonctionner jusqu'au bout, jusqu'à la majorité des enfants.

Sauf qu'aujourd'hui, vous dites : « Tu peux te les mettre où je pense, tes meubles. Signe, et je signe, je me débarrasse de toi ! »

Il a gagné (les meubles) !

LE LEITMOTIV DU PERVERS : « JE GARDE LE CONTRÔLE DE LA RELATION ! »

Ou un petit retour en arrière…

(Le psy : pour gratter encore la plaie… !)

Bien que vous soyez à l'origine du divorce, très vite, il prend les choses en main. Il réussit même à prendre les devants : « Tu veux aller voir un avocat ? Pauvre fille ! » Ce disant, il sort son fameux calepin (alibi) et il demande, après vous avoir fait les menaces de mort d'usage : « Quand est-ce qu'on va le voir ? Moi, je peux le 13 à 9 heures. »

Parce qu'après il a une grosse journée et qu'il ne faut pas se laisser déconcentrer !

Plus encore, il fait une visite surprise à l'avocat avant le rendez-vous programmé en commun, pour prendre la température, pour voir ce que vous avez déjà raconté à l'homme de loi, et si vous avez l'intention d'attaquer « dur » ou « mou ». Pour tirer parti au mieux de la situation, pour voir comment préserver ses intérêts, reprendre le contrôle autant que possible, ne pas se laisser conduire, guider par les événements que vous avez initiés.

« Ma femme et moi, on s'adore, monsieur. Vous savez, elle a des problèmes en ce moment au travail, et puis c'est aussi à la suite de son accident, elle ne va pas très bien, mais je pense que dans six mois, huit au plus, on se retrouvera. On n'a pas de véritable raison de se séparer. Bon, pour la pension, vu mes moyens, je préférerais que le montant fixé ne soit pas trop élevé, sinon elle va payer des impôts dessus. Je préférerais l'aider pour le loyer. »

L'avocat a acquiescé parce que ça correspondait à ce que vous lui aviez dit quand vous êtes venue le voir, vous. Ah bon? Non, mais on rêve!

C'est pour cette raison aussi qu'il a très vite accepté une «espèce» d'entente (un marché de dupes pour vous) plutôt que de se lancer dans un divorce conflictuel à l'issue incertaine. Garder le contrôle...

Ce PV-là agit toujours avec une grande célérité, une rapidité extraordinaire pour garder la main, prendre l'autre de vitesse, l'empêcher de penser, d'agir. L'autre n'a pas le temps de respirer. Le PV agit en douce, il le double, il veut le coiffer sur le poteau.

Oui, le pervers veut toujours conduire, décider.

Vous projetez d'acheter un terrain pour faire construire. Que fait le PE? Il se précipite. Il vous tire au petit matin de votre sommeil, il est dans la plus grande excitation. Il a fait un rêve prémonitoire et, en pleine nuit, il est parti faire un tour dans les environs et il a trouvé le lopin de terre idéal sous le clair de lune, et il est resté à regarder l'aube et la campagne blanchir, puis le soleil se lever.

Ce fut magique comme une apparition, une conviction profonde. C'est là que le logis devait trouver sa place.

Vous avez partagé son enthousiasme et versé les arrhes sur la parcelle, jusqu'aux pluies d'équinoxe, où vous avez constaté qu'il était plus qu'inondable, car complètement inondé. Pire qu'une éponge, un lac de retenue qui allait vous obliger à construire sous la maison un vide sanitaire haut comme un immeuble... Mais comme vous avez versé des arrhes, le pervers ne veut pas se désister.

Alors, vous la faites construire, cette maison sur pilotis, pour vous rendre compte, de surcroît, que toute la bonne terre à pommiers d'origine a disparu (escamotée par les terrassiers) et a été remplacée par des débris, des gravats et des plaques de béton, et qu'il faudrait plusieurs camions de terre pour renflouer le tout et aplanir le terrain.

Qu'à cela ne tienne, le PE a une idée de génie. Il a une copine qui fait construire aussi. Elle a évoqué le fait qu'elle, au contraire, vu l'importance des fondations et du sous-sol à creuser sous sa maison, elle aura de la terre en trop, à évacuer, et qu'elle pourra en donner, vous en donner.

Mais elle revient très vite sur ses prévisions. Finalement, elle n'aura pas de terre en trop. Elle devra même faire venir quelques bennes de terre végétale.

Le PB ne veut pas entendre le rectificatif, il ne se souvient que du premier communiqué. Comme si de rien n'était, il affrète quelques camions pour aller lui faucher sa terre, à sa copine.

Et qui doit prendre ensuite la défense du PA ? Et qui se fâche avec la copine ? C'est la bécasse de service !

Le pauvre, il n'avait pas très bien compris, ou plutôt il s'était dit : « Oh, elle en aura bien assez tout de même, c'est pas un ou deux camions qui vont changer quelque chose ! » Sauf qu'il a fallu faire un chèque de remboursement de la valeur de la terre !

« C'est moi qui conduis, mais je vais droit dans le mur ! »

C'est toujours pareil, le pervers veut prendre, prendre l'argent, la terre et tout le reste. Prendre, prendre. Cet instinct-là finit par le mener au délit.

Que dit mon psy préféré ? Pour l'instant, vous grattez, grattez de vieilles plaies. C'est bon, mais ça empêche la blessure de cicatriser.

Ah oui ? Eh bien, je continue quand même, encore un tout petit peu... Après j'arrête, c'est promis !

C'est vrai qu'il aime bien faire des faux en tous genres, le PV.

Dans les moments de séparation, de flottement, où ses intérêts sont menacés, où il sent qu'il va perdre la caisse et la caissière, il prend des risques.

Lorsqu'il a fugué et qu'il revenait faire de brèves prestations chez vous le matin, il vous demandait un peu de fric, comme un mendiant, pour s'acheter un sandwich. Ou alors il le fauchait dans le porte-monnaie. Vous aviez honte pour lui, parce que c'était votre mari. Il n'arrivait pas à partir sans vous avoir soutiré le montant de sa maigre pitance. On aurait dit que vous étiez la mère nourricière qu'il voulait exploiter jusqu'au bout avant de la quitter pour aller faire ses frasques, ou que c'était son argent de poche que vous lui deviez, son argent de poche, comme à un môme. Quel drôle de rôle il vous faisait jouer là !

S'il était vraiment parti, la source sécurisante se serait tarie. C'est pourquoi il n'arrivait pas à s'y résoudre.

Vous n'aviez jamais réalisé à quel point votre revenu « assuré » pouvait être pour lui rassurant, et dans quelle angoisse folle vous l'avez projeté quand vous lui avez annoncé que vous le quittiez. Il ne pouvait que se consoler avec une femme riche.

Vous aviez déjà constaté cela chez certaines femmes, ce besoin d'être rassurée, mais vous ne pensiez pas qu'un homme pouvait ressentir la même angoisse, et de manière aussi névrotique.

LE RÉSULTAT DES COURSES, OU L'ENVIE DE SE GRATTER ENCORE UN PETIT PEU...

Avant, j'hésitais, je ne savais pas. Tantôt je disais qu'au moment de la séparation, sur tout ce qui représente vos droits, il fallait être plus dure que lui. Souvenez-vous, j'ai écrit : « Avec un pervers, il faut être plus dure que lui, lui brandir le code sous le nez. »

Et dans le même temps, j'affirmais que, face à lui, il n'y avait qu'une chose à faire, c'était tourner les talons, gardant en mémoire ce que deux hommes (et les hommes se reconnaissent entre eux) m'avaient dit : « Il n'y a rien à en tirer ! »

Eh bien, maintenant je n'hésite plus, j'ai choisi, je confirme la seconde option : je ne suis pas de taille, je suis désolée. Je ne suis pas perverse et je ne le serai jamais. J'y perdrais la peau !

Je n'aurais pu lui opposer une résistance que si j'avais eu un « mec » derrière, pour lutter avec moi contre lui. Femme seule s'abstenir ! Et encore, il aurait fallu en trouver un vrai, un dur, un tatoué, un qui puisse combattre à armes égales. Espèce rare, difficile à trouver. À part un autre pervers comme lui, je ne vois pas !

EXHORTATION

À ces jeunes filles qui entrent dans la vie, que votre expérience serve de leçon, si c'est possible, mais ne nous faisons pas trop d'illusions.

Car c'est terrible d'épouser un PO. Et même quand on prend la décision de s'en séparer, il faut du temps pour s'en remettre, psychiquement, affectivement, financièrement.

Bien souvent, à cause de lui, on doit renoncer à des rêves, et des années seront nécessaires pour les reconquérir, ces rêves, pour retrouver le chemin de ses désirs.

Épouser un pervers, c'est tomber dans un piège, un piège qui peu à peu se referme, très lentement, un piège toujours en place, même après la séparation, surtout lorsqu'on a des enfants avec cet homme.

Oui, *gardez-vous d'aimer un pervers...* Parce que c'est trop facile!

Vous entendrez dire que ce sont les femmes qui demandent le divorce, ces femmes fortes qui ont, paraît-il, tous les courages. Alors que si elles le font, c'est parce qu'elles sont acculées par tous les malheurs, et qu'elles décident de ne pas aller plus loin, pour sauver leur peau. Et elles le font la mort dans l'âme, avec, en perspective, le plus souvent, l'angoisse de la solitude, de la charge entière de l'éducation des enfants, des galères financières...

Non, ce n'est pas la fleur au fusil qu'elles partent au combat pour recouvrer leur liberté. Car leur départ ne fait qu'entériner l'échec de toutes ces années de vie commune, qui restent leurs plus belles années, celles de la jeunesse et de tous les espoirs.

Il n'y a que dans le regard de leurs enfants qu'elles trouvent la justification de tout ce temps qui, grâce à eux, ne saurait être perdu.

«Tu as tout de même de beaux enfants!» vous répètent sans cesse vos amis. C'est vrai, ils ont raison. Mais vous préféreriez les avoir faits avec un autre, et être encore mariée à un homme et à un père aimant. Il n'y a rien de mieux qu'une famille!

Maintenant, votre vie de femme, il va falloir non pas la refaire, mais la continuer.

Au fait, qu'est-ce que c'est, une vie de femme? En tout cas, quand elle tombe entre les pattes d'un pervers, vous avez la réponse!

Le psy: « Tout ce temps n'est pas perdu. Grâce à lui, vous êtes sortie de l'enfance. »
Vous: « Et alors, je devrais lui dire merci, en plus? »
Le psy: « Peut-être, un jour, et cela vous surprendra! »

Alors, merci, monsieur le pervers!

Mais quand même, cela suffit, vous êtes assez grande maintenant... Quelques conseils vous seront néanmoins utiles... pour ne pas perpétuer la névrose compulsive... qui est la vôtre.

6

Pour l'avenir, ou l'après-pervers,
ou comment éviter de retomber
dans les pattes d'un pervers

Ça, je vous le dis, les filles, ce n'est pas gagné!

COMMENT ÉVITER DE VOIR DES PERVERS PARTOUT

«Vous savez, moi, après mon divorce, les hommes, je les voyais comme des cyprès et des platanes de bord de route en Provence, ployés par le vent... Autrement dit: tordus! Alors, j'étais bien décidée à me passer d'eux! Ce qui m'a attirée chez André, ou plutôt intriguée, c'est qu'il a commandé, la première fois, une tisane, et la seconde, un citron pressé en plein après-midi, au lieu d'une bière comme tous les autres!»

Celle qui parle ainsi est aujourd'hui une femme comblée. Oui, Marie-Jeanne est heureuse et elle ne l'a pas volé!

À vous, il ne vous reste plus qu'à traquer les consommateurs de tisane et de citron pressé aux terrasses des cafés!

Parce que son André, vous n'en êtes pas revenue, c'est une espèce de génie, il faut bien le dire, un alchimiste, tout ce qu'il touche devient or. De la culture du melon hors sol qu'il a inventée aux idées qu'il donne aux chercheurs de l'INRA, lui qui n'a pas pu aller à l'école, en passant par la peinture à laquelle il s'adonne à ses moments perdus... Et la douceur en prime! Bref, une sensibilité toute féminine

Une chose est sûre: celui-là, le PE ne l'aurait pas aimé!

L'APRÈS-PERVERS FAÇON BRIDGET JONES ?

Vous, vous êtes un peu différente de Marie-Jeanne, pas encore assez raisonnable pour vous cantonner exclusivement aux consommateurs de tisane, ni suffisamment déçue par les hommes pour les mettre tous dans le même sac et les jeter par-dessus la galère. Malgré tout ce que vous avez vécu...

Bref, vous croyez toujours à l'amour (avec un petit *a*). Je vois le sourire du psy...

Donc, comme vous avez lu dans votre horoscope que l'amour était dans vos murs, maintenant, au bureau, vous regardez derrière chaque porte si Eros n'y est pas planqué.

Voilà que, l'air de rien, vous scrutez un collègue de travail. Et si c'était lui ? Vous essayez de lui trouver quelque chose de sexy. Quel boulot ! Vous vous imaginez avec lui, ou plutôt vous avez du mal à vous imaginer... Qu'est-ce qu'il est feutré, avec son costume gris et sa chemise noire... Mais cette imperceptible odeur de... naphtaline, ça fiche tout en l'air, c'est anti-érotique au possible !

Il raconte qu'il a passé le week-end chez «manman» et qu'ils ont failli écraser un sanglier (il parle beaucoup de «manman»). À sa façon de bouger les mains, vous avez bien peur (enfin, si on peut parler de peur) qu'il ne soit pédé.

C'est pour cela qu'il est si doux et si distingué ? Un zeste d'obséquiosité, aussi. Mais c'est peut-être du respect, au fond. Il s'incline pour dire bonjour et ne prend que le bout des doigts, découvre toutes ses dents, et plisse les yeux.

Qu'il est gentil, on s'y habitue...

Au suivant. Ah, lui, déjà... il est plutôt pas mal, au premier abord, largement envisageable, mais bon, les compliments, vous vous apercevez très vite qu'il les fait à toutes les femmes. Dommage. Il n'a que des amours partout, et nous, les nanas, on est toutes des déesses avec lui (quel que soit le physique). C'est plutôt sympa, vous me direz ! Il a le baratin, celui-là aussi. Attention, danger ! La première fois, on se sent pousser des ailes ; après, on comprend qu'il va falloir partager.

L'autre jour, il vous a offert un café. Il vous appelle «mon petit bouchon». Un homme qui vous offre un café en ces temps de disette, avec votre futur ex qui vous compte les pics à apéritif, c'est Byzance!

Et puis, il y a le chef de service qui veut vous filer sans arrêt... des objectifs. Lui, même s'il vous regarde dans les yeux, il n'y a que le boulot qui l'intéresse.

Lui, ce qui le préoccupe avant tout, après un rapide coup d'œil à vos jambes si vous êtes en jupe, c'est de déduire de votre mine du matin si vous allez être productive ou pas dans la journée. Il scrute, prend la température, vous gratifie d'un clin d'œil encourageant. «Vous allez bien, j'espère!»

Il sait que vous divorcez et que c'est mauvais pour la concentration, mais heureusement qu'il ignore que vous quittez un *Pervertus Abominablus*. Il se ferait du souci pour l'avancement de vos travaux!

L'horoscope, de toute façon, ce n'est pas très fiable.

Voyons au-dehors... Il y a aussi des hommes dehors, heureusement!

Tiens, aujourd'hui vous en avez rencontré un... Ce Jean-Paul, comme il est sympa, intéressant, perspicace, cultivé, intelligent, hypersensible, pas mal... mais paumé, fauché, instable, souffrant, inconstant, immature, flottant... À éviter!

À la vérité, il faut bien reconnaître que, malgré les années, vous êtes toujours une proie rêvée, et que vous ne changerez pas fondamentalement dans vos utopies, on l'a vu. Tout comme vous n'êtes pas parvenue à le faire changer, lui, le *Pervertus* de base.

Maintenant, vous craignez l'attrait que ce genre de garçon risque d'exercer sur vous. Et si la peur n'évite pas le danger, elle peut quand même vous inciter à prendre vos jambes à votre cou ou à vous retirer sur la pointe des pieds avant qu'il ne soit trop tard.

Vous pouvez aussi trouver la bonne distance, entendre les mots et les écouter, repérer les petites phrases sadiques sans importance, vu le contexte, repérer très vite les signes d'une future maltraitance, et toutes les entourloupes qui vont avec.

Surtout, évitez de décliner votre pedigree, de parler de ce que vous gagnez. Planquez vos bijoux Cartier (si vous en avez!) et passez sous silence votre récent divorce. Pas de provocation!

Dites que vous ne faites pas la cuisine, que vous ne voulez pas d'homme chez vous à temps plein, que vos fins de mois sont difficiles, que vous avez envie de cesser de travailler pour vous occuper de vous... Vous passerez peut-être à côté d'une histoire d'amour... mais surtout vous écarterez, à coup sûr, le *Pervertus Vulgaris*!

Vous avez largement payé pour le savoir.

QUELQUES CONSEILS PRATIQUES, TRÈS PRATIQUES

Si un homme démolit systématiquement sa femme chaque fois que vous êtes ensemble, l'accusant de dépenser trop, de ne pas faire assez l'amour ou je ne sais quoi encore, renvoyez-le chez sa bourgeoise en quatrième vitesse!

Si un homme vous regarde comme un fruit pas mûr, avec un œil de prédateur qui fait froid dans le dos et vous déclare: «Je ne suis pas pressé, le temps a toujours travaillé pour moi!» répondez-lui d'emblée: «Je préfère devenir tout de suite blette plutôt que de tomber sur toi!» Vous avez payé pour le savoir.

Eh oui! Parce que vous en rencontrerez encore, des possessifs, des hommes qui voudront vous chosifier, vous qui sortez à peine de cette situation! Méfiez-vous de tous, y compris de l'homme marié. Parfois, c'est le pire. Celui-là, qui n'est jamais libre le week-end, se livrera à un harcèlement téléphonique pour savoir où vous passez votre samedi soir! Imaginez ce que vous risquez s'il quitte bobonne… Heureusement que les statistiques sont là pour vous protéger, mais sait-on jamais, s'il venait à divorcer pour vous! Courage, fuyons!

Un homme qui vous fait payer le restaurant une fois sur deux n'est pas un homme généreux, mais au moins il annonce la couleur. Ce n'est pas un pervers qui vous appâte et vous présentera la douloureuse plus tard. C'est un homme qui pose d'emblée la relation sur un terrain égalitaire… Ouais, mais ce n'est pas un homme intéressant, de toute façon. Vous n'allez pas jusqu'à dire, comme une bonne copine: «Je n'entretiendrai jamais de relation avec un homme qui ne m'entretient pas.» Quand même, vous n'en êtes pas loin, au moins pour le restaurant! Vous touchez là à vos contradictions: indépendance et besoin de prise en charge financière, au moins pour les loisirs. Autrement dit: chatte échaudée craint l'eau froide! Bon, rien de grave, vous n'en êtes qu'aux débuts!

Le poseur de lapin, le «body buildé» compulsif, le chercheur de câlins, le sociologue qui fait une étude sur les femmes seules dans la quarantaine… Cela mériterait un livre, uniquement pour faire la liste et l'analyse des gars que vous êtes susceptible de rencontrer, et que vous rencontrerez.

Parce que, jusque-là, le pervers vous servait de garde-fou, ou plutôt vous étiez gardée par un fou qui se comportait comme un geôlier. Désormais, garde à vous! En garde!

Surtout, quoi qu'il arrive, ne regrettez jamais de l'avoir quitté en vous disant que les autres ne valent pas mieux, tout compte fait, car le vôtre, c'était un champion toutes catégories, et surtout vous étiez mariée avec lui!

Vous pourrez ainsi comparer les pervers entre eux, leur donner des notes sur l'échelle de la perversion: plus mythomane, moins dissimulateur, plus travailleur, moins bon amant, etc.

Quand même, attention à l'attrait de la nouveauté et à l'attrait physique, si l'homme est beau, a du charme (et il en aura forcément puisqu'il est pervers). Cette nouveauté, cette attirance physique, elle va une fois encore masquer (au moins momentanément) tout ce que vous voyez, entendez, et qui saute aux yeux et aux oreilles. Rappelez-vous les fameux signes avant-coureurs qui ne vous échappent pas au demeurant.

Vous allez à nouveau, malgré tout, malgré vous, vous faire avoir, consciemment peut-être, cette fois, mais vous allez vous faire avoir quand même.

Un nouveau pervers, ça fouette le masochisme ; c'est le retour des vieux réflexes, l'oubli des bonnes résolutions et de la conscientisation au profit de la... passion. La sensation grisante (au début) de devenir dépendante, d'être voulue, choisie. Vous lirez dans ses yeux l'habituel « Tu m'appartiens... » si viril ! Vous verrez, vous vous sentirez tellement femme auprès du PC, tellement femelle... soumise...

Faites alors ce que vous voulez avec lui (ce sera déjà beaucoup trop, croyez-moi, vous êtes déjà fichue !), mais ne l'épousez pas, surtout, et bien sûr ne lui faites pas d'enfant. Pitié !!! Limitez les dégâts !!!

Si vous venez de divorcer d'un PB, je vous en conjure, PRUDENCE ! Parce que c'est le cas de figure du début qui se reproduit ; vous êtes en déséquilibre, en état de vulnérabilité accentuée. C'est le moment idéal pour vous faire attraper par un autre pervers !

Vous prenez une petite semaine de vacances pour oublier l'échec de votre vie conjugale ? Eh bien, vous ne connaissez pas la nouvelle ? À peine débarrassée d'un pervers, vous allez en rencontrer un autre sur votre lieu de villégiature. Il se trouve toujours là où vous êtes. Et vous savez quoi ? Vous allez le repérer tout de suite, et il va vous foncer droit dessus. Vous êtes incapable de dire lequel a ciblé l'autre le premier, du chasseur ou de la proie.

Vous connaissez la suite, toujours le même processus, le même protocole, il veut vous embarquer, vous avaler, vous séparer de vos amis, il veut que vous lui consacriez vos journées. Finies les excursions avec vos copains. « Rien ne vaut le coup », à part lui. Il prononce exactement les mêmes phrases et a les mêmes gestes que votre ex ; il est grossier avec les autres et tendre comme un enfant avec vous. Il arrive toujours après l'heure du repas pour ne pas vous payer le restaurant ! Il ne vous connaît que depuis trois jours et il parle déjà de vous faire un enfant. Sa mythomanie et son baratin sont de très haute volée. Il veut que vous vous occupiez de lui comme une mère.

Cela vous va, comme raccourci ? Parce qu'on peut allonger la liste, si vous voulez, on peut étoffer… À lui seul, il mériterait un livre aussi, celui-là, vous le sentez… Courage, fuyons !

Cette fois, vous n'avez pas eu à vous mordre les doigts, vous avez été sauvée par le gong de la fin des vacances, et par l'océan qui vous séparait.

Là encore, vous avez pu mesurer toute la véracité de votre propre avertissement : «Gardez-vous d'aimer…» mais surtout d'en rencontrer un…

Pourtant, après tout ce que vous savez, il a bien failli être trop tard une fois encore. Vous restiez quelques jours de plus et vous étiez cuite ! À point !

Vous l'avez maintenant, la réponse à la question du début, ici, à la toute fin, comme prévu : quand on rencontre un pervers, impossible de ne pas tomber dans son piège, au moins la première fois.

Quant à la deuxième, rien n'est gagné d'avance, vraiment rien…

Un conseil malgré tout, car le test est fiable, il a bien marché sur plusieurs cobayes. Pour savoir à qui vous avez affaire (même si vous n'en tenez pas compte par la suite), faites lire les premières pages de ce livre à votre homme du moment. S'il rit de bon cœur, c'est bon signe, il n'est ni pervers ni macho.

S'il fait la tête ou rit jaune, méfiez-vous ! Vous avez mis le doigt dessus.

Le garçon cité plus haut est devenu blême ! Touché ! (Mais sûrement pas coulé !) Preuve que, dans le fond, il avait au moins conscience que l'on parlait de lui. Accordons-lui cette circonstance atténuante, dans notre grande mansuétude. On peut se le permettre, on ne le reverra plus.

Tandis que mon pervers à moi, celui qui a marqué ma vie, il ne se reconnaîtra même pas dans ce livre ! C'est sans remède ! C'est pour cela que je vais le lui offrir, ainsi qu'à sa nouvelle compagne.

Une chose est sûre, tous ces pervers (quasi) incontournables n'ont pas fini de nous en faire voir, à nous les femmes. Vraiment, nous ne sommes pas près de nous ennuyer!!! Rendons-leur grâce pour ça… au moins.

Bonne route!

Table des matières

 LES ÉDITIONS DE L'HOMME

Affaires et vie pratique

Les 8 meilleurs principes des vendeurs ultraperformants, N. Trainor, D. Cowper et A. Haynes
26 stratégies pour garder ses meilleurs employés, Beverly Kaye et Sharon Jordan-Evans
* **1001 prénoms, leur origine, leur signification**, Jeanne Grisé-Allard
100 stratégies pour doubler vos ventes, Robert L. Riker
* **Acheter et vendre sa maison ou son condominium**, Lucille Brisebois
* **Acheter une franchise**, Pierre Levasseur
À la retraite, re-traiter sa vie, Lucie Mercier
Les aménagements paysagers, Black & Decker
* **Les annuelles en pots et au jardin**, Albert Mondor
* **Les assemblées délibérantes**, Francine Girard
Belles voitures de toujours, Jacques Gagnon
* **La bible du potager**, Edward C. Smith
Le bon mot — Déjouer les pièges du français, Jacques Laurin
* **Bonne nouvelle, vous êtes engagé!**, Bill Marchesin
* **La bourse**, Mark C. Brown
* **Bricoler pour les oiseaux**, France et André Dion
* **Le chasse-insectes dans la maison**, Odile Michaud
* **Le chasse-insectes pour jardins**, Odile Michaud
* **Le chasse-taches**, Jack Cassimatis
* **Choix de carrières — Après le collégial professionnel**, Guy Milot
* **Choix de carrières — Après le secondaire V**, Guy Milot
* **Choix de carrières — Après l'université**, Guy Milot
Clicking, Faith Popcorn
* **Comment cultiver un jardin potager**, Jean-Claude Trait
Comment lire dans les feuilles de thé, William W. Hewitt
Comment rédiger son curriculum vitæ, Julie Brazeau
Comment voir et interpréter l'aura, Ted Andrews
* **Comprendre le marketing**, Pierre Levasseur
La conduite automobile, Francine Levesque
La couture de A à Z, Rita Simard
Découvrir la flore forestière, Michel Sokolyk
* **Des bulbes en toutes saisons**, Pierre Gingras
Des pierres à faire rêver, Lucie Larose
* **Des souhaits à la carte**, Clément Fontaine
* **Devenir exportateur**, Pierre Levasseur
* **Écrivez vos mémoires**, S. Liechtele et R. Deschênes
* **L'entretien de votre maison**, Consumer Reports Books
* **L'étiquette des affaires**, Elena Jankovic
* **EVEolution**, Faith Popcorn et Lys Marigold
* **Faire son testament**, Me Gérald Poirier et Martine Nadeau
* **Fleurs de villes**, Benoit Prieur
* **Fleurs sauvages du Québec**, Estelle Lacoursière et Julie Therrien
* **La généalogie**, Marthe F.-Beauregard et Ève B.-Malak
* **Gérer ses ressources humaines**, Pierre Levasseur
* **Les graminées**, Sandra Barone et Friedrich Oehmiche
Le grand livre de l'harmonie des couleurs, Collectif
* **Le grand livre des vivaces**, Albert Mondor
La graphologie en 10 leçons, Claude Santoy
* **Le guide Bizier et Nadeau**, R. Bizier et R. Nadeau
* **Le guide de l'auto 2003**, J. Duval et D. Duquet
* **Le guide de l'auto 2004**, J. Duval et D. Duquet
* **Guide complet des travaux extérieurs**, Black & Decker
* **Guide complet du bricolage et de la rénovation**, Black & Decker
* **Guide complet pour rénover sa maison**, Black & Decker
* **Le guide de l'épargnant**, Option consommateurs
* **Guide des arbres et des plantes à feuillage décoratif**, Benoit Prieur
* **Guide des fleurs pour les jardins du Québec**, Benoit Prieur
* **Le guide des plantes d'intérieur**, Coen Gelein
* **Guide des plantes pour la maison**, Benoit Prieur
* **Guide des voitures anciennes tome I et tome II**, J. Gagnon et C. Vincent
* **Guide du jardinage et de l'aménagement paysager au Québec**, Benoit Prieur
* **Guide du potager**, Benoit Prieur
* **Le guide du savoir-écrire**, Jean-Paul Simard
* **Le guide du vin 2001**, Michel Phaneuf
* **Le guide du vin 2002**, Michel Phaneuf

Affaires publiques, vie culturelle, histoire

L'affiche au Québec — Des origines à nos jours, Marc H. Choko
Aller-retour au pays de la folie, S. Cailloux-Cohen et Luc Vigneault
* Antiquités du Québec — Objets anciens, Michel Lessard
* Apprécier l'œuvre d'art, Francine Girard
* Autopsie d'un meurtre, Rick Boychuk
* Avec un sourire, Gilles Latulippe
* La baie d'Hudson, Peter C. Newman
* Banque Royale, Duncan McDowall
Les belles inoubliables, Marcel Brouillard
* Boum Boum Geoffrion, Bernard Geoffrion et Stan Fischler
Le cercle de mort, Guy Fournier
* Claude Léveillée, Daniel Guérard
* Les conquérants des grands espaces, Peter C. Newman
* Cow-boy dans l'âme, Bernard Arcand et Serge Bouchard
* Dans la fosse aux lions, Jean Chrétien
* Dans les coulisses du crime organisé, A. Nicaso et L. Lamothe
* Le déclin de l'empire Reichmann, Peter Foster
* De Dallas à Montréal, Maurice Philipps
* Deux verdicts, une vérité, Gilles Perron et Daniel Daignault
* Les écoles de rang au Québec, Jacques Dorion
* Enquête sur les services secrets, Normand Lester
* Étoiles et molécules, Élizabeth Teissier et Henri Laborit
La généalogie, Marthe F. Beauregard et Ève B. Malak
Gilles Prégent, otage des guérilleros, Benoît Lavoie et Gilles Prégent
Gilles Villeneuve, Gerald Donaldson
Gretzky — Mon histoire, Wayne Gretzky et Rick Reilly
* L'histoire des Molson, Karen Molson
Ici Radio-Canada – 50 ans de télévision française, SRC et Jean-François Beauchemin
* L'île d'Orléans, Michel Lessard
* Les insolences du frère Untel, Jean-Paul Desbiens
* Intérieurs québécois, Yves Laframboise
* Jacques Normand, Robert Gauthier
* Jacques Parizeau, un bâtisseur, Laurence Richard
Jean-Claude Poitras – Portrait d'un homme de style, Anne Richer
* Je suis un bum de bonne famille, Jean-François Bertrand
* Landry – Le grand dérangeant, Michel Vastel
* Les liens du sang, Antonio Nicaso et Lee Lamothe
* La maison au Québec, Yves Laframboise
* Marcel Tessier raconte…, Marcel Tessier
* Maurice Duplessis, Conrad Black
Meubles anciens du Québec, Michel Lessard
* Moi, Mike Frost, espion canadien…, Mike Frost et Michel Gratton
* Montréal au XXᵉ siècle — regards de photographes, Collectif dirigé par Michel Lessard
Montréal — les lumières de ma ville, Yves Marcoux et Jacques Pharand
Montreal, the lights of my city, Jacques Pharand et Yves Marcoux
Montréal, métropole du Québec, Michel Lessard
* Les mots de la faim et de la soif, Hélène Matteau
* Notre Clémence, Hélène Pedneault
* Objets anciens du Québec — La vie domestique, Michel Lessard
* Option Québec, René Lévesque
Parce que je crois aux enfants, Andrée Ruffo
Paul-Émile Léger tome 1. Le Prince de l'Église, Micheline Lachance
Paul-Émile Léger tome 2. Le dernier voyage, Micheline Lachance
Paul-Émile Léger - coffret 2 volumes, Micheline Lachance
* La peinture au Québec depuis les années 1960, Robert Bernier
* Pierre Daignault, d'IXE-13 au père Ovide, Luc Bertrand
* Plamondon — Un cœur de rockeur, Jacques Godbout
* Pleins feux sur les… services secrets canadiens, Richard Cléroux
* Pleurires, Jean Lapointe
Prisonnier à Bangkok, Alain Olivier et Normand Lester
Quebec, city of light, Michel Lessard et Claudel Huot
Québec from the air, Pierre Lahoud et Henri Dorion
Québec, ville de lumière, Michel Lessard et Claudel Huot
Québec, ville du Patrimoine mondial, Michel Lessard
Le Québec vu du ciel, Pierre Lahoud et Henri Dorion

Psychologie, vie affective, vie professionnelle, sexualité

le jour,
éditeur

Animaux

Psychologie, vie affective, vie professionnelle, sexualité